La vie épicée de Charlotte Lavigne

De la même auteure

La Vie épicée de Charlotte Lavigne, tome 3, *Cabernet sauvignon et shortcake aux fraises*, Éditions Libre Expression, 2012.

La Vie épicée de Charlotte Lavigne, tome 2, *Bulles de champagne et sucre à la crème*, Éditions Libre Expression, 2012.

La Vie épicée de Charlotte Lavigne, tome 1, *Piment de Cayenne et pouding chômeur*, Éditions Libre Expression, 2011.

Nathalie Roy

La vie épicée de Charlotte Lavigne

Tome 4

Foie gras au torchon
et popsicle aux cerises

Catalogage avant publication de Bibliothèque et Archives nationales du Québec et Bibliothèque et Archives Canada

Roy, Nathalie, 1967-

La vie épicée de Charlotte Lavigne
Sommaire : t. 4. Foie gras au torchon et popsicle aux cerises.
ISBN 978-2-7648-0880-1 (v. 4)
I. Titre. II. Titre : Fois gras au torchon et popsicle aux cerises.

PS8635.O911V53 2011 C843'.6 C2011-941345-0
PS9635.O911V53 2011

Édition : Nadine Lauzon
Révision linguistique : Sophie Sainte-Marie
Correction d'épreuves : Julie Lalancette
Couverture et mise en pages : Clémence Beaudoin
Photo de l'auteure : Sarah Scott

Remerciements
Nous reconnaissons l'aide financière du gouvernement du Canada par l'entremise du Fonds du livre du Canada pour nos activités d'édition.
Nous remercions le Conseil des Arts du Canada et la Société de développement des entreprises culturelles du Québec (SODEC) du soutien accordé à notre programme de publication.
Gouvernement du Québec – Programme de crédit d'impôt pour l'édition de livres – gestion SODEC.

Les Éditions Libre Expression
Groupe Librex inc.
Une société de Québecor Média
La Tourelle
1055, boul. René-Lévesque Est
Bureau 300
Montréal (Québec) H2L 4S5
Tél. : 514 849-5259
Téléc. : 514 849-1388
www.edlibreexpression.com

Dépôt légal – Bibliothèque et Archives nationales du Québec et Bibliothèque et Archives Canada, 2013

ISBN : 978-2-7648-0880-1

Distribution au Canada
Messageries ADP
2315, rue de la Province
Longueuil (Québec) J4G 1G4
Tél. : 450 640-1234
Sans frais : 1 800 771-3022
www.messageries-adp.com

Diffusion hors Canada
Interforum
Immeuble Paryseine
3, allée de la Seine
F-94854 Ivry-sur-Seine Cedex
Tél. : 33 (0)1 49 59 10 10
www.interforum.fr

À toutes les psys qui, un jour ou l'autre,
m'ont reçue dans leur bureau.
Merci de ne pas m'avoir fait subir
une thérapie à la Martine Lebœuf.
Je crois que je n'y aurais pas survécu.

1

« Depuis je fais ma petite mam'zelle de chemin
à petits pas tout près des tiens
et c'est même pas grave si je perds pied
de toute façon, tu me trouves jolie,
même échevelée »

INGRID ST-PIERRE,
Mercure au chrome et p'tits pansements, 2011.

— J'espère que vous me croyez, madame Lavigne?

J'observe attentivement mon interlocuteur, assis en face de moi dans mon bureau. La trentaine avancée, le cheveu légèrement rebelle, les yeux d'un brun très profond et le sourire charmeur. Grand, le corps mince et ferme, il porte un jeans noir Projek Raw et un t-shirt du groupe The Velvet Underground hyper ajusté. Noir aussi, avec une immense banane jaune.

Beau mec, c'est le moins qu'on puisse dire. Encore plus beau que sur ses pochettes de disque.

— Écoutez, monsieur Cadieux...

— Vous pouvez m'appeler Alex, comme tout le monde.

— Comme vous voulez, Alex.

Je profite de cette interruption pour prendre une bonne gorgée de café au lait aromatisé à la vanille avant de poursuivre.

— Mon rôle n'est pas de vous croire. Vous êtes ici pour que je protège votre image publique. Le reste, ça me regarde pas.

J'imagine que ce n'est pas la réponse qu'attendait Alexis Cadieux, le chanteur du groupe pop le plus aimé du Québec. Mais c'est la mienne. Celle d'une conseillère et stratège en relations publiques.

C'est le nouveau métier que j'exerce depuis maintenant près de six mois au sein de la firme de mon mari. Je suis conseillère junior chez Lhermitte et Desforges Communication. Charlotte Lavigne, relationniste ?

Eh oui ! C'est là que la vie m'a menée ! *My God* qu'il s'en est passé, des choses, depuis que je suis retournée auprès de mon mari, il y a un peu plus de deux ans. À commencer par l'arrivée de la petite frimousse dont les photos décorent mon bureau.

Je jette un coup d'œil au cadre argenté qui se trouve à ma droite. Les yeux rieurs, le sourire coquin et le visage tout barbouillé de chocolat, Adrien dévore son premier gâteau d'anniversaire. Adrien Lavigne-Lhermitte… mon fils d'un an, cinq mois, deux semaines et trois jours. Mon fils que j'adore, mais qui m'a plongée dans une profonde confusion quand il est né. Un garçon ? Comment ça, un garçon ?

Moi qui étais certaine que je portais une fille… et qui avais tout préparé pour la venue de celle que j'appelais déjà Juliette. Chambre peinte en rose pâle, papillons fuchsia au mur, literie Hello Kitty, mobile musical Princesse, veilleuse Blanche-Neige…

Une armoire à jouets remplie de poupées Barbie, de DVD de Dora l'exploratrice et de Lego Stéphanie et ses amies, un ensemble de cuisine Fraisinette et… sa propre salle-penderie avec tous les vêtements et chaussures nécessaires de zéro à trois ans.

Inutile de vous dire à quel point j'ai eu un choc quand j'ai constaté le sexe de mon bébé, au moment de l'accouchement. D'autant plus que la technicienne de l'échographie était sûre à 95 % qu'il s'agissait bel et bien d'une pitchounette. Il m'a fallu – et il me faut encore – apprivoiser ce petit être qui aime jouer avec des camions qui font un bruit d'enfer et vider mon armoire à Tupperware pour les lancer partout dans la cuisine. Tout un contrat pour une Charlotte Lavigne maintenant âgée de trente-sept ans.

La voix sensuelle du chanteur à la tête de la formation qui a reçu le Félix Groupe de l'année me tire de mes réflexions.

— Non, mais c'est important pour moi que vous me croyiez. Je n'ai jamais couché avec cette fille-là et je l'ai surtout jamais mise enceinte. Faut que ce soit bien clair.

— Ce que je voulais vous dire, c'est que…

— Charlotte, on va se tutoyer, OK ? Ça va être plus simple.

— Pas de problème.

— De toute façon, on vient presque du même milieu. La télé, la scène, ça se ressemble pas mal.

— Vu de même.

Je plonge ma main dans un petit bol violet qui contient ma réserve de sucre et j'attrape un bonbon au miel de lavande. Je pousse le bol vers mon client et il choisit un caramel à la fleur de sel. Ses mains, longues et délicates, semblent particulièrement habiles, comme en témoigne la façon dont il déballe sa friandise. C'est qu'Alexis Cadieux n'a pas que des talents de chanteur, il est aussi un formidable pianiste.

— C'est de valeur que tu fasses plus de télé, Charlotte.

— Ah, mais j'en fais encore.

— Ah ouin ? Où ça ?

— J'ai mon émission sur la chaîne spécialisée en cuisine. J'interviewe des chefs.

— Ah bon. Et t'aimes ça ?

— Oui, beaucoup.

C'est vrai que je suis très contente d'animer cette nouvelle émission hebdomadaire. Passer une heure en tête à tête avec un chef célèbre, qu'il soit du Québec ou d'ailleurs, c'est vraiment enrichissant. J'apprends plein de choses.

Mais bon, si je veux être honnête, je n'y retrouve pas l'adrénaline qui existait sur le plateau de *Plaisirs épicés*. Une émission quotidienne que j'ai coanimée avec Pierre-Olivier Gagnon, un des chefs les plus *hot* du Québec, pendant un an et demi. Et parfois, je m'ennuie d'avoir une émission sur un grand réseau. Je ne dois pas me plaindre, toutefois, puisque mon *show* obtient les meilleures cotes d'écoute de la chaîne.

— Bon, pour revenir à mon affaire, je pense que…

— Si on reprenait tout depuis le début, Alex ? Parce que, là, il m'en manque des bouts. Raconte-moi encore ce qui s'est passé.

Alexis Cadieux pousse un long soupir avant de recommencer à me décrire sa rencontre avec Cynthia Beaulieu, une jeune fan qui habite Trois-Rivières. C'est arrivé après un spectacle, il y a environ deux mois. Alexis et les musiciens du groupe sont allés boire un verre dans un bar de la rue des Forges quand Cynthia et une de ses amies se sont invitées à leur table.

— Tu sais comment ça se passe. On parle, on signe des autographes.

— La bière coule à flots, je suppose.

— Pour mes chums, oui. Mais moi, je bois du vin, pas de la bière.

Bon point pour lui. Le vin, ç'a tellement plus de classe.

— Et tu en as bu ce soir-là ?

— J'ai commandé une bouteille de rouge. Avec des nachos pour tout le monde.

Alexis poursuit son récit et j'essaie de savoir s'il dit vrai. Il est formel quand il affirme avoir quitté le bar vers 1 h 30, seul, pour rejoindre sa copine à l'hôtel. Normal qu'elle l'accompagne en région, Magalie Saint-Onge est la directrice de tournée en plus d'être sa gérante. Malheureusement, ce soir-là, elle a préféré aller dormir après le *show*, plutôt que de suivre le groupe au bar. Si elle avait été présente, on n'en serait pas là.

Quoique... Je dois dire que ça fait bien mon affaire, cette histoire – fausse ou pas – de couchette avec une groupie. Pas mal plus excitant que mes derniers mandats de relations publiques. Apprendre à un PDG d'entreprise comment « passer son message » aux médias sans avoir l'air de le faire, ça me stimule autant que de tricoter une maille à l'endroit, une maille à l'envers.

— Donc, selon toi, Cynthia aurait tout inventé ?

— C'est ce que je te répète depuis le début.

— Et pourquoi elle aurait fait ça ?

— Parce que c'est une folle finie.

— Alex, ce sont des mots qui sortent plus jamais de ta bouche.

Celui qui est à la une du dernier *Cinq jours*, posant fièrement avec sa conjointe et leur enfant d'un an, se lève nonchalamment. Il me regarde avec suffisance.

— J'aime pas qu'on me dise quoi faire.

Non mais, s'il pense m'impressionner ! Les vedettes, je connais. Et puis, moi aussi, je jouis d'une certaine popularité. J'en suis à ma quatrième une du *Cinq jours*, la dernière me montrant avec Adrien qui déballe ses cadeaux de Noël, il y a à peine un mois.

— Dans ce cas-là, pourquoi t'es ici ? dis-je en me levant aussi.

Surpris par ma réponse du tac au tac – un mec comme lui devait sans doute s'attendre à des excuses –, Alexis se rassoit gentiment. Je l'imite. En réalité, je pensais qu'il serait plus batailleur. Faut croire qu'il a vraiment besoin de mes services. Nerveux, monsieur le chanteur.

— Je veux juste plus jamais entendre parler d'elle.

— Bon, ce sera peut-être pas aussi simple, mais on va s'arranger pour que ça aille pas plus loin.

Réponse évasive qui n'implique aucune obligation de ma part. Ne jamais rien promettre, c'est ma façon de travailler en relations publiques.

Alexis me raconte ensuite que Cynthia a communiqué avec lui par Twitter. Au départ, en privé, et maintenant directement sur sa page. De véritables déclarations d'amour.

— Mais... T'as pas pensé à la bloquer?

— C'est la première chose que j'ai faite, qu'est-ce que tu crois? Mais elle revient sous un autre nom.

— Elle a pas écrit qu'elle était enceinte de toi sur le fil, j'espère?

— Non. Ça, elle me l'a écrit en privé.

— Qu'est-ce qu'elle a mis sur ton mur?

— Attends, je vais te montrer.

Alexis se lève et contourne mon bureau pour venir me rejoindre. Il s'installe debout derrière moi, se penche et empoigne la souris de mon iMac. Je regarde ses longs doigts agiles manœuvrer pour cliquer sur mon onglet Twitter.

Si, quand il se trouvait en face de moi à une distance respectable, Alexis Cadieux ne m'intimidait pas, il en est tout autrement maintenant que son menton touche pratiquement mon épaule. Et que son parfum aux notes à la fois marines et florales, comme le jasmin, éveille en moi des sensations que je ne devrais pas ressentir avec un client.

— Prends ma place, ça va être plus simple, dis-je en voulant me lever.

Alexis ne me laisse pas passer et continue comme si de rien n'était.

— Non, non, reste là. Ce sera pas long.

Pendant quelques secondes, le seul bruit qu'on entend, c'est celui du bracelet en métal du chanteur qui frotte contre mon bureau en bois laqué blanc, immaculé. Son coude effleure ma taille, et je sens son visage tout près du mien.

Je garde les yeux rivés sur mon ordinateur et je me concentre pour reprendre le contrôle de mes émotions. Je remercie le ciel d'être assise, mes jambes molles ne pouvant ainsi pas trahir mon désir. Je suis également très contente de ne pas croiser son regard, puisque j'imagine mes pupilles dilatées, comme Maxou me dit qu'elles le sont quand j'ai envie de faire l'amour. Ce qui, je dois l'admettre, m'arrive de plus en plus souvent ces temps-ci. Et pas toujours avec mon mari. Depuis quelques semaines, j'éprouve la formidable impression de revivre. De redevenir une femme et plus seulement une maman. Adrien a été un bébé très exigeant. Pendant ses premiers mois d'existence, il a pris toute mon énergie.

Entre les nuits où je dormais à peine deux heures, les changements de couches quinze fois par jour et les coliques quotidiennes, il me restait bien peu de temps pour penser à moi. Et quand je suis retournée faire mon émission à la télé, alors qu'Adrien n'avait que cinq mois, j'ai vécu un sentiment de culpabilité énorme, même s'il était devenu un bébé plus tranquille. Quelle sorte de mère étais-je pour accepter de le laisser à la garderie huit heures par jour ? Une ingrate, il va sans dire.

J'ai donc compensé en passant le plus de temps possible avec mon fils en dehors du boulot. Bienvenue le double emploi ! Je m'effondrais dans mon lit à 21 heures, complètement épuisée et pas du tout disposée à répondre aux attentes de mon mari qui, de son côté, trouvait que je le négligeais. *Hello ?* C'est parce qu'on a un enfant, maintenant !

Et puis, le lendemain du premier anniversaire d'Adrien, Maxou est allé le conduire chez ma copine Marianne. Il a ensuite préparé nos valises et nous avons pris un taxi pour… l'aéroport. Mon mari m'a fait la surprise de m'emmener trois jours à Chicago pour un voyage gastronomique. Wow !

À part des sorties au resto le soir, nous nous sommes enfermés dans notre chambre d'hôtel où nous avons fait revivre la passion qui a toujours animé notre couple. Mais, au retour, la routine nous a rattrapés. Et même si la flamme se rallume de temps en temps, ce n'est plus comme avant.

D'autant plus que, Maxou et moi, on a des opinions complètement divergentes sur la façon d'élever notre enfant. Ajoutez à cela ses horaires chargés de chef d'entreprise – dont des escapades mensuelles à Paris pour assurer le service avec nos clients français – et vous avez la recette parfaite pour que je me mette à chercher de l'attention ailleurs.

— Ah, la tabar%$# ! Elle vient de *poster* un autre message, lance Alexis en se redressant.

— Qui ça ?

— Ben voyons, Charlotte ! La folle !

Je pivote sur ma chaise à roulettes pour le dévisager d'un air faussement outré par le qualificatif qu'il a employé. Alexis fait mine d'être désolé, mais je ne suis pas dupe.

Il éclate d'un grand rire franc et je l'imite. Pendant quelques secondes, il soutient mon regard intensément, puis ses yeux descendent pour s'attarder sur mon chemisier rouge cerise entrouvert. Je ne tente rien pour l'en dissuader.

Et j'en remets en croisant doucement la jambe gauche, faisant ainsi remonter ma jupe de quelques centimètres. Alexis se penche légèrement vers moi, en appuyant la main droite sur le bras de ma chaise.

Un silence troublant s'installe dans la petite pièce lumineuse, située au vingt-deuxième étage d'un édifice du centre-ville de Montréal. Un silence soudainement interrompu par une voix qui s'élève derrière moi.

— Monsieur Cadieux, bonjour.

L'arrivée impromptue de mon mari me fait sursauter. Je me sens comme une petite fille prise la main dans le sac. Dans mon énervement à vouloir me retourner pour regarder Maxou, je décroise précipitamment la jambe et j'accroche au passage l'entrejambe d'Alexis, avec le bout laqué de mon escarpin en suède beige.

— Tabar%#& !

Je vois le visage de mon client se crisper de douleur. Il se plie en deux en lançant un deuxième sacre. Je bondis pour lui porter secours. Mais comment faire ? Je ne peux tout de même pas « *becquer* bobo » comme avec mon fils quand il se cogne la tête contre un meuble.

Alexis demeure prostré. Je ne sais pas du tout comment réagir. Maxou non plus, comme en témoigne son air éberlué. Finalement, je pose ma main sur l'omoplate d'Alexis pour tenter de le réconforter.

— Ah non, excuse-moi, Alex. Je suis vraiment, vraiment désolée.

— C'est correct.

— Est-ce que je peux faire quelque chose ?

Alexis lève la main gauche pour me signifier de le laisser tranquille.

— Charlotte, intervient Maxou, on va donner à M. Cadieux le temps de reprendre ses esprits, si tu veux bien.

— Hum, hum.

Maxou sort de mon bureau. Je le suis en informant Alexis que je serai de retour dans quelques minutes. Une fois dans le couloir, contre toute attente, Maxou pouffe de rire. Moi qui pensais qu'il serait en furie !

— Chuuut ! lui dis-je en l'entraînant vers son bureau.

Celui de l'associé principal. Celui, en théorie, de mon patron.

Là, je m'effondre dans un large fauteuil carré en velours gris métallique, soulagée que Maxou n'ait pas senti la tension sexuelle qui régnait dans mon bureau. Je le regarde s'installer derrière sa table de travail épurée, sur laquelle presque rien ne traîne.

— Alors, ma chérie, ce petit jeu de la séduction avec notre client, ça vaut le coup ou non ?

— Hein ? Qu'est-ce que tu racontes ?

— Oh, allez, je t'ai vue. Et puis je n'ai rien contre. Pourvu que ça serve les intérêts de la boîte.

Même si je le connais depuis cinq ans, Maxou a encore le don de me déstabiliser. Comme il vient tout juste de le faire. Autant, dans notre vie privée, il râle si j'ai le malheur de poser les yeux sur un mec qui me plaît, autant il ne semble pas en faire de cas au travail. À moi de le prendre au mot, alors.

— Donc, cher patron, si je comprends bien, vous m'autorisez à avoir une aventure avec le beau chanteur ?

Le sourire moqueur de Maxou s'efface d'un trait. Oups ! Je crois que la conversation va changer de ton.

— Parce que c'est ce que tu souhaites ?

— Euh, non, non. C'est une *joke*, voyons...

Maxou me jette un regard énigmatique avant de poser les yeux sur son ordinateur qui vient d'émettre un son annonçant l'arrivée d'un courriel.

— Tu devrais y retourner, maintenant, lance-t-il, toujours rivé à son écran.

— Et toi ? Tu voulais pas te présenter ?

— Plus tard. Je dois répondre à ce *mail* avant.

— OK.

Je me lève en continuant d'observer Maxou, qui a toujours l'air renfrogné. Mais c'est qu'il boude vraiment, celui-là ! Je soupire en secouant la tête. Parfois, j'ai l'impression d'avoir deux bébés dans ma vie : mon fils et mon mari !

— Ah, Maxou, *come on*. Tu sais bien que je disais ça pour rire.

Aucune réaction de sa part. Je contourne son bureau, je me place derrière lui et je l'enlace tendrement, ma joue contre la sienne. Tendu au départ, Maxou se détend grâce à mes caresses sur sa poitrine.

— Fais gaffe, Charlotte, la porte est ouverte.

— Comme si personne ici savait qu'on est mariés. Franchement !

Je lui donne un petit baiser sur la joue et je m'éloigne vers la sortie. Il m'interpelle avant que je gagne le couloir.

— Ça t'embête si je dîne avec un client ce soir ?

Je fais un rapide demi-tour sur moi-même.

— Bien sûr que ça m'embête ! Je soupe chez Ugo, avec Marianne. Ça fait deux semaines que c'est prévu.

— Ah, putain, j'avais oublié.

— Donc tu vas rentrer pour t'occuper d'Adrien ?

— Non, je ne peux pas, dit Maxou. J'ai promis.

— Ah, t'es pas sérieux ! Décommande-toi.

— Impossible. C'est M. Sinclair.

Denis Sinclair, PDG de la plus importante entreprise de télécommunications québécoise. Notre plus gros client...

— Merde !

— T'as qu'à inviter tes copains à la maison, suggère-t-il.

— C'est pas pareil. Je voulais une soirée à moi. Là, je vais être prise entre mon fils et mes amis.

— Si on avait engagé une nounou, aussi !

— On recommencera pas cette discussion-là, Maxou. Pas question qu'Adrien soit élevé par une étrangère.

Mon mari soupire avant de taper sur le clavier. Visiblement, il ne se sent pas concerné par ce problème de gardiennage.

— OK, très bien, je vais m'organiser. Mais tu m'en dois une, Maximilien Lhermitte.

— Tout ce que tu veux, ma chérie. Promis.

— Parfait, garde ton vendredi soir pour nous. Mon père va s'occuper d'Adrien.

Je retourne à mon bureau en me demandant si je fais la réservation chez Toqué ! ou chez Europea.

Dans le couloir, je croise Alexis qui marche d'un pas rapide en enfilant son manteau, sa tuque grise Patagonia sur la tête. Il semble bien remis de sa petite mésaventure.

— Charlotte, faut que j'y aille. J'ai oublié que j'avais une pratique.

— Ouin, mais on a pas fini.

— On va reprendre ça, OK?

— Quand? Ça peut pas traîner longtemps.

— Je suis tellement dans le jus, on commence notre nouvelle tournée dans trois jours.

— Faut se voir avant.

— J'aurai vraiment pas le temps.

— C'est pas pour moi, Alexis. C'est pour toi.

— J'ai une idée! Je te réserve deux billets *VIP* pour notre premier *show*. C'est vendredi soir à L'Étoile du Dix30.

— OK, mais...

— Ben oui, viens avec une de tes chums. Après, on va prendre un verre pour continuer notre discussion.

— Euh, je sais pas trop, là.

— Oui, oui, ça va être *cool*. T'as juste à demander aux gars de la sécurité de t'amener à ma loge après le spectacle. Je vais les avertir, OK?

Alexis ne me laisse pas répondre. Il s'approche et me fait la bise rapidement avant de tourner les talons et de gagner la sortie en lançant au passage un regard séducteur à notre jeune et belle réceptionniste.

Et pour moi, il semble que ce ne sera ni Toqué! ni Europea vendredi soir, mais plutôt un petit tour dans le 450. Je ne suis pas du tout certaine que ce soit une bonne chose de discuter stratégie un vendredi à 23 heures, devant une bouteille de rouge...

***

— Fait que... lequel de vous deux va venir voir le *show* d'Alexis avec moi, vendredi?

— Je peux pas, j'ai les filles, répond Marianne du tac au tac.

— Moi non plus, je suis pas libre, ajoute Ugo.

— Vous êtes donc ben plates!

Nous sommes tous les trois attablés devant le plat parfait pour réchauffer ce mois de janvier glacial: un salmis de faisan aux cèpes concocté par Ugo. Un délice qu'il a accepté d'apporter chez moi pour que je puisse veiller sur mon fils, heureusement couché depuis un bon moment. Je viens de raconter à mes deux copains mon entretien avec le populaire chanteur. Une version censurée, dois-je préciser, puisque j'ai passé sous silence sa tentative de séduction. Je pensais les impressionner, mais me voilà très déçue par leur réaction.

Ugo et Marianne sont mes meilleurs amis. Ils sont gais. Ne me demandez pas pourquoi je choisis des amis qui ont une orientation sexuelle différente de la mienne, ce serait trop long à expliquer. L'important, c'est que je les aime comme le frère et la sœur que je n'ai jamais eus. Et plus important encore, c'est qu'eux tiennent à moi comme à la prunelle de leurs yeux. Mais, là, ils ne semblent pas comprendre que j'ai besoin d'eux vendredi soir.

— Pourquoi tu y vas pas avec Max? propose Ugo.

— Bof... Max et la chanson québécoise, tu sais... Il aime seulement Cœur de pirate.

— Explique-lui que c'est une soirée de travail, ajoute-t-il. De toute façon, c'est pour ça que tu y vas, non? Pour travailler?

— Oui, oui, c'est du travail, je dis pas le contraire. Mais y aller avec Max, je sais pas trop... En tout cas, je vais y penser.

J'avale une gorgée du magnifique vin du Douro offert par Marianne, en prenant bien soin de fermer les yeux un instant pour en savourer toute la complexité. Privée d'alcool pendant ma grossesse et toute la période de l'allaitement, j'estime que j'ai du rattrapage à faire. En ouvrant les paupières, je constate que mes deux amis me fixent curieusement.

— Quoi? Qu'est-ce qu'il y a?

— Charlotte, c'est quoi la vraie raison? demande Ugo.

— Quelle vraie raison?

— Celle pour laquelle tu veux pas aller voir le spectacle avec ton mari, précise Marianne.

— Ah, que vous êtes fatigants ! Arrêtez de chercher des poux où y en a pas !

Depuis quelques mois, Ugo et Marianne ont commencé à me poser des questions sur mon couple. Questions qui coïncident avec la redécouverte de ma libido. Mais ce n'est pas parce qu'une femme éprouve un brin de désir pour d'autres hommes que son mariage est fini pour autant ! Je suis encore très amoureuse de Maxou, c'est juste que…

— Voyons, Charlotte, insiste mon ami, c'est clair comme de l'eau de roche qu'il t'est tombé dans l'œil, le beau chanteur.

— Pantoute ! De quoi tu parles, Ugo Saint-Amand ? Alexis Cadieux, c'est un client.

Je me lève précipitamment en ajoutant que je dois sortir les fromages du frigo pour les faire chambrer.

Ugo commence à me relancer quand Marianne lui coupe la parole.

— Oublie ça, Ugo. Si elle veut pas en parler, ça la regarde.

Je déballe en silence le Zacharie Cloutier et le Fleuron que j'ai choisis pour terminer le repas. Je les laisse sur le comptoir à côté des poires asiatiques et je rejoins mes amis. En m'assoyant, je pousse un long soupir.

— Bon, OK, vous avez raison. J'ai pensé à lui tout l'après-midi.

En prononçant ces paroles, j'éprouve à la fois un immense soulagement et un profond sentiment de culpabilité. Comment puis-je fantasmer sur un homme avec qui je n'ai passé qu'une heure, alors que je vis avec le mec dont j'ai rêvé toute ma vie ? Maxou, je l'ai tellement voulu… Et ça, malgré notre parcours semé d'embûches.

Mon mari est parisien. Nous nous sommes connus ici, à Montréal, alors qu'il travaillait pour le consulat français. Un an plus tard, il m'a demandée en mariage, en m'offrant d'aller vivre avec lui dans la Ville lumière.

Ce que j'ai fait pendant huit mois. Erreur ! La France, ce n'est vraiment pas pour moi. Je ne m'y suis pas retrouvée du tout et je suis rentrée au Québec la mort dans l'âme. Nous nous sommes quittés tout en étant toujours amoureux. Lui à Paris, moi à Montréal. Et puis, dix mois plus tard, il m'a fait la surprise de revenir s'installer au Québec. Pour de bon.

— T'as rien fait de mal, Charlotte, dit Ugo. T'as pas à te sentir coupable.

Même après toutes ces années, ça me fait encore chaud au cœur de constater que mon ami me connaît si bien. À lui, je ne peux rien cacher.

— Non, mais c'est pas normal. J'ai tout pour être heureuse.

— Sauf un mari présent, risque Marianne.

— T'exagères ! C'est vrai qu'il travaille fort, mais de là à dire qu'il est jamais là.

— Si tu le dis, conclut-elle.

Le silence s'installe autour de la table. Question de me rassurer, je calcule le nombre de soirées par semaine que Maxou passe à la maison. Ça ne peut pas être si pire ! Prenons la semaine dernière, par exemple. Lundi, il était avec moi à la maison, et nous avons soupé en famille. Avec des menus différents, toutefois, puisque Adrien n'aime pas les pétoncles cuits à l'unilatéral et servis sur une mousse de wasabi. Il préfère les spaghettis aux tomates. C'est d'ailleurs, à mon grand désarroi, un des seuls plats qu'il avale sans rechigner.

Le lendemain, Maxou a joué au soccer – ce qu'il appelle le *foot* – comme il le fait tous les mardis avec ses amis français. Et c'est invariablement suivi d'un repas au resto. Mercredi… Qu'est-ce que nous avons fait, déjà ? Ah oui ! Nous devions aller au cinéma, mais mon gardien – en l'occurrence mon père – a eu un empêchement de dernière minute. Je suis donc restée à la maison avec mon fils, et mon mari en a profité pour avancer ses dossiers au bureau. Jeudi, nous avons pris l'apéro ensemble, mais il a dû partir pour aller souper avec un client. Et vendredi, nous avons passé la soirée à la maison. Trop épuisée pour cuisiner, j'ai commandé des soupes Tom Yum que nous avons mangées devant la télé, tandis qu'Adrien dormait après avoir englouti un *grilled cheese*. Ouin…

Ça fait donc deux soirs et demi sur cinq. Bon, c'est quand même la moitié du temps. Mais ce n'était pas une semaine typique. Je suis convaincue que, les autres semaines, c'est au moins trois soirs, sinon quatre sur cinq. De toute façon, l'important, c'est que nous passions nos week-ends ensemble. Ce qui est le cas la majeure partie du temps. Sauf quand Maxou doit se rendre au bureau le samedi après-midi pour fermer des dossiers. Ou qu'il se voit dans l'obligation d'aller à l'aéroport accueillir des clients français. Ce qui n'arrive heureusement pas toutes les fins de semaine.

Bip ! Le cellulaire d'Ugo annonce l'arrivée d'un texto. Marianne et moi, on le regarde, pas discrètement du tout, répondre au message.

— C'est qui ? demandé-je.

— Pas important.

— C'est lui ?

— Charlotte, s'il te plaît.

Lui, c'est Louis-Philippe Dionne. Quarante-sept ans, représentant commercial, marié et père de deux enfants. L'amant d'Ugo. Je ne comprends pas mon ami. Pire, je ne l'approuve pas !

— C'est quoi, là ? Monsieur a deux minutes à t'accorder entre le cours de natation de son plus vieux et le magasinage chez Costco avec sa femme ?

— T'es de mauvaise foi !

— Charlotte a quand même un peu raison, intervient doucement Marianne.

Je jette un regard complice à mon amie. Cet après-midi, entre la rédaction d'un communiqué sur l'ouverture d'un bar à ongles au centre-ville et un instant de douce rêverie à Alexis, j'ai pris le téléphone pour appeler Marianne. « C'est ce soir que ça se passe », lui ai-je dit. Elle a tout de suite compris.

Ça fait quelques semaines que nous nous sommes mises d'accord, Marianne et moi, pour convaincre Ugo qu'il mérite mieux. Beaucoup mieux que deux baises par semaine avec un banlieusard qui n'a rien de plus à lui offrir.

— Ça vous regarde pas, les filles !

— C'est pas vrai, dis-je. Ça nous regarde parce que t'es pas heureux.

— Ça me convient parfaitement.

— Me semble, oui. Je connais pas une femme qui est heureuse dans un rôle de maîtresse, je vois pas pourquoi, toi, tu le serais.

— C'est pas pareil, Charlotte.

— C'est la même chose et tu le sais très bien.

Marianne, qui privilégie une approche plus subtile que la mienne, m'indique de me taire. Elle pose une main sur celle de mon ami avant de prendre la relève.

— Ça fait combien de temps que t'as pas eu une vraie relation de couple ?

Ugo ne répond pas. Je ne peux pas m'empêcher de le faire à sa place.

— Trop longtemps !

Marianne me regarde d'un air excédé. Bon, d'accord, je me tais. Le problème, c'est que cette histoire dure depuis ce qui me semble des lustres. Plus de six mois, en réalité. Et quand quelque chose m'exaspère depuis aussi longtemps, je m'impatiente facilement. D'autant plus que la patience n'est pas ma plus grande vertu.

— Je sais que t'en as envie, ajoute Marianne à l'intention d'Ugo.

— Bof, pas tant que ça.

— En tout cas, si jamais ça t'intéresse, j'ai deux copines qui se sont rencontrées sur Internet. Je connais un site vraiment chouette et fiable.

— Quelle bonne idée ! dis-je. Ça marche pour tout plein de *straights*, ça devrait marcher pour les gais aussi.

Je me précipite sur mon portable, qui traîne sur le comptoir de la cuisine. Je l'apporte à table et je l'ouvre.

— C'est quoi, l'adresse ? On va t'inscrire.

— Charlotte, j'ai pas dit oui. Et puis, si je décide de le faire, c'est sûr que ce sera pas devant des témoins.

— Bon, bon, OK. Mais faut pas trop tarder, hein ? Oublie pas qu'à partir de la semaine prochaine on pourra plus te mettre dans la catégorie des trentenaires.

En finissant ma phrase, je m'aperçois que je n'aurais pas dû remettre sur le tapis l'épineux sujet du quarantième anniversaire d'Ugo. Mon ami se lève d'un bond pour aller ranger son assiette dans le lave-vaisselle, tandis que Marianne me jette encore un regard exaspéré.

— Ah, excuse-moi, chéri, j'ai pas fait exprès.

Face à l'arrivée de la quarantaine, Ugo a une attitude que je qualifierais d'inquiétante.

Tout d'abord, il est dans le déni. Interdiction formelle d'en parler, et surtout de le souligner. Le 27 janvier devra être une journée comme les autres. Sans *party*, sans cadeau, sans fleurs ni gentille carte d'anniversaire. On doit passer sous silence cet événement. Complètement. Bye bye l'idée de lui organiser une soirée surprise pour ses quarante ans. Dommage, mon scénario était vraiment au point.

Ensuite, Ugo adopte le comportement typique d'une fille qui ne veut pas vieillir. Il s'entraîne au gym six fois par semaine, utilise une multitude de crèmes anti-âge et achète de nouveaux vêtements Jack & Jones en quantité industrielle.

De plus, il ne cesse de remettre en question sa vie professionnelle, allant jusqu'à songer à vendre sa magnifique boucherie, qu'il vient tout juste de rénover à nouveau. Trop prenant, se justifie-t-il, en ajoutant avoir envie de liberté.

Côté sexe, il paraît se contenter de sa « relation » avec Louis-Philippe. Mais tout ça n'est pas clair. Je crois qu'il s'étourdit avec des amants d'un soir, mais difficile d'avoir des détails. Déjà que j'ai eu toutes les misères du monde à lui faire avouer qu'il entretenait une liaison avec un homme marié.

Bref, il semble qu'Ugo nous prépare une sérieuse crise de la quarantaine. Ou qu'il a déjà les deux pieds dedans.

— Bon, tu vas me bouder encore longtemps ? dis-je à mon ami, qui s'occupe à replacer les fruits par couleur, dans un bol sur le comptoir.

Les clémentines avec la mangue, les grenades avec les poires rouges, les pommes vertes avec les limettes, etc. Un rangement totalement inutile et effectué dans l'unique but de nous tourner le dos. Je le rejoins et l'enlace tendrement. Je le sens tendu comme une corde de violon.

— Viens te rasseoir. On en parle plus, promis.

Ugo ne réagit pas. J'appuie ma joue contre son dos et je le serre encore plus fort, en gardant le silence. Je sens qu'il se détend petit à petit. Doux moment de complicité entre amis, que rien ne peut briser.

— Ouaaaaaaah ! MAMAN !

En entendant le cri de mort de mon fils, je sursaute en même temps qu'Ugo.

— Ah non, pas encore !

Depuis quelques semaines, Adrien fait des cauchemars à répétition. Presque toutes les nuits. J'avoue que je ne sais plus comment le rassurer, et ça me décourage complètement.

— Tu veux que je m'en occupe ? m'offre Marianne.

— C'est gentil, mais c'est moi qu'il veut.

Je monte l'escalier en direction de la chambre de mon fils qui crie de plus belle. Ugo m'interpelle.

— Charlotte, je vais y aller, moi, OK ?

— Déjà ?

— Oui, oui, je suis crevé.

« Et je n'ai pas le goût de me faire brailler dans les oreilles », pourrait-il ajouter. S'il y a une chose qu'on ne partage pas, Ugo et moi, c'est l'amour inconditionnel pour les enfants. Ce n'est pas qu'Ugo n'aime pas Adrien. Non, je dirais même qu'il l'apprécie… quand il est tranquille. Ce qui n'arrive malheureusement pas souvent. Parfois, je pense que j'aurais dû lui demander son avis avant de le nommer parrain.

— C'est beau, chéri, je comprends.

Je lui envoie des bisous que je souffle avec mes mains et je rejoins mon garçon. Quand je redescends, quelques minutes plus tard, Marianne s'affaire à tout ranger.

— Bon, il s'est calmé ?

— Oui, tout est beau, il s'est rendormi.

J'indique à mon amie de venir s'asseoir avec moi au salon. Épuisée, je m'écrase lourdement sur le canapé.

— Ugo m'a fait pitié ce soir, me confie Marianne.

— À moi aussi. Il *badtrippe* vraiment sur ses quarante ans… J'en reviens pas. Si au moins il avait quelqu'un pour de vrai.

— Tu crois qu'il va le faire ? demande Marianne.

— Quoi ? S'inscrire à ton site de rencontres ?

— Ouin ?

— Ça m'étonnerait. Je le connais, mon Ugo.

— Dommage…

— Mais c'est pas fini, cette histoire-là. J'ai pas dit mon dernier mot.

— Qu'est-ce que tu veux dire ?

— Si lui, il refuse de s'inscrire, y a rien qui m'empêche, moi, de le faire à sa place.

Marianne me lance un regard interrogatif. Je lui fournis plus d'explications.

— Et de *scanner* les hommes pour lui.

— Ben voyons donc, Charlotte, ç'a pas de bon sens ! T'es pas sérieuse ?

— Oh que oui ! Pis s'il faut que j'aille lui chercher un chum au pôle Nord, je vais le faire. Je te jure qu'Ugo finira pas l'année célibataire !

2

« Le chanteur populaire est au sommet
Tout ce qu'il fait se transforme en succès. »
LES COWBOYS FRINGANTS, *Chanteur pop*, 2008.

L'ambiance est survoltée dans la salle de spectacle. Ça fait maintenant deux heures que je suis debout, à chanter avec Alexis Cadieux, à l'écouter jouer du piano, à le regarder bouger sur la scène. Tantôt avec le diable au corps, tantôt d'une façon plus langoureuse, plus sensuelle. Sexy, vous dites ? J'ai carrément les hormones au plafond.

Le spectacle se termine sur une des plus belles pièces du groupe, une ballade qui parle d'une histoire d'amour éternel. Tellement touchant, ce texte, que j'en ai les larmes aux yeux. J'écoute religieusement les paroles et je fredonne l'air dans ma tête, même une fois le groupe sorti de scène. Je reste debout jusqu'à ce que les lumières de la salle s'allument, rompant ainsi le charme. Déçue, je m'assois pour laisser passer la foule et reprendre mes esprits.

Je suis venue seule, finalement, n'ayant trouvé personne pour m'accompagner. Certes, j'aurais pu demander à Maxou, mais j'ai préféré lui faire croire que Marianne était une admiratrice du groupe d'Alexis et que je n'avais donc pas le choix de l'inviter. Si j'ai raconté ce mensonge à mon mari, c'est uniquement parce que j'avais envie de *tripper* comme une adolescente pendant le *show*. Et je ne voulais pas le faire devant lui. Y a des moments qui appartiennent juste à nous, n'est-ce pas ?

Maintenant que le spectacle est terminé, je dois reprendre mon rôle de conseillère stratégique au sérieux et rejoindre mon client qui m'attend pour aller manger dans son resto préféré de Montréal.

***

— Tu m'avais pas dit ça, Alexis !

— Bof, je croyais pas que c'était important.

— Pas important ? Mais ça explique tout !

Assise au bar d'un resto animé de la rue Saint-Denis avec mon client, je suis un peu sonnée de la révélation tardive qu'il vient de me faire.

— Penses-y deux minutes, Alexis. Si t'as refusé les avances de Cynthia, c'est clair qu'elle veut se venger.

En croquant dans un petit cornichon français, je m'interroge sérieusement sur la capacité de mon client à bien juger la situation. Il vient de me « préciser » que Cynthia l'a suivi quand il a quitté le bar. Elle l'a rejoint dans la rue, s'est accrochée à son bras et s'est collée contre lui en marchant.

Elle lui a dit qu'elle adorait ses chansons et qu'elle les écoutait en boucle, le soir, couchée dans son lit. Il l'a gentiment remerciée, en essayant d'échapper à son étreinte en douceur. Elle ne s'est pas découragée pour autant et s'est placée devant lui pour lui bloquer le passage. Elle a descendu la fermeture éclair de son manteau pour laisser entrevoir la chemise qu'elle avait pris la peine de déboutonner jusqu'au nombril. Ensuite, elle a tenté de l'embrasser, mais il s'est écarté.

Tout ça était accompagné d'une invitation à la suivre chez elle.

— Qu'est-ce qu'elle a dit, exactement ? Les mots précis, s'il te plaît.

— Euh… Elle a dit… Euh…

— Elle a dit quoi ?

— Qu'elle avait la maison à elle toute seule, que ses parents étaient pas là.

En entendant le mot « parents », j'arrête de respirer quelques secondes. Puis je m'exclame :

— Elle est pas mineure, j'espère ? dis-je un peu trop fort.

Inquiet, Alexis regarde autour de lui pour s'assurer que personne ne m'a entendue. L'endroit, comme toujours, est rempli à craquer. Il me fait ensuite signe de baisser le ton.

— Comment tu veux que je le sache ? C'est pas écrit dans sa face.

— Ça paraît, il me semble.

— C'est pas évident pantoute. Avec le maquillage, les vêtements, les talons hauts, tu peux jamais être sûr.

— En tout cas, faut éclaircir ça au plus tôt.

Notre conversation est interrompue par le serveur qui dépose une soupe de poisson fumante devant moi et une assiette de saumon grillé pour mon client.

— Bon appétit, me souhaite Alexis.

— À toi aussi.

Tout en mangeant, je songe à la façon dont je vais intervenir dans ce dossier. C'est mon premier scandale potentiel, et j'avoue que je ne sais pas du tout comment le gérer. Mais je n'ai pas à m'inquiéter, Maxou et son associée vont bien me conseiller, j'en suis certaine.

— Fait que… c'est quoi, ta stratégie ?

J'avale de travers ma bouchée de pain et je prends tout mon temps pour boire une grande gorgée d'eau, afin de préparer une réponse intelligente.

— Je pense que la première chose, c'est de la rencontrer.

— Toi et moi ?

— Ben non, pas toi. Juste moi. Enfin, mes collègues et moi, je veux dire.

Je m'arrête pour savourer ma soupe et essuyer le coin de mes lèvres avec la serviette blanche. Au moment où je la repose sur mes genoux, elle glisse au sol, entre nos deux sièges. Je m'apprête à sauter de mon tabouret quand Alexis met une main sur mon bras.

— Laisse…

Il se lève et se penche pour ramasser ma serviette, qu'il étend ensuite délicatement sur mes cuisses. Son geste et sa proximité me troublent à nouveau, et je n'ose pas lever les yeux de mon bol de soupe. Des sentiments contradictoires m'habitent à cet instant présent.

J'adore l'électricité que je sens circuler partout dans mon corps, cet enivrement, cette sensation de perdre l'équilibre, même assise. En même temps, je me sens terriblement coupable d'éprouver ces émotions.

Alexis se rassoit lentement, et je sens son regard sur mon visage, puis sur mon cou, ma poitrine et mes mains. Comme s'il me caressait langoureusement des yeux. Il me semble qu'il y a des lustres qu'un homme ne m'a pas fait autant d'effet, sans même me toucher. Je ferme les paupières un instant pour mieux ressentir toute la chaleur qui m'envahit.

Si je m'écoutais, je me laisserais aller. Je flotterais sur ces eaux troubles jusqu'à ce que la réalité me réveille. J'oublierais tout et je m'abandonnerais au jeu de la séduction. Et pourquoi est-ce que je me l'interdirais ? Après tout, ce n'est qu'un jeu, je ne fais rien de mal…

— Salut, mon loup !

Le charme est rompu d'un coup sec quand j'entends cette voix féminine. J'ouvre précipitamment les yeux et j'aperçois Magalie Saint-Onge, debout derrière moi et pendue au cou de son amoureux.

— Salut, Mag, répond Alexis sans aucune trace de malaise dans la voix.

— Je suis désolée de mon retard…

Ah, parce que, en plus, il savait qu'elle nous rejoindrait.

— Y a fallu que je *débriefe* avec le nouveau gars de son.

— Ouin, j'espère qu'il va faire une meilleure job demain.

— Inquiète-toi pas, mon loup, tout est sous contrôle… Tu me présentes pas ?

Je prends les devants et lui tends la main.

— Salut, Magalie, moi, c'est Charlotte.

En me serrant la main, Magalie m'examine des pieds à la tête. Je ne la sens pas très heureuse et je crois qu'elle aurait préféré que je sois boulotte et habillée en matante. Oh là là, c'est qu'elle le connaît, son « loup ».

— Ah oui, je me rappelle, là. J'ai déjà vu ton émission. Alexis, tu m'avais pas dit que c'était cette Charlotte-là !

À regarder Magalie me dévisager d'un air aussi méfiant, je vais croire ce que Marianne m'a dit l'autre midi, devant une tartine de chèvre aux tomates confites. « Je trouve que, depuis quelque temps, Charlotte, tu es plus belle que jamais. »

Étonnée et un peu gênée, je lui ai répondu : « Meeeeeuhh, qu'est-ce que tu racontes là ? »

Marianne a précisé qu'elle m'avait toujours trouvée très belle, mais jamais comme aujourd'hui.

Touchée, je lui ai demandé ce qui avait changé, et elle a ajouté que la maternité m'avait rendue plus femme, plus sûre de moi, et que mes yeux étaient encore plus brillants. Je l'avais plus ou moins crue… jusqu'à maintenant.

— Ben oui, c'est moi, dis-je en tentant d'alléger l'atmosphère.

— Je savais pas que tu étais dans les relations publiques.

— C'est nouveau.

Magalie jette un coup d'œil inquiet à Alexis et lui murmure quelque chose à l'oreille. Pas subtile pour un sou, madame la gérante. Je la rassure.

— T'en fais pas, Magalie. J'ai peut-être pas beaucoup d'expérience, mais je sais comment gérer ce genre de situation.

La jeune femme acquiesce de la tête avec scepticisme, avant de déclarer qu'elle ne passera pas la soirée debout. Réalisant tout à coup qu'il manque cruellement de savoir-vivre, Alexis offre son siège à sa blonde. Elle refuse et demande plutôt au serveur de transférer les plats à une table pour le charmant trio que nous sommes.

Là, une nouvelle bouteille de chardonnay californien devant nous, Magalie me demande de lui parler de mon plan de match.

À ce moment-là, je me rends compte que j'ai commis une gaffe monumentale en venant ici seule. Je m'en veux d'avoir pris ce rancard à la légère, de l'avoir, à la limite, imaginé comme un rendez-vous galant. C'est la faute de mes fichues hormones ! Ce sont elles qui m'ont fait perdre de vue que c'était en fait une rencontre d'affaires. Et qu'en conséquence j'aurais dû être accompagnée de mon partenaire au boulot et mari dans la vie. Ce n'est pas compliqué à comprendre, pourtant !

Si Maxou était là, il saurait exactement quoi lui dire. Alors que, moi, je dois patiner comme un politicien pris en flagrant délit de corruption.

— Charlotte va la rencontrer. Pour l'intimider, tu vois, répond le chanteur à ma place.

— Alexis, j'ai jamais parlé d'intimidation, dis-je. Je veux juste éclaircir les choses. Surtout en ce qui concerne les messages privés.

— Quels messages privés ?

Prise au dépourvu par la question de Magalie, je regarde Alexis. Après tout, c'est à lui de répondre. S'il n'a pas raconté toute l'histoire à sa copine, c'est peut-être le moment de le faire. Est-ce qu'elle sait, au moins, que Cynthia prétend être enceinte de son chum ? À voir la panique que je lis dans les yeux de mon client, je comprends que non. Eh merde !

— C'est quoi, cette histoire de messages privés ? répète Magalie en scrutant son amoureux.

Je décide que protéger mon client est la meilleure décision à prendre.

— Ah non, c'est vrai ! C'est pas le cas d'Alexis, les messages privés. C'est un autre de mes dossiers, je me suis mélangée. Excuse-moi, Magalie.

— Ben là, Charlotte, fais attention ! Tu m'as mise sur les nerfs.

« Eille, fais pas chier, Magalie Saint-Onge, me dis-je. Des plans pour que je te révèle tout. » Je prends une bonne respiration avant de poursuivre la conversation.

— Je pense que Cynthia s'est imaginé une histoire. Je vais tenter…

— Je sais pas pourquoi, d'ailleurs, dit Alexis en me coupant la parole. Je l'ai jamais rencontrée, cette fille-là !

De mieux en mieux… Décidément, la confiance règne dans ce couple. Et mon client est vraiment d'une insouciance totale. Il aurait dû me prévenir qu'il existait une version Magalie.

Je poursuis la conversation en marchant sur des œufs, tandis que Magalie presse son chum de finir son assiette pour qu'ils puissent rentrer. Elle lui rappelle qu'ils doivent être sages, puisqu'ils partent en tournée le lendemain.

La soirée s'achève en vitesse et je saute dans un taxi avec la désagréable sensation de n'avoir rien réglé côté affaires. Pire, d'avoir été manipulée par un gars habitué à ce que les filles fassent ses quatre volontés.

J'avoue que j'ai de la difficulté à le suivre. Tout d'abord, cette invitation tardive, soi-disant pour discuter de stratégie, ne tenait pas debout. Et que dire de cette tentative de séduction, alors qu'il savait très bien que sa copine nous rejoindrait. Franchement ! Et même si j'y ai pris goût quelques instants, maintenant que j'ai la tête froide, j'éprouve un léger dégoût.

D'autant plus qu'Alexis Cadieux ne m'a pas impressionnée quand j'ai constaté qu'il mentait effrontément à son amoureuse. Un lâche, voilà ce qu'il est. Et je n'ai jamais aimé les lâches.

Les bras réconfortants de mon mari me manquent tout à coup. Je souris à la pensée que, d'ici quelques minutes, je vais me blottir bien au chaud contre lui. Et peut-être même le sortir des bras de Morphée de la façon la plus délicieuse que je connaisse.

Le taxi s'arrête devant notre maison. Je règle la course de 8 dollars – tellement pratique d'habiter le Plateau – et j'entre chez moi en faisant le moins de bruit possible.

À ma grande surprise, le système d'alarme émet son bip caractéristique, annonçant qu'il est en marche. Je m'empresse de composer notre code de sécurité en me demandant depuis quand Maxou l'active quand il est à la maison. C'est plutôt moi qui utilise la fonction « à domicile », habituellement.

Je retire mes bottes et je dépose mon manteau sur le coffre qui sert de rangement aux multiples tuques et mitaines de mon fils. Au rez-de-chaussée, tout est calme. Je monte l'escalier et je me rends directement à notre chambre.

En ouvrant la porte, je constate que le lit est fait et que Maxou n'y est pas. Quoi ? Il est sorti ? Et Adrien, lui ? Il ne l'a pas laissé tout seul, j'espère !

Je me rue dans la chambre voisine. Aucun signe de mon fils. Je ressens un énorme soulagement, suivi d'un profond sentiment de colère. Une soirée... Une petite soirée tranquille à s'occuper de son fils, c'est tout ce que je lui ai demandé. Et il n'est même pas capable de me donner ça !

Il sait pourtant à quel point c'est important qu'Adrien respecte sa routine. Il a toutes les misères du monde à dormir dans son lit, comment peut-on espérer qu'il trouve le sommeil ailleurs ? J'entrevois déjà le samedi de merde que je vais passer avec un enfant fatigué, pleurnichard, et un mari qui doit attraper un vol pour Paris.

Je redescends en vitesse, à la recherche de mon sac à main. J'attrape mon cellulaire, mais je n'ai aucun texto, et ma boîte vocale est vide. J'essaie de joindre Maxou sur le sien. Aucune réponse. Je raccroche avant de laisser un message que je pourrais regretter.

Je tente de me calmer en faisant les cent pas dans le salon, mon iPhone à la main. Il affiche 1 h 02. Un peu tard pour passer un coup de fil, n'est-ce pas ? Ah, et puis merde ! Les amis, ça sert à ça.

Ugo décroche à la troisième sonnerie en marmonnant d'une voix ensommeillée :

— Bon... Qu'est-ce qu'il y a encore ?

Le ton légèrement exaspéré de sa voix fait monter ma colère d'un autre cran. Ce n'est pas l'accueil dont j'ai besoin.

— T'es ben pas fin ! Tu sais bien que, si je t'appelle à cette heure-là, c'est parce que c'est grave.

— Hum, hum, mais c'est pas si grave que ça, avoir une aventure, Charlotte. Ça arrive à tout le monde.

— Comment ça, avoir une aventure ?

— Quoi, c'est pas ça ? Tu viens pas de coucher avec ton chanteur ?

— Ben non, pantoute. C'est Max.

— Quoi ? C'est lui qui t'a trompée ? demande Ugo d'une voix légèrement agacée.

Depuis quelque temps, je remarque que mon ami manque de patience à mon égard. Je sais que je peux être envahissante, mais il n'a qu'à faire la même chose avec moi. Je vais toujours l'accueillir... Les amis, ça sert à ça aussi !

— Ah, t'es ben fatigant avec tes histoires d'infidélité.

— C'est quoi, d'abord ?

— Il est sorti avec Adrien sans me le dire.

— …

— Ugo, t'as entendu ?

— C'est pas pour ça que tu me réveilles, j'espère.

Je réalise soudainement que je fais peut-être légèrement ce qu'on appelle de l'*overreact*. Encore une fois. Un peu honteuse, je me laisse tomber sur le grand canapé en cuir noir. Je m'y allonge en plaçant un coussin décoré de fleurs orange derrière ma tête.

— Euh… ben… peut-être, oui.

J'entends mon ami soupirer bruyamment. Je m'empresse de m'excuser.

— Ah, désolée, chéri, j'aurais pas dû t'appeler.

— Si au moins t'avais eu quelque chose de croustillant à me raconter.

— Rendors-toi. On se parle demain.

— OK. Mais engueule pas trop Max, hein ? Il est quand même juste sorti avec son fils.

— Ouin, on verra.

— Essaie de rester calme, OK ?

Au moment où je raccroche avec Ugo en lui promettant de faire des efforts pour garder la tête froide, la porte s'ouvre sur Maxou et Adrien.

— Allez, mon bonhomme, au pieu !

Mon mari semble de bien bonne humeur, malgré les gémissements de fatigue d'Adrien. Je ne bouge pas, réfléchissant à la meilleure façon de réagir, pendant que Maxou déshabille notre fils. Il lui parle tout doucement pour tenter de le rassurer.

— Tu n'as plus rien à craindre, Adrien. Les monstres sont restés chez tonton Fabrice.

Ah bon, c'est là qu'il était. Chez son ami français, celui qui joue le rôle d'oncle auprès d'Adrien. Pas certaine que ce soit une bonne idée, par contre, de lui raconter qu'il y a des monstres là-bas. Des plans pour qu'il ne veuille plus jamais y retourner.

Au moins, je sens l'effort. Et comme chaque fois que Maxou parle avec tant de tendresse à notre fils, je craque. C'est juste dommage que ça n'arrive pas plus souvent.

Ma colère s'est estompée, mais pas mon découragement. D'un geste las, je me lève pour aller à la rencontre des deux hommes de ma vie. En m'apercevant, Maxou sursaute.

— Tu n'es pas couchée, ma chérie ?

— Non, je viens de rentrer.

Je lui propose de m'occuper d'Adrien, ce qu'il accepte sans s'opposer. Comme toujours. Une fois que c'est fait, je rejoins Maxou dans notre chambre. Il a retiré sa chemise blanche et s'apprête à faire de même avec son jeans noir Armani.

— Maxou, veux-tu bien me dire à quoi t'as pensé ? Adrien sera pas du monde demain.

— Mais non, ça ira.

— Ça va être l'enfer ! En plus, tu pars à Paris.

— Justement, on ne se verra pas pendant cinq jours. Tu ne me feras pas la gueule ce soir, j'espère ?

Maintenant vêtu uniquement de son boxer *charcoal* en lycra moulant, Maxou s'approche en me regardant droit dans les yeux.

— Parce que, moi, j'avais autre chose en tête…

Il y a quinze minutes, j'aurais sauté sur l'occasion, mais je n'en ai plus du tout envie maintenant.

— Ah non, je suis pas dans le *mood*, Maxou. Une autre fois, OK ?

Ma remarque ne décourage pas mon mari qui se penche pour ouvrir le tiroir de sa table de nuit. Il en sort une petite boîte en bois dont je connais très bien le contenu.

— Si t'as besoin d'un peu de piment, ma chérie, tu n'as qu'à demander. J'ai tout ce qu'il faut pour te satisfaire.

Il y a quelques mois, Maxou m'a proposé une visite dans un *sex-shop*. J'ai refusé, de peur qu'on me reconnaisse. Mais j'ai trouvé l'idée séduisante. Après tout, pourquoi ne pas donner un coup de pouce à notre vie sexuelle parfois un peu monotone?

Maxou y est donc allé seul et il en est ressorti avec un paquet de gadgets tous plus excitants les uns que les autres. Mon préféré: les menottes de police… Surtout quand c'est lui qui les porte.

Maxou ouvre la boîte, à la recherche de l'objet qui pourrait me stimuler. Pendant une fraction de seconde, le visage d'Alexis Cadieux me revient en tête et je me demande s'il utilise, lui aussi, ce genre d'accessoire.

Je m'empresse de refermer la boîte d'un coup sec.

— Ce sera pas nécessaire, finalement, lui dis-je avant de l'embrasser avec une ardeur qui me surprend.

Il me bascule sur le lit et je sens ses doigts qui cherchent fébrilement à détacher mon jeans. Je l'enlève moi-même pour accélérer les choses et je m'attaque ensuite à son boxer. Il me prend sans plus de préliminaires, sans se donner la peine de retirer mon chandail. J'adore quand il fait ça.

Cette façon un peu brutale qu'il a de me faire l'amour me rappelle nos premiers ébats. En plus, comme ça ne dure pas très longtemps, je gagne de précieuses minutes de sommeil, ce qui est grandement recherché quand on a un enfant qui se lève à 5 heures tous les matins.

Quelques instants plus tard, pendant que Maxou est sous la douche, je suis loin de trouver le sommeil tant désiré. Je m'interroge sérieusement sur mon désir pour mon mari. Pourquoi donc ai-je eu besoin de penser à un autre homme au moment crucial?

Pourquoi l'image de mon client a-t-elle surgi dans ma tête quelques secondes avant l'orgasme? Un orgasme si intense que j'en ai presque perdu connaissance. Un tremblement de terre comme je n'en avais pas eu depuis longtemps… Charlotte, t'es dans le trouble, ma fille. Dans le gros troooooooouble.

3

Ugo Saint-Amand,
quarante ans et toutes ses dents.

— C'est comme ça que j'ai réglé mon problème!

Je viens de résumer ma semaine à Marianne. Assises dans un bar à burgers, on attend Ugo qui doit nous rejoindre pour le lunch. Marianne nous y a conviés pour une raison mystérieuse, qui m'intrigue au plus haut point, mais dont elle refuse de parler tant qu'on ne sera pas tous ensemble.

— Donc, c'est Max qui s'est occupé du beau chanteur?

— Exactement.

La nuit où j'ai constaté qu'Alexis Cadieux m'habitait tout entière, même s'il m'avait déçue, j'ai vu dans ma tête six lettres écrites en majuscules: DANGER. Ce mec-là, je ne devais plus jamais le revoir. De toute ma vie.

J'ai alors refilé le dossier à Maxou, en prétextant un conflit de personnalités avec notre client. Et que, de toute façon, il était préférable que ce soit lui qui rencontre Cynthia. Qu'elle allait être beaucoup plus impressionnée par un Français très persuasif que par une fille qui possède peu d'expérience en relations publiques.

Maxou a d'abord refusé, faisant valoir un horaire trop chargé, mais il a cédé devant mon insistance. Je lui ai organisé un rendez-vous avec Cynthia le jour où il est revenu de Paris. Même épuisé par le voyage, une trop courte nuit et le décalage horaire, mon mari a été formidable. Il a réglé le dossier en quelques minutes.

Il a réussi à faire avouer à Cynthia qu'elle avait inventé toute cette histoire pour se venger d'avoir été repoussée par Alexis. Ça, je ne m'y attendais pas. J'avais fini par croire que mon client m'avait menti et qu'il avait bel et bien eu une aventure avec la jeune fille qui, comme dans la chanson de Dalida, venait d'avoir dix-huit ans. Ouf!

Un bref instant, Alexis Cadieux a été réhabilité à mes yeux. Somme toute, il n'est pas si pire. Pas menteur comme je le pensais. Puis les souvenirs de cette soirée au resto, en sa compagnie, sont venus remettre les pendules à l'heure.

J'ai exigé de Maxou que ce soit lui qui appelle notre client pour l'informer de la bonne nouvelle: Cynthia s'était engagée à le laisser en paix. Maxou a composé le numéro d'Alexis devant moi. Étonné d'avoir au bout du fil un mec qu'il avait entrevu quelques secondes, le chanteur a demandé à me parler. Mon mari a voulu me le passer, mais j'ai prétendu une soudaine envie et je me suis réfugiée aux toilettes.

Quelques minutes plus tard, Alexis m'a laissé un message sur mon cellulaire, en me complimentant mille fois pour le travail effectué et en m'invitant au resto pour fêter ça.

Je me suis défilée par courriel, en lui faisant croire qu'aucune des dates proposées ne me convenait. Après tout, je n'ai pas à me tenir à sa disposition les soirs où, entre un spectacle à Percé et un autre à Gatineau, il se trouve à Montréal. C'est donc de cette honorable façon que j'ai conclu le dossier Alexis Cadieux pour de bon. À mon grand soulagement.

— Et tu penses que d'écarter ce gars-là de ta vie va être suffisant pour ranimer le désir des débuts entre Maxou et toi ?

La question de Marianne m'ébranle légèrement. Mon amie a le don de semer le doute dans mon esprit, alors qu'il y a deux secondes j'étais totalement sûre de moi. Mais je ne dois pas me laisser influencer. Je suis heureuse avec Maxou, et ce ne sont pas des baisses de désir ponctuelles qui vont me faire douter de la solidité de mon couple.

— Tu sauras que le désir est pas si éteint que ça. On a encore de très bons moments, c'est juste qu'il faut faire un peu plus d'efforts.

— Hum, hum.

— C'est normal, non ? Avec un enfant, le boulot, la maison et tout, ça peut pas toujours être olé olé.

— T'as raison, c'est normal... pour la plupart des gens.

— Qu'est-ce que tu sous-entends, Marianne ? dis-je, maintenant un peu sur la défensive.

— Fâche-toi pas. Je me demandais juste si c'était normal pour toi, pour la Charlotte Lavigne passionnée que tu es.

Je baisse les yeux, cherchant comment répondre à mon amie. En fait, je me sens plutôt comme si elle venait de me tendre un piège. Pourquoi ne pourrais-je pas être heureuse dans une relation de couple un peu plus... tranquille ? Je suis convaincue que j'en suis capable, moi aussi. C'est possible et je vais le prouver. Point final.

— Tu t'inquiètes pour rien, Marianne. Tout va très bien entre Maxou et moi.

— Si tu le dis.

— Bon, c'est vrai, j'aurais pu faire une connerie si sa copine était pas arrivée, mais il s'est rien passé. C'est ce qui compte, non ?

— Absolument, répond-elle sans conviction.

Insatisfaite du ton de mon amie, je clos le sujet. Je sors mon iPhone de mon cabas rouge tacheté de marine pour consulter mes courriels. Je navigue ensuite quelques minutes sur Facebook, pendant que Marianne regarde distraitement le journal. Je l'entends soudainement tourner une page avec impatience.

— Coudonc, qu'est-ce qu'il fait ? demande-t-elle à propos d'Ugo qui aurait dû se pointer depuis au moins un quart d'heure.

— Peut-être que « monsieur centre d'achat » l'a encore réquisitionné à la dernière minute.

J'ai donné ce surnom à l'amant d'Ugo, parce qu'il a l'habitude de se sauver de la maison en prétextant devoir faire une course de dernière minute. En réalité, monsieur centre d'achat stationne plutôt son auto dans une petite rue en cul-de-sac et il appelle Ugo.

C'est du moins ce que mon ami n'a pas eu le choix de me raconter hier soir, après m'avoir fait faux bond en plein milieu de l'apéro que nous sirotions tranquillement chez lui. Quand son téléphone a sonné, Ugo s'est enfermé dans sa chambre un bon bout de temps, ce qui lui a valu un interrogatoire en bonne et due forme.

Si je lui ai tiré les vers du nez quant au *modus operandi* de son amant, Ugo a toutefois refusé de me dévoiler la nature de leurs conversations. Mais elle n'est pas folle, la Charlotte ! À voir la tête de mon ami quand il est sorti de sa chambre, ils ne se parlent certainement pas de la demi-finale de la NFL.

Après avoir fantasmé sur Ugo dans sa voiture, notre bonhomme retourne chez lui en prenant soin de sortir du coffre un des achats qu'il a effectués quelques jours auparavant, histoire de faire croire à sa femme qu'il est vraiment allé chercher de la mousse à raser à la pharmacie.

— Sais-tu s'il le voit souvent ? me demande Marianne.

— En tout cas, il l'a pas vu hier. Il lui a juste parlé au téléphone.

— Est-ce qu'il savait que c'était sa fête, au moins ?

— Je pense pas.

Hier, mon meilleur ami a eu quarante ans. Et c'était une journée comme les autres. Comme il le voulait. Quelle platitude ! J'ai bien essayé de fêter l'événement en me présentant chez lui à l'improviste, une bouteille de champagne à la main. Mais ç'a été un coup d'épée dans l'eau. Il a agi comme si nous n'avions rien à célébrer. Comme si c'était tout à fait normal que j'achète du champagne pour l'apéro, ainsi que des canapés de foie gras au torchon, des bouchées de morue en croûte de pesto et des tartelettes au Maître Jules et aux figues confites.

Bon, cela dit, ce n'est pas si anormal que ça. Il m'arrive de boire du champagne en pleine semaine, seulement pour le plaisir de la chose, sans occasion spéciale. Mais ce n'était pas le cas hier. Nous avions un anniversaire à souligner.

Dès que le mot « bonne » est sorti de ma bouche, Ugo m'a interrompue pour me demander combien il me devait pour le champagne et le traiteur. Je suis restée bouche bée. Depuis quand on partage les frais, lui et moi ? Jamais. Parfois, c'est moi qui paie, d'autres fois, c'est lui. Ce n'est pas plus compliqué que ça.

J'ai tout d'abord été blessée, puis j'ai compris que c'était sa manière de ne pas recevoir de cadeaux. Je lui ai donc suggéré de se reprendre en commandant des sushis pour le souper, mais il m'a annoncé qu'il avait déjà un rendez-vous. Quand j'ai voulu savoir qui était l'heureux élu, il a écarté la question du revers de la main. J'ai décidé de ne pas insister.

En quittant l'appartement de mon ami, deux heures plus tard, j'étais loin d'être convaincue que ce rancard existait réellement. Et à midi, j'ai bien l'intention d'en avoir le cœur net.

— Est-ce qu'on commande ou on l'attend encore un peu ? demande Marianne en regardant sa belle montre blanche, bien en évidence sur la manche de son chandail noir.

— Je lui donne deux minutes... T'as choisi ?

— Comme d'habitude, le végé-burger.

Marianne est trop sage à mon goût. On ne vient pas dans un bar à burgers pour manger végétarien. Non. On en profite pour faire le plein de viande, de bacon, de frites et de mayo.

Je consulte le menu en songeant à mon amie d'enfance. Je constate une fois de plus à quel point ses habitudes de vie ont changé depuis qu'elle est en couple avec Karen. Marianne, qui réussissait à merveille le gigot d'agneau rôti et la joue de veau braisée, ne mange presque plus de viande. L'éthique alimentaire de sa conjointe – ainsi que sa conscience écologique – a déteint sur elle. Ne vous avisez pas de boire de l'eau dans une bouteille de plastique devant Karen, elle vous l'enlèvera des mains.

— Salut, les filles !

Je lève les yeux, et le sourire épanoui d'Ugo me laisse croire qu'il a passé une belle soirée d'anniversaire, finalement.

— Salut, chéri, dis-je en lui faisant la bise.

Ugo s'assoit à mes côtés, non sans avoir embrassé chaleureusement Marianne, à qui il voue une affection particulière. Leur « complicité homosexuelle » m'a parfois rendue jalouse, je dois l'admettre, mais plus aujourd'hui. Le trio que nous formons est parfait.

Une fois notre commande passée, je souhaite qu'on entre dans le vif du sujet.

— Marianne, vas-tu enfin nous dire pourquoi tu voulais *absooooolument* nous voir à midi ?

Mon amie prend une grande respiration avant de répondre.

— J'ai décidé de faire mon *coming out*.

— Hein ? Devant qui ?

— Mes parents.

— Ohhhhh, c'est du sérieux.

— Très bonne idée, approuve Ugo.

Marianne a été mariée plusieurs années à un homme avec qui elle a eu d'adorables jumelles, avant de le quitter pour vivre sa vie de lesbienne. Ses parents croient que Karen est une simple amie.

— J'ai pas le choix. Karen me met de la pression. Et j'ai toujours peur que les jumelles s'échappent devant mes parents.

À sept ans, les petites de Marianne savent que « maman dort avec Karen parce qu'elle l'aime beaucoup ».

— Mais je veux que vous m'aidiez, ajoute-t-elle.

Ugo et moi, on hoche la tête pour lui démontrer notre appui.

— Comment tu veux faire ça ? demande Ugo.

— C'est ça, le problème. J'en ai aucune idée. Je sais pas du tout comment leur présenter la chose.

C'est vrai que la situation est délicate. Les parents de Marianne ont toujours été assez... traditionnels, c'est le moins que l'on puisse dire. Ils ont travaillé toute leur vie à soigner les dents des Lavallois. Son père, en tant que dentiste et propriétaire de la clinique. Et sa mère, en prenant les rendez-vous au téléphone. La femme au service de l'homme, autant au boulot qu'à la maison... C'est avec ce modèle que mon amie a grandi.

Le serveur dépose nos boissons sur nos napperons de papier. Je bois une longue gorgée d'eau minérale en réfléchissant. Puis j'ai une illumination.

— Je l'ai ! Je sais exactement ce qu'on va faire ! Ils vont avaler la pilule... Et pas de travers, comptez sur moi ! J'ai un plan d'enfer.

Mes deux amis se tournent vers moi. Je sens la méfiance dans leur regard.

— Ben non, rien d'extravagant, pas de folies... Promis !

— À quoi tu penses, Charlotte ? s'enquiert Marianne.

— Je vais tous vous inviter à souper. Et c'est là que tu vas leur annoncer.

— Euh, je suis pas sûre.

— Moi, oui. Fais-moi confiance.

— C'est vrai que mes parents t'ont toujours beaucoup aimée.

— Tu vois. Même que tu pourrais en profiter pour demander Karen en mariage, ça fait tellement longtemps que t'en parles.

— Es-tu folle ? intervient soudainement Ugo, un peu trop fort.

— Non ! Pis insulte-moi pas ! Je sais très bien de quoi je parle.

Mon ami me présente ses excuses et recule sa chaise pour se retirer de la conversation.

— C'est pas un peu trop à la fois ? avance Marianne.

— Peut-être. Mais l'idée, c'est qu'ils n'aient pas le choix, qu'on les mette devant le fait accompli.

Notre conversation est interrompue par l'arrivée de nos burgers, qu'on déguste quelques instants en silence. Le goût salé du bacon bien gras m'apporte ma dose nécessaire de réconfort en cette journée neigeuse.

— En plus, c'est tellement romantique, une demande en mariage. Tes parents vont succomber, c'est sûr.

— Je vais y penser.

— Et pour le souper ?

Marianne se tourne vers Ugo et le questionne du regard. Il lui fait un signe d'approbation de la tête. Marianne me donne finalement son accord.

— Yé ! Tu vas voir, ça va bien se passer.

— J'espère… Par contre, je sais pas comment tu vas arriver à cuisiner quelque chose que tout le monde aime. Mon père ne jure que par la viande, et ma blonde n'en mange pas.

J'écarte cette difficulté d'un signe de la main.

— Inquiète-toi pas avec ça. J'en ai vu d'autres.

J'empoigne mon cellulaire et j'ouvre mon calendrier, à la recherche d'une date pour le souper.

— Qu'est-ce que vous pensez de dimanche dans deux semaines et demie ?

— Ça devrait aller, c'est quelle date ? demande Marianne.

— Le 14 février, dis-je avec un sourire coquin.

4

Capricieux Timide Curieux Câlin Fier
Courageux Calme Dormeur Boudeur
Rêveur Gentil Émotif Sensible Têtu Sage Jaloux
Gourmand Charmeur Casse-cou Patient
Les traits de caractère d'Adrien:
www.infobebes.com/prenoms/Adrien#

Assise sur la petite marche du patio dans ma cour arrière, je surveille mon fils qui joue dans la neige.

— Pas gentil!

En réalité, il semble plutôt prendre un malin plaisir à démolir le bonhomme de neige que son père et lui ont fabriqué hier.

— Pourquoi il est pas gentil, ton bonhomme, Adrien?

— Couille!

— Quoi? Qu'est-ce que t'as dit?

Je me lève précipitamment, mais Adrien est indifférent à ma question. Il continue son petit discours en martelant le bonhomme de ses deux poings.

— Couille, couille, couille!

Non, non, non. Ce n'est pas vrai! Mon fils traite son bonhomme de casse-couilles! Comme son père le fait en parlant de ses clients. Combien de fois ai-je répété à Maxou de surveiller son langage devant Adrien ? Visiblement, le message n'a pas passé.

— Couille, coui…

— ÇA SUFFIT !

S'il faut qu'il commence à lancer de telles insultes à ses camarades de la garderie, je ne suis pas sortie du bois. Déjà que, toutes les semaines, l'éducatrice me rapporte de petits incidents impliquant mon fils, je ne voudrais pas que le personnel me prenne encore plus en grippe.

Le ton autoritaire de ma voix a un effet paralysant sur mon garçon. Ce qui est plutôt rare. Il me regarde avec de grands yeux interrogateurs. Je me penche vers lui pour lui expliquer qu'on ne doit jamais prononcer ce mot. Difficile de dire s'il comprend le message.

Je le laisse retourner à la démolition de son bonhomme de neige en me demandant, une fois de plus, si je suis une bonne mère.

Avec Adrien, je suis toujours dans le doute. Est-ce que j'en fais assez ? Ou trop ? Maxou, lui, trouve que je ne suis pas assez sévère, mais j'avoue que j'accorde peu d'importance à son jugement. Sa conception de l'éducation est trop différente de la mienne. Trop européenne, trop bourgeoise, trop stricte.

Il m'arrive de parler de mes angoisses de mère à Marianne, de lui demander conseil. Mais je ne peux m'empêcher de nous comparer, ce qui me fait sentir comme une parfaite incompétente. Les jumelles de Marianne sont tellement bien élevées que ça me donne des complexes. Je préfère donc éviter le sujet des enfants avec mon amie, à moins d'une absolue nécessité.

J'ai aussi pensé consulter ma propre mère. Cette idée n'a duré qu'une nanoseconde. Comment ai-je pu envisager de me confier à une femme qui n'assume plus son rôle de mère depuis belle lurette ? Et qui, en plus, refuse carrément d'être la grand-mère d'Adrien ?

Mado exige que son petit-fils l'appelle par son prénom. Ou plutôt par le diminutif de son prénom… Pas de grand-maman, de mamie ou de mémé. Non, juste Mado.

Et comme si ce n'était pas assez, elle a décidé de rebaptiser mon enfant ! Malgré mes mille et une protestations, elle ne l'appelle pas Adrien, mais bien… Louis. *WTF !*

Mado prétend que le prénom Adrien est trop sévère pour un petit avec de si beaux yeux. Qu'il mérite un titre de roi, et c'est pourquoi elle a choisi Louis. Pourquoi pas le Roi-Soleil, tant qu'à y être !

Et voilà comment, la plupart du temps, je reste seule avec mes questionnements de maman. J'essaie de trouver des réponses à mes inquiétudes sur des blogues écrits pour et par des filles comme moi. Parfois, ça m'éclaire ; d'autres fois, ça me mélange encore plus. Et quand ça m'arrive, je repense à ces paroles : « Fais-toi confiance, ma princesse », que m'a dit l'autre jour papa, alias grand-papa Reggie. Le plus formidable des papis qu'un garçon d'un an et demi puisse avoir. Et un père tellement précieux.

Peut-être que je devrais l'inviter pour mon souper de Saint-Valentin. Papa est toujours très bon pour détendre l'atmosphère. Le problème, c'est qu'il vient en *package deal* avec ma mère.

Mes parents se sont séparés alors que j'étais au début de la vingtaine. Ma mère, qui voulait vivre sa vie de femme, a multiplié les aventures avec de jeunes hommes pendant plusieurs années. Puis, il y a deux ans, peut-être lasse de ces relations superficielles, elle est revenue auprès de papa. Pour mon plus grand bonheur. J'étais tellement contente de les voir à nouveau réunis comme dans le temps. Mon cœur de petite fille était comblé.

Et même s'ils ont des tempéraments diamétralement opposés, je les sens très attachés l'un à l'autre. Je ne comprends pas toujours mon père d'accepter de bonne grâce les lubies de ma mère, mais je respecte son choix.

— Veux manger.

— T'as faim, mon chou ? OK, on rentre dîner.

Quelques minutes plus tard, j'installe mon fils devant un sandwich au jambon blanc que j'ai décoré comme un visage de clown. Des carottes râpées pour les cheveux, deux olives noires dénoyautées pour les yeux, une tomate cerise pour le nez et un haricot vert pour la bouche. Bon, c'est un peu minimaliste, je le concède, mais ça amuse Adrien. Et surtout, ça l'occupe un moment.

J'espère que ce moment sera assez long pour que je trouve une solution à mon problème. Ça fait maintenant deux jours que je jongle avec le menu de mon souper de la Saint-Valentin. Et je n'arrive toujours pas à trouver LA formule qui plaira à tous.

Qu'est-ce que je pourrais bien cuisiner ? Un truc qui mettra M. Lapointe dans de bonnes dispositions, mais qui répondra aux attentes de Karen... Mission impossible ? J'ai bien peur que oui.

Je ne peux pas me permettre de favoriser l'un au détriment de l'autre. Tout aurait été plus simple si je pouvais enfourner un bon rôti de bœuf, en préparant une assiette spéciale pour Karen. Mais je n'oserais jamais faire ça ! J'aurais trop peur d'être jugée par la blonde de mon amie. Encore une fois.

C'est que Karen a la critique facile. Elle me lance un regard noir quand j'ose servir des croquettes de poulet non biologiques à mon fils, me fait la morale quand je me présente à un pique-nique avec des ustensiles en plastique et me rappelle que les mouchoirs en papier sont fabriqués avec des arbres quand j'essuie le nez d'Adrien.

Habituellement, je me retiens de lui répondre et je hoche la tête comme si j'en prenais bonne note pour la prochaine fois. Sauf lors de l'épisode des mouchoirs. Là, je me suis fâchée.

Devais-je laisser mon enfant la morve au nez pour sauver le millionième d'un arbre?

— Bien sûr que non, avait-elle dit avant d'ajouter: T'as juste à utiliser des mouchoirs en tissu. Je peux te prêter le mien si tu veux.

En la voyant sortir un bout de coton tout chiffonné de la poche de sa veste, j'ai eu un haut-le-cœur. Oua-che! Karen a compris et n'a pas insisté. Depuis ce temps, c'est un peu froid entre elle et moi. C'est pourquoi je n'ai pas envie d'en remettre avec un mets qui la fera grincer des dents.

J'ouvre le frigo à la recherche d'un truc à manger. Pas envie d'un vrai lunch, une collation fera l'affaire. Tiens, un reste d'Hercule de Charlevoix, ce sera parfait.

Je croque dans le fromage, tout en ramassant les «yeux» du sandwich d'Adrien, qu'il a jetés au sol. C'est son passe-temps préféré ces jours-ci: lancer sa nourriture par terre. La plupart du temps, ça m'enrage, mais, à midi, je me surprends à demeurer incroyablement zen.

— Moi'ssi, fromage.

Ça, c'est quelque chose dont je ne suis pas peu fière. Avoir un fils qui adore le fromage. Et pas seulement celui en tranches orange. Je lui donne avec plaisir un morceau de ma collation, qu'il avale goulûment. Les bonnes manières, par contre, ça reste à améliorer…

L'image de mon fils tout content de manger du fromage me fait à nouveau fantasmer sur mon désir secret de le voir briller dans des pubs à la télé. Je suis convaincue qu'il ferait un tabac avec son sourire coquin et ses yeux rieurs. Et moi, je serais tellement heureuse. Je pavanerais Adrien dans les boutiques du centre-ville, et tout le monde le reconnaîtrait.

— Ah, c'est le petit garçon des annonces de lait, dirait la vendeuse chez Simons.

Des annonces de lait! Quelle bonne idée! C'est noble, le lait. Il faut absolument que je l'inscrive dans une agence de *casting*. Hum… J'entrevois déjà l'interminable discussion que j'aurai avec mon mari pour le convaincre du bienfait de l'affaire. Décourageant… Mais si j'y pense bien, a-t-il vraiment besoin de le savoir ? Est-ce absolument essentiel à son rôle de père ? La réponse est claire. C'est non. Voilà une bonne chose réglée. Dès que j'ai du temps, je lui fais passer des auditions. Et peu après, il deviendra la coqueluche du Québec.

En attendant, je n'ai toujours pas trouvé mon menu pour le souper de la Saint-Valentin. Allez, Charlotte, fais aller tes méninges un peu.

— Encore fromage !

Je me tourne vers mon fils, je lui donne ce qu'il demande et je lui fais un grand sourire. Il vient, sans le savoir, de calmer mes angoisses de cuisinière. Du fromage… c'est exactement ce que je vais offrir à mon groupe d'invités bigarrés. Une dégustation vins et fromages, servie dans les règles de l'art. Que des produits québécois, vins y compris. Trop génial ! Tout le monde sera content.

Satisfaite, j'ouvre mon ordinateur à la recherche d'une liste de fromages québécois pour m'aider à faire mon menu. En naviguant, je tombe sur un adorable site qui nous montre comment fabriquer du fromage de chèvre. Wow ! Double wow ! Voilà comment en mettre plein la vue à Karen. Est-ce qu'il y a quelque chose de plus écolo, de plus communautaire, de plus naturel que de faire sa propre nourriture ? Karen finira peut-être par comprendre que je ne suis pas une fille superficielle. Même si je porte des bottes rouges à talons hauts Desigual, qui se vendent 300 dollars la paire.

Je poursuis mon travail d'investigation sur le Net quand une autre folle idée me vient. Pour vraiment impressionner la galerie, il faudrait que j'effectue moi-même la première étape du processus de fabrication du fromage de chèvre. Que j'aille chercher l'ingrédient principal de la recette à sa source même. Ça, ce serait vraiment original.

Je regarde ma montre. J'ai devant moi quatre bonnes heures avant le retour de Maxou qui joue au guide touristique dans le Vieux-Montréal avec des clients européens. Tout juste assez pour aller à la campagne.

Je m'accroupis devant Adrien qui termine son repas.

— Dépêche-toi, mon chou. On va se promener en voiture.

— Vroum, vroum ? dit mon fils, les yeux brillants.

Je soupire de découragement devant cette partie de mon enfant, qui m'échappe : l'amour pour tout ce qui est moteur et fait du bruit.

— Oui, vroum, vroum. On va à la ferme. Je suis certaine, mon chou, que t'as toujours rêvé de traire des chèvres.

***

— Comment ça, la chèvrerie est fermée aux visiteurs ?

— C'est ouvert seulement l'été. Ou sur rendez-vous.

Je suis dans la boutique du plus important producteur de fromages de chèvre de la Montérégie. Le propriétaire paraît bien disposé à me vendre un de ses nombreux produits du terroir, mais, pour ce qui est de satisfaire mes besoins de cuisinière, ça semble plus compliqué.

La recette ne demande qu'un litre de lait de chèvre, ça ne doit pas être si difficile à obtenir, non ? Si je réussis à avoir accès aux chèvres, ça va être un jeu d'enfant.

— Vous ne pouvez pas faire une exception ? Mon fils meurt d'envie de voir des chèvres en vrai. N'est-ce pas, Adrien ?

— Vroum, vroum, lance-t-il en apercevant le gros tracteur vert John Deere par la fenêtre.

— Excusez-le, c'est son expression favorite. Mais ça veut dire oui.

— Désolée, madame. Faudra revenir.

Je jette un regard à mon fils, l'implorant de m'aider, mais il ne saisit pas le message. Pff… Des conneries, cet article sur la complicité mère-fils seulement par les yeux. J'aurais bien dû le savoir.

— Adrien, dis au monsieur que tu veux trai… euh… voir des chèvres.

— Bêêêê, bêêê.

Bon… Gentil garçon qui fait plaisir à sa maman.

— Vous voyez, dis-je au propriétaire, c'est trèèèèèès important pour lui.

— Peut-être, mais c'est pas possible pour le moment.

Adrien lâche subitement ma main et se dirige tout droit vers un couloir qui mène à l'arrière-boutique. Il disparaît de ma vue et, au même moment, j'entends une voix de femme.

— Hé, mais tu t'en vas où, comme ça, mon petit bonhomme ?

Une dame toute souriante entre dans la boutique, précédée de mon fils, qui revient vers moi.

— Pardon, madame, il voulait seulement aller voir les chèvres.

Celle qui se présente comme la copropriétaire de l'endroit se penche vers Adrien pour lui demander son prénom. Intimidé, il se réfugie derrière mes jambes.

— Je pense qu'il est très déçu. On est venus de Montréal pour visiter la ferme, mais là…

La dame tente d'accrocher le regard de mon fils, mais il se défile.

— Moi, c'est Marguerite. Et toi ?

— …

Allez, mon chou, fais un homme de toi ! Charme-la avec ton plus beau sourire, celui qui fait craquer toutes les femmes, y compris ta mère… Aucune réaction d'Adrien. Bon, la télépathie ne fonctionne pas plus. Merde!

Déçue, je fouille dans mon sac à main à la recherche de mes clés d'auto. Je crois bien avoir fait chou blanc.

— Y est donc ben *cute*, votre garçon, lance la copropriétaire en se redressant.

Ah... peut-être qu'il y a encore de l'espoir, me dis-je avant de préciser à la fermière que mon fils est non seulement beau, mais qu'il est super gentil, tranquille et très intelligent. Plus que la moyenne, en réalité.

La dame paraît drôlement impressionnée. J'y vais pour la totale.

— Et il adore les animaux. Je suis convaincue que, plus tard, il sera vétérinaire. Ou agronome. Ou ingénieur en agroenvironnement.

Elle me regarde d'un air sceptique et je sens mes chances d'obtenir du lait de chèvre frais fondre comme neige au soleil. Vite, rattrape-toi, Charlotte!

— Bon, d'accord, c'est peut-être plus mon rêve à moi... Mais si vous le voyiez avec les animaux, vous comprendriez tout.

Mon mensonge semble avoir un effet positif sur Marguerite, qui se tourne vers son partenaire. Lequel est aussi son conjoint, si je me fie aux photos et aux informations du site internet de l'entreprise.

— Pour le petit, on pourrait arranger ça, hein, Patrick?

Le Patrick en question lâche un énorme soupir avant de murmurer quelque chose d'inaudible. Sur le qui-vive, j'attends de connaître la suite. Après avoir maugréé un bon coup, il accepte que sa femme nous fasse visiter la ferme.

Quelques minutes plus tard, nous voilà tous les trois dans un bâtiment surchauffé. Debout devant l'enclos, je ne quitte pas des yeux les pis des chèvres. C'est qu'ils sont énormes! Beaucoup plus gros que ce que je m'étais imaginé. Ils se balancent de gauche à droite quand les bêtes se dandinent, frappant leurs chétives pattes. Pas très inspirant, tout ça…

Mais ce qui m'inquiète le plus, c'est que les chèvres ne tiennent pas en place. Elles gambadent dans tous les sens, comme si elles cherchaient à sortir de leur prison. Il faut dire que les cris d'enthousiasme de mon fils doivent contribuer à leur affolement.

— Bêêêêêêêê… Bêêêêêêê… Bêêêêêêê…

Je ne suis plus du tout certaine que ce soit une bonne idée de m'essayer à la traite des chèvres. Pas envie de recevoir un coup de sabot en plein visage… Mais je ne suis pas venue ici pour rien ! N'oublions pas que je dois gagner l'admiration de la blonde de ma meilleure amie. Et ça, ce n'est pas négligeable. Non pas que je tienne à Karen au point de risquer de me faire défigurer par une chèvre. Mais, parfois, je crains qu'elle m'enlève Marianne. Et je n'y survivrais pas.

J'observe de nouveau les animaux en songeant à une solution sécuritaire à mon problème quand j'aperçois une chèvre, toute seule dans un coin. Parfaitement immobile.

— Qu'est-ce qu'elle a, cette chèvre-là, pour être aussi tranquille ?

— Daphnée ? Ah, c'est qu'elle est spéciale, Daphnée. C'est la plus vieille du troupeau, elle se laisse pas impressionner.

Et si c'était Daphnée, ma sauveuse ? En plus, elle est magnifique. Une belle bête au poil blanc avec une toute petite tête brune ; c'est clair qu'elle doit donner un bon lait.

— Est-ce qu'on peut aller la voir de plus près ?

La fermière accepte, à condition qu'Adrien cesse de pousser des « iiiiiiiiii » de joie. Ouin… Pas ma faute si mon fils est démonstratif ! Enfin, on va essayer.

— J'ai une idée, dis-je. Je vais y aller seule au début. Et si tout va bien, vous emmènerez Adrien.

— Ce serait préférable que, moi, j'y aille.

— Mais non ! Vous, elle vous connaît. C'est sûr que ça va être correct. Le vrai test, c'est avec moi.

— Ouin, vu de même…

Marguerite ouvre l'enclos et je m'éloigne vers la chèvre, en ignorant les protestations de mon fils qui veut me suivre. Difficile, mais j'y arrive.

Sans me retourner, je suggère à l'éleveuse de créer une diversion en occupant mon enfant à autre chose.

— À quoi donc ?

Mais qu'est-ce que j'en sais, moi ? C'est sa ferme, pas la mienne.

Elle demande à Adrien s'il veut voir ce qu'on donne à manger aux animaux. Bonne idée ! Je me retourne et je les vois se diriger vers une petite pièce. Enfin… La paix. À nous deux, Daphnée !

En m'avançant, j'ai l'impression que la chèvre me regarde d'un air méfiant. Elle doit sentir que je ne suis pas dans mon élément naturel. À moi de maîtriser ma nervosité et d'agir comme si j'avais fait de l'élevage caprin toute ma vie.

— Allez, ma belle, c'est l'heure de la traite, dis-je en chuchotant.

Je sors de mon sac à main un de mes trois grands *mugs* à café et j'enlève le couvercle. C'est là-dedans que je recueillerai le précieux lait. Je m'agenouille ensuite dans la paille à une distance respectable de Daphnée, question qu'elle s'habitue à ma présence avant que je devienne plus intime avec elle.

Je suis maintenant en bonne position pour constater que le pis d'une chèvre est loin d'être ragoûtant… C'est tout luisant, cette affaire-là… Beurk !

Allez, Charlotte, prends ton courage à deux mains et fonce ! À genoux, je m'approche de Daphnée et je l'aborde en lui caressant tout d'abord le cou. La bête ne réagit pas. Bon signe.

Nouveau coup d'œil vers l'arrière pour vérifier si j'ai toujours le champ libre… Oui, tout est beau.

Je me place ensuite à ses côtés et je m'assois sur les talons. Je prends une grande respiration avant de commencer mon opération en nettoyant les mamelles à l'aide de ma dernière serviette désinfectante. Bon, pas si dégoûtant, finalement. Tout va bien jusqu'à présent, la chèvre ne paraît pas incommodée le moins du monde. Facile…

— Bêêêêêêê…

Même son bêlement ne m'impressionne plus, et je suis toute concentrée sur ma tâche. Ce qui importe, c'est qu'elle reste tranquille et ne me donne pas de coup de patte. Heureusement, ça ne semble pas être dans ses intentions.

J'approche ensuite ma tasse de son pis et, avec délicatesse, j'appuie sur la mamelle. Rien. Pourtant, je suis à la lettre les instructions que j'ai lues sur le Net: « Pressez avec trois doigts. »

Allez, Daphnée, sois une bonne fille, donne-moi un peu de lait. Je récidive, un peu plus fermement cette fois-ci. Et ça marche ! Une giclée de lait sort du pis et tombe directement… sur le sol. Eh merde ! Je repositionne mon *mug* et recommence. Je n'en reviens pas de la force du jet. Moi qui m'attendais à voir le lait sortir goutte à goutte, voilà que ma tasse se remplit aisément.

— Mais qu'est-ce que vous fabriquez ?

La voix autoritaire de la fermière me fait sursauter à un point tel que j'en laisse échapper ma tasse sur la paille, déversant ainsi mon précieux lait au sol. Mon autre main se referme automatiquement sur la tétine, en même temps qu'elle s'arque dans ma direction. Et arrive alors ce qui devait arriver. Je reçois une grande giclée de lait en pleine figure. J'en ai partout, même dans les yeux. Ma vue se brouille, et un goût âcre se répand dans ma bouche. Dégueu !

J'entends le pas lourd de Marguerite qui s'approche de plus en plus. Un peu paniquée, je fouille dans mon sac à la recherche d'un mouchoir pour m'essuyer le visage. Mais, une fois de plus, j'ai oublié de refaire mes réserves. En désespoir de cause, j'ouvre le sac à couches d'Adrien et je constate que je n'ai plus de lingettes non plus. Décidément… Je me résigne donc à prendre une couche pour la frotter sur ma figure et mes yeux, bousillant, au passage, mon maquillage du matin.

— Vous êtes en train de traire ma chèvre ! J'aurai tout vu, lance la fermière.

Elle tient mon fils par la main, lequel est étrangement calme. Qu'est-ce qui lui prend, à lui ? En voilà un moment pour choisir d'être tranquille et muet ! Il aurait pu faire comme d'habitude et m'aviser de sa présence en alarmant la planète entière. J'aurais tout rangé avant qu'ils me rejoignent.

— C'est pas ce que vous pensez, dis-je à la copropriétaire en remettant la couche noircie de mascara dans mon sac à main.

Je me tourne ensuite vers elle et Adrien, qui éclate de rire en voyant mon visage que j'imagine tout barbouillé. La fermière, quant à elle, a une expression que je ne parviens pas à déchiffrer.

— Maman clown, maman clown !

Je m'efforce de sourire à mon fils, même si à ce moment précis j'aurais plutôt le goût de… enfin, je ne vous dis pas quoi, vous allez me traiter de mère indigne !

Tout en me regardant dans mon petit miroir pour essuyer le mascara sur mes joues avec mes doigts et ma salive, j'explique le plus calmement possible à Marguerite que je tentais une expérience scientifique, dans le but de fabriquer du fromage et des savons.

L'éleveuse de chèvres écoute mon baratin sans sourciller, tout en surveillant Adrien, qui s'est assis au sol pour jouer dans la paille. Puis, contre toute attente, son grand rire franc résonne dans le bâtiment.

— Vous devriez écrire des romans. Avec l'imagination que vous avez…

Des romans? Quelle drôle d'idée! Je ne me vois pas du tout enfermée devant mon ordinateur à rédiger des histoires pour les autres. Ma vie, je veux la vivre moi-même, pas à travers des personnages bidon.

Soulagée de constater qu'elle ne m'en veut pas d'avoir dérangé Daphnée avec mes élucubrations, je me lève et je récupère ma tasse au sol, ainsi que mon fils.

— Si c'est du lait que vous voulez, vous n'avez qu'à le dire. J'en vends.

— Ah oui? Vraiment?

Bon, ce n'est pas comme si j'avais trait moi-même la chèvre, mais ça ira.

— Suivez-moi à la boutique.

— Très bien. Mais j'aurais un service à vous demander avant.

— Parce que vous en avez pas assez fait?

— Euh…

— Une chance que c'était Daphnée. Avec une autre chèvre, ç'aurait pu être dangereux, vous savez.

— M'excuse, dis-je en baissant la tête comme le fait Adrien quand il est penaud.

Une tactique à laquelle je ne peux résister. Espérons que ce sera la même chose pour Marguerite.

— Bon, OK. Qu'est-ce que vous voulez?

— Juste une petite photo, dis-je en lui tendant mon iPhone.

— Ah, ça, pas de problème. Placez-vous devant Daphnée, avec votre fils.

— Euh, c'est que…

— Quoi?

— J'avais pensé être plus dans l'action, vous voyez.

Je lâche la main de mon fils, je m'agenouille à côté de la chèvre et je place ma tasse sous son pis. De l'autre main, j'empoigne fermement une mamelle et je souris à la caméra. Tout pour charmer Karen.

Marguerite me regarde d'un air découragé. Je lui fais signe que je suis prête.

— Vous, quand vous avez une idée en tête, dit-elle avant de prendre la photo.

En me concentrant pour garder les yeux bien ouverts malgré le flash qui m'éblouit, je réfléchis aux paroles de Marguerite. Elle a raison. Tout ce que j'ai en tête, je suis plus déterminée que jamais à l'obtenir. Coûte que coûte.

5

« *Yep, I'm gay.* »
Ellen DeGeneres
(couverture du *Time*, 1997).

— Ça va bien se passer, tu vas voir.

Je suis enfermée dans la salle de bain avec Marianne. C'est le grand jour, et mon amie est super nerveuse. C'est pourquoi je l'ai traînée ici de force pour que nous ayons la paix quelques minutes. C'est la seule pièce de la maison qui a une serrure.

En cuisine, Maxou, Ugo et Karen s'affairent aux derniers préparatifs de la dégustation de vins et fromages, tandis que mon fils et les jumelles de Marianne sont cachés au salon, sous une tente faite avec des draps. Dans précisément onze minutes, ses parents sonneront à la porte. Son père est d'une ponctualité presque dérangeante et ne semble pas connaître la règle qui dit que tu te présentes toujours en retard de quinze minutes chez des gens qui t'invitent.

— Je suis pas certaine de pouvoir y arriver, Charlotte.

— Ben voyons, ma chouette, on est là, avec toi.

— Ça va être tout un choc pour eux.

— Oui, mais…

— Et si ça avait un impact sur leurs relations avec les jumelles, hein ? J'y avais pas pensé.

Je m'assois sur le rebord du bain et j'invite mon amie à me rejoindre. Je prends ses deux mains dans les miennes et je la regarde droit dans les yeux.

— Là, Marianne, t'as besoin d'un petit cours de Charlotte 101.

— Hein ? Qu'est-ce que tu veux dire ?

— Tu vas penser à toi. Juste à toi, pour une fois, OK ?

Marianne sourit et elle réfléchit quelques secondes avant de me répondre.

— Je vais essayer, mais c'est pas évident. T'en sais quelque chose depuis que t'es maman, non ?

Je me lève et je tourne le dos à mon amie, en choisissant bien les paroles que je vais prononcer. Quand Adrien est né, une fois le choc de la découverte de son sexe encaissé, je me suis dit que tout le reste n'avait plus aucune importance. Le ciel pouvait me tomber sur la tête, j'en avais rien à foutre. Pourvu qu'il ne tombe jamais sur la tête de mon fils. Maxou pouvait me quitter, la station me congédier, Ugo disparaître encore en Asie, mes parents me renier… J'avais Adrien et ça me suffisait.

J'ai vécu une relation fusionnelle avec mon enfant pendant des mois. Je n'étais plus que maman Charlotte. Puis, petit à petit, les conversations d'adultes (autres que celles sur l'achat de couches) ont commencé à me manquer. Les regards admiratifs que tout le monde jetait à mon fils, je les voulais sur moi aussi. J'avais envie de redevenir Charlotte Lavigne, celle que j'étais avant la naissance d'Adrien.

Bon, je savais que cela ne serait pas possible. Toutes les mères me l'avaient dit : ta vie ne sera plus jamais la même. D'accord. Mais est-ce que je pouvais être une mère ET une femme à la fois ? J'ai lu beaucoup d'articles et de livres sur l'amour maternel et j'en suis venue à la conclusion que, si je voulais être une bonne mère, je devais aussi penser à moi. Pas autant qu'avant, il va sans dire... Mais dans une bonne proportion.

Pour faire part de mon analyse à mon amie, je me rassois à côté d'elle.

— Ce que je sais, Marianne, c'est que tu peux pas t'oublier complètement juste pour tes filles. Cette fois-ci, c'est toi qui passes avant elles.

— Déjà que je leur ai fait le coup du divorce, dit Marianne pour elle-même.

Je constate qu'elle n'a pas du tout entendu ma remarque. Ça me met hors de moi !

— Tu leur as pas fait de coup pantoute ! C'est quoi, cette histoire-là ? Coudonc, t'as le droit d'avoir ta vie et d'être heureuse !

Mon ton, qui vient de monter d'un cran, sort Marianne de sa réflexion. Elle sursaute et me regarde, éberluée. Ses grands yeux gris-bleu sont empreints de tristesse.

— Pourquoi tu te fâches contre moi ?

La voix douce de mon amie me ramène à de meilleures intentions.

— Ah, excuse-moi, Marianne. C'est pas à toi que j'en veux. C'est juste que j'en ai assez qu'on nous demande d'être des mères parfaites. Et qu'on nous fasse sentir coupables.

— Qui ça, on ?

— La société, les autres mères, surtout. Je suis à la veille de partir un blogue pour dénoncer les mères culpabilisantes.

J'avoue que j'en ai soupé, des regards méprisants des autres mères et des éducatrices quand je me pointe à la garderie avec mon fils qui n'a qu'une seule mitaine. Ou encore qui a les oreilles à l'air parce que je n'ai pas replacé sa tuque après qu'il a joué avec dans l'auto. Ou quand j'ai oublié d'apporter sa doudou pour la sieste. Ou quand j'arrive en retard de vingt minutes pour le récupérer. Ou quand je ne lui fais pas de câlin avant de partir, trop préoccupée par une conversation téléphonique. Quand tu deviens maman, on dirait que tu n'as plus le droit à l'erreur. Emmerdant, à la fin !

Deux petits coups frappés à la porte interrompent notre conversation.

— Ma chérie, on peut savoir ce que tu fais ?

— Ce sera pas long, Maxou.

— Tu ne tardes pas trop, hein ? Je n'arrive pas à trouver le roquefort que je t'ai demandé d'acheter.

Oups ! Complètement oublié son roquefort… J'ai plutôt opté pour le Météorite, mon bleu québécois préféré.

Un oubli volontaire, bien sûr. Depuis le retour de Maxou à Montréal, je m'évertue à en faire un vrai Québécois, mais il résiste. Il demeure et demeurera toujours un pur Français. Il faut bien que je m'y habitue. Je vais être une bonne épouse et j'enverrai Ugo à l'épicerie pour acheter le fameux roquefort. Je me tourne vers Marianne pour clore notre discussion.

— OK, on va y aller ! J'espère que j'ai réussi à te rassurer un peu.

— Hum, hum, dit mon amie en baissant les yeux.

Visiblement, il n'en est rien. Je fais une dernière tentative, en citant une phrase célèbre d'une vieille pub de télé qui m'est toujours restée dans la tête.

— Marianne, regarde-moi et écoute-moi bien : t'es belle, t'es bonne, t'es fine, t'es capable !

Et je vois finalement un sourire apparaître sur les lèvres de mon amie. Nous sortons de notre cachette, maintenant prêtes à affronter n'importe quel tsunami.

***

My God que l'ambiance est lourde ! J'ai rarement été si mal à l'aise à ma table. Nous en sommes au troisième service de fromages, et les parents de Marianne n'ont toujours pas desserré les dents. Lorraine et

Jacques sont arrivés ici stressés et ils le sont encore tout autant. Malgré les bons vins de la maison Val Caudalies, le charme de Maxou, qui fait tout pour les détendre, et les enfants enjoués. Je ne comprends pas ce qui se passe. Marianne non plus.

Les parents de mon amie ont poliment salué Ugo, que nous avons présenté comme un de mes amis chers. Ils ont fait la même chose avec Karen, qu'ils connaissaient déjà pour l'avoir vue à quelques reprises. Ils croient d'ailleurs toujours qu'elle est simplement une copine. Ils ont été à peine plus chaleureux avec leur fille, avec Maxou et avec moi. Quelque chose ne tourne pas rond, j'en suis convaincue. Je me souvenais que les parents de ma meilleure amie d'enfance étaient coincés, mais pas à ce point.

Il est vrai que tout a plutôt mal commencé. Quand j'ai annoncé le menu de la soirée, Lorraine a jeté un regard paniqué à son mari.

— C'est pas correct ? Vous n'aimez pas le fromage ? ai-je demandé.

Mal à l'aise, la maman de mon amie m'a alors répondu qu'elle venait de découvrir qu'elle souffrait d'intolérance au lactose. Ah non ! Je l'ai rassurée en lui proposant de lui faire griller un beau pavé de saumon teriyaki, juste pour elle. Ce qui l'a encore plus embarrassée.

— C'est que… Je ne digère pas ce poisson. Trop gras.

Elle s'est ensuite confondue en excuses : elle ne voulait surtout pas me donner du travail, elle mangerait du pain. *You bet !* Comme si une invitée à la table de Charlotte Lavigne allait être nourrie de pain sec et d'eau. Jamais en cent ans ! Nous nous sommes finalement mises d'accord sur une assiette d'antipasti et de charcuteries italiennes, à laquelle elle a à peine touchée. Eh misère !

En revanche, tous mes autres invités ont apprécié le repas, que nous terminons tranquillement. Les cris d'enthousiasme des enfants qui jouent au salon apportent heureusement un peu de gaieté.

— C'est rare que les jumelles soient aussi bruyantes, laisse tomber le père de Marianne en soupirant d'impatience.

Quel être intolérant ! Même pas capable d'endurer ses petites-filles ! Il mériterait juste que j'aille chercher les enfants et que je leur ordonne de courir autour de la grande table en déroulant du papier hygiénique. Mais comme ce souper est capital pour mon amie, je mets de côté mes fantasmes et je donne un coup de pouce à la situation.

Le mieux, c'est d'installer les enfants devant la télé quelques instants. Et pour mettre le plus de distance possible entre les parents de mon amie et nos petits trop turbulents, je choisis de les emmener à l'étage, dans notre chambre. En redescendant, je vois que la situation n'a guère évolué. Toujours aussi plate, ce souper de la Saint-Valentin.

— Dites-moi, Jacques, que pensez-vous de la performance de votre équipe de hockey, à l'heure actuelle ?

Heureusement que Maxou est là pour faire la conversation. Quoique j'aie l'impression qu'il va bientôt être à court de sujets convenus. Quand il discute du sport national québécois – pour lequel il n'a aucun intérêt –, c'est qu'il en est à la fin de la liste.

Assis côte à côte, Ugo et Karen se contentent de hocher la tête depuis le début du souper. Et Marianne est presque aussi muette, n'intervenant que pour demander à son père si le repas lui plaît. De temps à autre, Karen lance un coup d'œil insistant à son amoureuse. Au début comme un signe d'encouragement à tout dire à ses parents, ensuite pour lui témoigner son exaspération devant son silence.

Tout le monde est tellement coincé. Il est temps que ça cesse. Mettons un peu de piquant dans cette soirée. Bon, entendons-nous, rien de bien olé olé. Je pensais parler de mon escapade à la chèvrerie en privé avec Karen, mais pourquoi ne pas épater mon public au complet ?

— J'ai quelque chose à vous montrer.

On pourrait qualifier mon intervention d'inopportune, mais je me soucie peu de mettre un terme à la banale conversation. Les yeux de mes invités se tournent vers moi et je leur expose fièrement mon iPhone, sur lequel on voit la photo de moi à la chèvrerie.

— Regardez ! Je suis allée traire une chèvre pour faire moi-même le fromage que vous avez mangé tout à l'heure.

— Hein ? Pour vrai ? C'est donc ben *hot* !

Ah ! Ah ! Je savais bien que je tirerais Karen de sa mauvaise humeur.

— Oui, madame, rien de moins.

Je tends mon téléphone à Karen, qui observe attentivement la photo, pendant que les autres attendent leur tour. Je constate avec bonheur que son visage est empreint d'une sincère admiration. Touché !

— Je pensais pas que c'était ton genre de faire ça.

— Ben là, pourquoi pas ? dis-je, vexée.

Tranquille depuis le début de la soirée, Ugo éclate d'un rire ironique. Je le fusille du regard. Il se tait subitement.

— Tu sauras, Karen, que je suis très campagne, très nature.

Encore une fois, le rire de mon ami vient me discréditer.

— Eille, là ! Ça suffit.

— Bah, avoue que c'est plutôt rigolo, ma chérie. Toi à la ferme…

Voilà mon mari qui s'en mêle. Je respire profondément pour éviter de me fâcher davantage. Je dois continuer de faire bonne figure auprès des parents de mon amie.

— T'as raison, Max, en remet Ugo. Surtout quand on sait ce qui est arrivé.

S'il n'arrête pas immédiatement, je ne lui adresse plus la parole de toute ma vie. Qu'est-ce qui lui prend, tout à coup, de vouloir dévoiler mes secrets ? Jamais je n'aurais dû lui raconter ma mésaventure.

— Qu'est-ce qui s'est passé ? me questionne Jacques.

— T'as oublié de m'en parler, ma chérie ? demande Maxou.

— On veut tout savoir, ajoute Karen.

— Il s'est rien passé du tout ! J'ai trait la chèvre et j'ai…

Boum ! Boum ! Boum !

Le bruit des pas précipités des enfants dans l'escalier distrait mes invités et me sauve la face par le fait même.

Les trois petits courent vers nous dans un état d'énervement total, apportant des objets que je ne reconnais pas. Du moins, pas tout de suite.

Mais qu'est-ce qu'Adrien porte sur la tête ? C'est quoi, ce truc rose à dentelles ? Oh non ! Oh non ! Oh non !

Mon fils s'approche de la table en riant et je constate que c'est bien ce que je pensais… Et que je craignais. *Oh my God ! Oh my God ! Oh my God !* La honte !

— Maman, *satouille, satouille.*

— Non, c'est pas fait pour te chatouiller, ça, Adrien. C'est pour les papas et les mamans.

Je me rue vers mon fils pour lui enlever sa coiffe, mais le petit chenapan m'échappe. Il fonce tout droit vers Lorraine en riant aux éclats.

D'un geste sec, il retire ce qu'il porte sur la tête et le dépose devant la maman de Marianne. Médusée, Lorraine fixe ma culotte vibrante qui fait des siennes dans son assiette.

— Maman, regarde, les billes sont attachées ensemble, lance une des jumelles à Marianne en lui montrant mes boules de geisha.

— Moi, j'ai les menottes de police, ajoute l'autre.

Quel cauchemar ! J'ose à peine regarder les parents de Marianne tellement j'ai honte. J'avais dit à Maxou, aussi, qu'il nous fallait verrouiller ce tiroir, mais on remettait toujours ça à plus tard. Eh bien, voilà ce que ça donne ! On a l'air de deux beaux pervers, maintenant.

Je m'empresse de retirer l'assiette, qui vibre toujours sous le nez de Lorraine. Marianne se lève et ordonne à ses filles de tout aller ranger. Elle les suit jusqu'à l'étage en les sermonnant, Adrien sur les talons.

Le calme est revenu dans la salle à manger. C'est Maxou, le premier, qui brise la glace.

— Jacques, Lorraine, veuillez excuser les enfants.

Les parents de Marianne hochent la tête poliment, mais ils sont encore sous le choc. Je crois qu'il faudra plus d'excuses.

— Je suis vraiment confuse. Je sais pas comment ils ont réussi à mettre la main là-dessus. Pourtant, tout est sous clé.

— C'est correct, Charlotte, répond Jacques. On en fera pas tout un drame.

— Vous avez raison. Passons au dessert.

Marianne revient dans la pièce, nous informant que les enfants ne nous dérangeront plus, maintenant. À l'heure actuelle, ils sont fascinés par Raiponce, la princesse aux cheveux blonds. Ça veut dire que nous avons cinq bonnes minutes avant qu'Adrien redescende.

Je m'attaque au glaçage rose de mon gâteau en forme de cœur. Après tout, c'est la Saint-Valentin, même si tout le monde semble l'avoir oublié. Marianne m'aide en disposant les assiettes à dessert Lady Style devant les invités.

— Marianne, si on en venait au fait ? lance son père.

— Ouin, tu nous as invités chez Charlotte pour nous annoncer une nouvelle, complète Lorraine. Il serait peut-être temps de nous dire de quoi il s'agit.

Karen tire la chaise de son amoureuse, qui s'assoit doucement à table. Elle lui fait ensuite un signe d'encouragement. Je dépose mon couteau et j'attends que mon amie fasse sa grande déclaration. Marianne ferme les yeux quelques secondes et prend une profonde respiration avant de parler.

— Je voulais… Euh, ce que je vais vous confier va peut-être vous… Ouf, c'est pas simple…

Les parents de Marianne la fixent en silence, le visage complètement impénétrable. Rien pour l'inciter à continuer. Puisqu'ils ne semblent pas vouloir la mettre à l'aise, je le fais moi-même.

— Vas-y, ma belle, on t'écoute.

Marianne lève ses grands yeux vers moi et toute la peur, toute l'angoisse, toute l'insécurité que je lis dans son regard viennent me toucher au plus profond de moi-même. Ma meilleure amie me lance un appel à l'aide. Impossible de ne pas y répondre. Je m'approche et je pose ma main sur son épaule.

— Ce que Marianne veut vous annoncer, c'est qu'elle est…

La main de mon amie agrippe soudainement la mienne, et ses doigts serrent très fort les miens. Je lui jette un œil et je me demande comment on peut lui imposer ça ! Pauvre chouette, elle fait tellement pitié. Je décide de mettre un terme à cette tyrannie.

— Si Marianne a hésité avant de vous en parler, c'est parce qu'elle sait que vous êtes encore très attachés au père des jumelles.

— Hum, hum, acquiesce Lorraine.

Maxou lève un sourcil en ma direction, l'air de me demander où je vais avec pareil préambule. Attends un peu, mon chéri, tu vas voir.

— Donc ça fait un moment que Marianne veut vous dire qu'elle a quelqu'un d'autre dans sa vie.

— Ah bon, répond poliment Jacques.

— Et ce quelqu'un… c'est Ugo. C'est lui, le nouvel amoureux de votre fille.

***

— À quoi t'as pensé, Charlotte Lavigne ?

M. et Mme Lapointe viennent à peine de franchir le pas de la porte que Karen me tombe dessus. Elle est enragée.

Eh bien, moi, je suis fière de mon coup, quoi qu'elle en pense. Tout d'abord, quand j'ai prononcé le nom d'Ugo, j'ai lu un énorme soulagement sur le visage de Marianne. Ensuite, les parents de mon amie sont redevenus eux-mêmes et nous avons découvert la raison de leur froideur quand Lorraine a dit :

— Ah, que je suis contente d'entendre ça ! Je t'avoue qu'on a cru, ton père et moi, que tu allais nous annoncer que tu étais... tu sais... aux femmes.

Vous comprenez maintenant pourquoi j'ai bien fait.

— C'est mieux comme ça, Karen. Ils sont pas prêts, c'est clair.

— Ils seront jamais prêts, de toute façon. Là, t'as mêlé les cartes encore plus.

Marianne ne dit pas un mot, tout comme Ugo, qui termine tranquillement son verre de vieux porto. Voyant venir l'orage, Maxou a préféré aller faire semblant de s'occuper des enfants à l'étage.

— Pis là, poursuit Karen, je te parle même pas de la situation dans laquelle tu as placé Ugo.

— Je suis certaine qu'il comprend, lui !

Mon ami essaie de s'immiscer dans la conversation, mais Karen, frustrée, l'en empêche.

— Tu te rends pas compte de ce que tu viens de faire, hein ?

— Minute, Karen ! As-tu regardé ta blonde pendant la soirée ? As-tu vu à quel point elle était malheureuse, stressée, angoissée ?

— Peut-être, mais c'est pas une raison.

— Quoi ! Comment ça, c'est pas une raison ? Je vais te dire une chose, Karen. Tu penses juste à toi, là-dedans ! Marianne a jamais voulu mettre ses parents au courant, c'est toi qui l'obliges à le faire.

— Charlotte, s'il te plaît, intervient ma meilleure amie. C'est pas exactement ça.

— Ben oui, c'est ça, Marianne. Tu veux juste pas te l'avouer.

Karen défie son amoureuse du regard.

— Est-ce que Charlotte a raison ? lui demande-t-elle.

— Je sais pas, je sais plus, je suis plus certaine de rien, murmure mon amie, défaite.

Ugo pose sa main sur celle de Marianne en guise de réconfort. Elle lui fait un petit sourire triste et se tourne vers Karen et moi.

— Mais je veux pas que vous vous chicaniez, OK ?

Je soupire avant d'approuver d'un signe de tête. Je regarde ensuite Karen, mais elle ne semble pas être dans de bonnes dispositions. C'est sur un ton froid qu'elle parle à sa blonde.

— Marianne, tu fais ce que tu veux. Mais moi, c'est pas vrai que je vais vivre dans ton placard. *No fuc$%&# way !*

Karen disparaît au fond du couloir et j'espère qu'elle ne vient pas de disparaître de la vie de mon amie.

6

« La phrase qu'on n'a pas dite
Le dernier mot qu'on n'a pas eu
Les ratés, les retards, les remords
Tout ce qu'on regrette
Les "si j'avais", les "j'aurais dû". »
BÉNABAR, *La phrase qu'on n'a pas dite*, 2011.

Assise dans ma loge, je me prépare à enregistrer ce qui sera ma dernière interview de la saison pour mon émission sur les chefs. C'est fou comme les saisons de télé raccourcissent. Nous ne sommes qu'à la fin de mars et, déjà, c'est terminé.

J'ai devant moi la fiche de mon prochain invité. Ma recherchiste, Joannie, y a écrit des infos générales telles que: *Considéré comme l'un des chefs les plus populaires du Québec, il est propriétaire de deux restos branchés de Montréal. Il est aussi l'auteur de quatre livres de recettes, tous devenus des* best-sellers. *Il a quarante ans, il est père d'une fille de six ans et il est toujours célibataire.*

À cette liste qui semble tirée de Wikipédia, je pourrais ajouter que son mets préféré est l'osso buco, que son vin fétiche est le Brunello di Montalcino et que le dessert qui le fait craquer est le *panettone al limoncello.*

Je sais aussi que sa marque de boxer est Kaporal, qu'il aime faire l'amour le matin dès le réveil. Et que je lui ai brisé le cœur il y a deux ans et demi. Mon prochain invité est Pierre-Olivier Gagnon.

P-O a tout d'abord coanimé une émission quotidienne avec moi, avant de devenir mon amoureux. Nous nous sommes fréquentés plusieurs mois, jusqu'au jour où mon mari, que j'avais laissé à Paris, m'a fait la surprise de revenir vivre au Québec *pour moi* et pour de bon.

J'étais bien avec P-O, la vie était douce, mais ce n'était pas comme avec Maxou. Toutefois, je voulais donner une chance à ce nouvel amour ; je m'apprêtais même à emménager avec lui dans son condo, mais Maxou est revenu. À ce moment-là, j'ai immédiatement mis fin à ma relation avec P-O.

Il ne me l'a jamais pardonné et m'a fait la vie dure au boulot. Pas méchant, pas revanchard, juste indifférent. En dehors des ondes, il agissait comme si je n'existais pas. La pire des punitions.

Après deux saisons de ce régime, je n'en pouvais plus. Quand j'ai eu cette offre de réaliser des interviews avec des chefs, j'ai décidé de quitter l'émission. La direction du réseau a mis fin au *show*, et P-O est retourné dans les cuisines de ses restos. Depuis, je ne l'ai jamais revu. Il m'a même enlevée de la liste de ses amis Facebook.

On cogne à la porte de ma loge. J'enfile mes escarpins rétro chics, noir et blanc, qui vont avec ma robe, et je vais ouvrir. C'est Joannie.

— M. Gagnon est arrivé, Charlotte. Il est au maquillage.

— OK, merci.

Je retourne m'asseoir pour réfléchir un peu. Habituellement, je vais m'entretenir quelques minutes avec mon invité avant le début de l'enregistrement, mais, cette fois-ci, je ne suis pas certaine de vouloir le faire.

Depuis notre séparation, je suis passée par toute la gamme des émotions en ce qui concerne P-O. J'ai tout d'abord été compréhensive. Normal qu'il m'en veuille, je l'ai laissé tomber du jour au lendemain, alors qu'il s'était tellement investi dans notre relation. À ce moment-là, j'avais moi-même beaucoup de peine. Oui, j'avais choisi Maxou, mais ça ne m'empêchait pas d'éprouver encore des sentiments amoureux pour P-O. Et de le voir m'ignorer complètement me rendait très malheureuse.

Ensuite, je lui en ai voulu de me faire sentir comme une *bitch* finie. Je ne méritais pas pareil châtiment! Pour qui se prenait-il? Ce n'est pas comme s'il avait eu un parcours parfait, monsieur infidélité chronique. Bon, d'accord, sauf avec moi... Mais quand même!

C'est là que je suis partie de la station. Le temps a passé, et ma colère envers P-O s'est estompée, pour complètement disparaître. Récemment, je me suis même surprise à repenser à nos quelques mois ensemble et à la formidable famille que nous formions avec sa fille, Mini-Charlotte.

Inévitablement, j'ai comparé P-O à Maxou. Comme père. Comme partenaire de vie. Et comme amant.

J'en ai conclu qu'il était un meilleur père que mon mari. J'ai évalué qu'ils étaient égaux comme partenaire de vie, avec une petite préférence pour P-O puisqu'on cuisinait ensemble, ce que je fais très rarement avec Maxou. Et je n'ai pas osé pousser ma réflexion en profondeur quant à leurs qualités d'amant. De quoi ai-je eu peur au juste? Que P-O obtienne une note plus élevée que Maxou au lit? Je ne le sais pas et je ne veux pas le savoir.

Et l'idée de revoir P-O dans quelques instants me fait à nouveau vivre des sentiments contradictoires. J'ai hâte et je n'ai pas hâte... Troublant.

— Charlotte, ça va? demande Joannie, que j'avais oubliée.

— Euh, oui, oui.

— T'es certaine?

— Mais oui. Je te dis que tout va bien.

— C'est que… T'as vraiment pas l'air dans ton assiette.

L'insistance de Joannie m'exaspère. J'aurais juste envie de lui répondre de se mêler de ses affaires, mais ses grands yeux bleu pâle m'attendrissent.

Ma recherchiste s'en fait sincèrement pour moi, et ça me touche. Je suis chanceuse de l'avoir comme partenaire de travail, me dis-je encore une fois. D'autant plus qu'elle n'appartient pas à cette catégorie de collaborateurs toujours à la recherche de potins pour médire sur la vedette de l'émission. Je ne dois jamais l'oublier.

Je remets mon masque d'animatrice et je souris à la jeune femme un peu naïve qui prépare mes émissions.

— Ça va aller.

— OK, mais si t'as besoin de quelque chose, tu me le dis, hein?

— Promis.

J'entends le bip qui annonce l'arrivée d'un texto. Joannie regarde l'écran de son iPhone et m'informe que Paul-André vient de se pointer en studio.

— Paul-Andréééééé?

— Ben oui, Paul-André Desrosiers.

— Le journaliste du *Cinq jours*? Qu'est-ce qu'il vient faire ici?

Joannie me regarde comme si elle tombait des nues. Un malaise s'installe dans la pièce.

— Euh… C'est comme je t'ai dit dans mon courriel.

— Quel courriel?

— Celui que je t'ai envoyé au début de la semaine… À moins que ce soit un message sur Facebook. Ou un DM sur Twitter… je me rappelle plus trop.

— Joannie, on s'est déjà parlé à ce sujet-là, non? Pour le travail, on utilise le courriel, rien d'autre, sinon on ne s'y retrouve plus.

— Je sais, excuse-moi. Tu l'as pas eu?

— Non, je l'ai pas eu, dis-je d'un ton légèrement excédé.

Les yeux de Joannie s'emplissent soudainement d'eau. Beaucoup trop sensible, cette jeune fille de vingt-deux ans. Elle devra se forger une carapace si elle veut survivre dans la jungle de la télévision.

— Bon, c'est pas grave, on en fera pas toute une histoire. Qu'est-ce qu'il veut, au juste, Paul-André ?

— Ah, c'est trop *chill*, dit-elle, s'illuminant d'un coup. Il fait un reportage sur l'émission d'aujourd'hui. Vu que c'est la dernière de la saison.

— Hein ? T'es pas sérieuse ?

— Ben oui. T'es pas contente ?

— C'est pas ça, la question, Joannie. C'est que…

Ce n'est pas l'idée que Paul-André parle de moi dans le *Cinq jours* qui m'effraie. C'est plutôt que, s'il vient le jour où je reçois P-O en entrevue, c'est qu'il a un plan en tête. Et les plans de Paul-André, mieux vaut les connaître avant d'accepter de réaliser un reportage avec lui.

— Quoi ? J'aurais dû refuser ? s'inquiète ma recherchiste.

— Non, non, c'est correct. Dis-moi seulement ce qu'il veut précisément.

— Il va assister à l'enregistrement avec M. Gagnon. Et ensuite, il va faire une entrevue avec vous deux, et une séance de photos.

— Une entrevue avec moi et P-O ? Ensemble ?

— Oui et il va appeler ça… Comment, déjà ? Attends un peu, je l'ai dans mon cell, le titre de son article.

Joannie fait défiler les courriels sur son iPhone, en ajoutant qu'elle ne comprend pas trop le sens du titre en question. La préoccupation que j'ai ressentie en apprenant la présence de Paul-André dans nos studios est en train de se transformer en véritable angoisse.

— Ah, je l'ai ! Il va appeler ça « La réconciliation de Charlotte et P-O ».

***

— La première fois que j'ai cuisiné? Ouf... ça remonte à loin. Je pense que j'avais deux ou trois ans quand j'ai fait des biscuits au Nutella avec ma mère.

— Fascinant.

Mon entrevue avec P-O est commencée depuis deux ou trois minutes et je suis aux anges. Ma complicité avec mon ancien amoureux est revenue, nous nous parlons comme de bons vieux amis. Fini la rancune!

Peut-être que je ne devrais pas me réjouir aussi vite. L'attitude de mon invité n'était pas du tout la même avant que la caméra s'allume. Quand il s'est assis dans le fauteuil devant moi et que nos regards se sont croisés pour la première fois depuis près d'un an, je n'ai malheureusement pas senti la chaleur que j'espérais. Son bonjour était froid. Glacial, même. Tout comme sa réponse à ma seule question avant l'enregistrement. «Bien» est l'unique mot qui est sorti de sa bouche quand je lui ai demandé comment il allait. Pas de poignée de main, pas de bisou. Aucun contact physique.

Mais maintenant que nous discutons, je renoue avec l'homme que j'ai connu. Le P-O généreux et authentique. Celui que j'ai beaucoup aimé, peut-être même plus que je le croyais.

Je dois avouer que je suis complètement sous son charme. Je retrouve avec bonheur son sourire engageant, ses grands yeux profonds et l'odeur de son parfum... *Eau sauvage* de Dior, je le reconnaîtrais entre mille.

— Coupez!

Hein? Comment ça, coupez? Je me tourne vers le régisseur qui me signale qu'il y a un problème technique. Au même moment, le réalisateur me parle dans mon oreillette.

— Charlotte, viens me voir en régie, s'il te plaît.

Surprise, j'informe P-O que je reviens dans deux minutes et je constate que son visage s'est refermé. Peinée, je m'éloigne du plateau. Je dois bien l'admettre, P-O se prête au jeu pour l'entrevue, mais il m'en veut encore beaucoup. Je soupire de découragement.

Je n'ai jamais aimé les conflits et je ne les aimerai jamais. Surtout pas avec quelqu'un que j'apprécie.

— Qu'est-ce qui se passe ? dis-je en franchissant la porte de la petite pièce où une partie de l'équipe suit le déroulement de l'émission en exécutant diverses tâches techniques.

Claude, mon réalisateur adoré, m'indique de le rejoindre. J'ai développé une véritable complicité avec cet homme dans la soixantaine, qui a tourné des reportages partout sur la planète. J'aime son ouverture sur le monde, le regard qu'il pose sur la vie et les gens qui nous entourent. C'est un sage. MON sage. Et je lui fais entièrement confiance.

Je m'assois à ses côtés et j'attends qu'il m'en dise plus.

— Est-ce qu'il y a quelque chose qui ne va pas aujourd'hui ? me demande-t-il en chuchotant pour que les autres n'entendent pas.

— Ben non. Pourquoi ?

— Honnêtement, tu sembles un peu dans la lune.

— Hein ? Ben non, je suis là.

— Écoute, Charlotte, je t'en parlerais pas si ça passait. Mais là, ça passe pas. T'es vraiment moins alerte que d'habitude.

Les paroles de Claude me déstabilisent. Je ne partage pas du tout son opinion, mais, comme je sais que son jugement est sûr, je lui demande d'être plus précis.

— Tes questions arrivent pas assez vite, tu regardes ton invité d'une drôle de façon et tu fais des commentaires un peu gnangnan.

Cette dernière remarque me pique à vif. Je ne suis pas gnangnan et je ne le serai jamais.

— Eille ! T'exagères, dis-je en haussant le ton.

Je jette un coup d'œil à la ronde pour m'assurer que je n'ai pas causé d'émoi chez mes collègues. Ceux-ci paraissent tous absorbés par une quelconque tâche, mais je sais bien, au fond, qu'ils tendent l'oreille pour écouter notre conversation.

— Vérifie par toi-même, suggère Claude en appuyant sur un bouton et en montrant l'écran à sa gauche.

La dernière minute de l'entrevue avec P-O défile devant mes yeux. Tout de suite, je comprends exactement ce qu'essaie de m'expliquer mon réalisateur. C'est quoi, ce foutu regard à la con ? Je suis dans la brume ou quoi ? Et mon sens critique, il est où ? Le comble, c'est quand je m'entends dire : « Fascinant. » Ce n'est pas compliqué, j'ai l'air d'une groupie finie.

J'ai soudainement très honte de mon manque de professionnalisme et je jette un regard catastrophé à mon réalisateur.

— T'inquiète pas, Charlotte. Ça ira pas en ondes. On va recommencer, c'est tout.

— Fiou. Merci... Mais peut-être que je l'ai plus ? Que je suis plus bonne ? Que je suis finie ?

— Non, non, t'as pas perdu ton talent. C'est juste une question de... circonstances, je pense.

— T'es sûr ?

— Oui, j'en suis certain. T'es la meilleure, Charlotte. Essaie d'être naturelle, d'être comme d'habitude.

— OK.

Je m'apprête à me lever quand Claude pose la main sur mon bras.

— Tu sais, ça arrive, ces choses-là, quand y a des sentiments très forts entre deux personnes. Faut juste que tu les mettes de côté pendant l'entrevue.

En regagnant le plateau, les paroles de mon sage me trottent dans la tête. Sentiments très forts... Vraiment ? Oui, j'éprouve encore des sentiments pour P-O. Mais de là à les qualifier de « très forts »... C'est un peu démesuré, non ?

Je m'assois devant mon invité, qui pianote sur son iPhone. Linda, ma maquilleuse, nous rejoint et me demande de fermer les yeux pour des retouches. Pendant que je me fais poudrer le nez, l'image que j'ai vue sur le moniteur me revient en tête. Je n'arrive pas à m'expliquer mon attitude. Est-ce à cause de ma nervosité de revoir P-O que j'en ai mis un peu trop? Mon désir de me faire pardonner, peut-être? Ou bien est-ce que ça cache autre chose?

— Voilà, t'es prête, Charlotte. T'es belle comme un cœur.

J'ouvre les yeux et je souris tendrement à mon adorable maquilleuse qui a le don de calmer mes angoisses par un simple compliment.

— Merci, t'es vraiment *sweet*, Linda.

Je prends mes cartons sur la petite table entre nos deux fauteuils. Au même moment, P-O y dépose son cellulaire et ses doigts effleurent les miens. Un tout léger contact, à peine perceptible, mais qui fait remonter en moi un flot de souvenirs, de sensations et d'émotions.

Mes yeux rencontrent ceux de mon ancien amoureux. Son masque est tombé. Il n'a plus cet air distant et froid qui ne lui ressemble tellement pas. L'intensité du désir que je lis dans son regard me trouble. Et pour la première fois je me demande si je n'aurais pas été plus heureuse avec lui qu'avec Maxou.

***

— Charlotte, *relaxe* un peu. On dirait que t'as un balai dans le cul. Pis colle-toi plus sur P-O.

J'obéis aux ordres de Paul-André, qui joue au metteur en scène pour la séance photos à laquelle P-O et moi nous prêtons. Je m'approche un peu plus de mon ami chef, avec qui je viens de réaliser une des plus belles interviews de ma carrière.

Du moins, c'est ce que m'a dit mon réalisateur quand les lumières du studio se sont éteintes sur mon dernier enregistrement de la saison.

« Tu t'es très bien reprise, t'as été parfaite », m'a-t-il soufflé à l'oreille en me faisant la bise.

Claude a ensuite remercié chaleureusement P-O, en lui serrant la main. Et comme je ne savais plus trop comment agir avec mon ancien amoureux – devais-je l'embrasser, moi aussi, pour le remercier ? –, je me suis sauvée comme une gamine qui a commis un mauvais coup.

Je suis allée dans ma loge, où je me suis occupée à me brosser les cheveux pour enlever l'épaisse couche de fixatif. J'ai agi comme un automate, m'interdisant de penser aux émotions qui avaient surgi au cours de la dernière heure. Et je suis revenue en studio juste à temps pour la séance photos.

Depuis le début du crépitement des flashs, tout mon corps est tendu, et j'ai l'impression que mon sourire est forcé. Je fais tout pour éviter de toucher P-O et même de croiser son regard.

Paul-André nous a placés dans une bien drôle de position. Je suis debout derrière mon partenaire qui, lui, est assis sur un petit tabouret. Personnellement, j'aurais préféré le contraire, mais bon…

— J'ai dit « collée », ma pitoune. Là, t'es au bout du monde !

Ce cher Paul-André a toujours le don d'exagérer ! Ce qui est plutôt inquiétant quand on sait qu'il est journaliste.

— Pis mets tes mains sur ses épaules. Sinon ça ressemblera pas à une réconciliation.

En entendant le mot « réconciliation », je m'affole. Pas question d'étaler publiquement mon froid avec P-O. Je dois faire oublier cette idée à Paul-André et le convaincre d'écrire un gentil article axé sur l'émission que nous venons d'enregistrer.

Je bondis du podium et je me concentre pour garder mon calme. La meilleure façon d'avoir un article poche dans une revue, c'est d'engueuler le journaliste.

— On a pas fini, Charlotte, me rappelle Paul-André.

— Je sais, mais faut que je te parle !

— Là, là ?

— Ben oui, là, là.

J'entends P-O sauter lui aussi du podium pour nous rejoindre. Il s'adresse au journaliste.

— Paul-André, c'est quoi, cette histoire de réconciliation ? Charlotte et moi, on a jamais été fâchés.

— Ouin, d'où tu sors ça ?

Trop contente de voir que, P-O et moi, on est sur la même longueur d'onde et qu'on va raconter les mêmes mensonges, j'en rajoute.

— Je sais vraiment pas où t'as pris ça. On est de très bons amis.

— Ben oui, lance Paul-André d'un ton ironique. Vous soupez ensemble le samedi. Pis, le dimanche, vous allez patiner dans le Vieux-Port avec vos enfants. *Come on !*

— Bon, peut-être pas, concède P-O, mais y a pas de rancœur entre nous.

— C'est vrai ! On est restés en bons termes.

— Eille, arrêtez de me *bullshitter*... Vous vous parlez plus depuis que vous êtes plus ensemble. Mais là, aujourd'hui, grâce à mononcle ici présent, vous vous êtes retrouvés. C'est pas fin, ça ?

Découragée, je regarde P-O qui, tout comme moi, comprend qu'il n'y a rien à faire. Quand Paul-André décide de se donner le beau rôle, la partie est perdue d'avance. Il n'en fera qu'à sa tête. Le mieux, c'est de se prêter au jeu.

— OK, Paul-André, tu veux de la bonne copie ? On va t'en donner, annonce P-O d'un ton déterminé en retournant sur le podium.

Un peu inquiète de ce que veut dire exactement « lui donner de la bonne copie », je m'empresse toutefois de suivre P-O. Qu'on en finisse avec cette mascarade !

— En échange, ajoute mon ami chef, tu nous montres l'article avant publication.

— Pas de problème, mon homme. Mais on s'entend que j'ai le dernier mot.

— On verra.

— Bon, replacez-vous comme tantôt. J'ai un texte à écrire, moi.

P-O se rassoit sur le petit tabouret. Je me place comme le veut le journaliste, debout derrière mon partenaire, et j'accepte même de mettre mes mains sur ses épaules. Le photographe fait quatre ou cinq prises et lance quelques blagues pour nous détendre. Le rire communicatif de P-O me rend heureuse, et je réussis finalement à me décoincer.

Je fixe l'objectif en essayant d'oublier les sensations qui montent doucement en moi. Comme cette chaleur intense que je ressens jusqu'au bas de mon ventre.

— OK, c'est beau, approuve Paul-André. On change de pose.

P-O se tourne vers moi de façon complètement inattendue. D'une main solide, il m'attrape par la taille pour me faire pivoter. Surprise et déstabilisée par la puissance de son geste et mes talons hauts, je perds l'équilibre et je m'accroche à son cou pour ne pas tomber.

Mon visage se retrouve à quelques centimètres du sien, ma cuisse collée contre la sienne, et sa main glisse jusqu'au haut de ma fesse. Pendant une fraction de seconde, j'ai l'impression que le temps s'arrête. Il n'y a que P-O, moi et cette décharge électrique qui traverse tout mon corps.

— Euh… Les amis, faudrait pas trop en mettre, quand même.

L'avertissement de Paul-André me fait revenir sur terre. Immédiatement, je m'éloigne de P-O et j'essaie de chasser mes émotions à l'aide de ma méthode habituelle : je déballe un bonbon au sirop d'érable qui traîne dans le fond de ma poche et je le suce frénétiquement.

Mon geste n'échappe pas à P-O, qui sourit d'un air satisfait. Voulez-vous bien me dire ce qui lui prend ? Tout d'abord, il m'ignore complètement et, la minute suivante, il me joue le grand jeu de la séduction. Ça rime à quoi ?

Je crache mon bonbon dans la poubelle et je m'adresse ensuite à Paul-André.

— Bon, on finit ça le plus vite possible, OK ? J'ai mon fils à aller chercher à la garderie.

Évoquer Adrien me permet de tourner mes pensées vers autre chose que ma libido en folie. Et de terminer la séance photos dans une ambiance normale. Enfin, presque normale…

***

— En tout cas, c'était *weird* pas à peu près !

— Ça devait, oui, répond machinalement Ugo au bout du fil.

Aussitôt le supplice de la séance photos terminé, je me suis barricadée dans ma loge pour appeler mon ami. Adrien sera le dernier enfant à partir de la garderie. Encore une fois. Ce n'est pas la fin du monde.

— Bon, ça t'intéresse pas ?

— Mais oui, Charlotte. C'est juste que ça fait dix minutes que tu m'en parles. J'ai compris que de revoir P-O t'avait bouleversée.

— Ben t'es chanceux, parce que, moi, je me comprends pas pantoute.

J'entends mon ami boucher interpeller un de ses employés. J'en profite pour envoyer valser mes talons hauts à l'autre bout de la loge.

— Non, la commande de cailles farcies au foie gras, c'est pour Mme Préfontaine, pas pour Mme Alarie. Elle, c'est le tartare de cheval.

— Ugo ! T'as fini, là ?

— Excuse-moi, chérie, mais c'est parce que je travaille, moi !

— Bon, bon, donne-moi encore deux minutes. Faut que je voie plus clair là-dedans.

— Tu te compliques la vie, Charlotte. P-O, tu l'as aimé. Il t'a aimée. C'est normal que ça fasse des flammèches.

— Peut-être, mais pas à ce point… Pis lui non plus, je le comprends pas. Il arrive ici l'air bête comme ses deux pieds. Pis, tout à coup, il se met à me séduire. Si ça, c'est pas *fucké*…

— Ça, c'est typique du gars qui fait semblant d'être fâché pour se protéger, mais qui, dans le fond, est encore amoureux.

— Tu penses ?

— Ça y ressemble, en tout cas.

— Non, je crois pas. J'ai plutôt senti qu'il jouait une *game*.

— C'est possible aussi… Puis comment ça s'est passé quand il est parti ?

— C'est moi qui suis partie en premier. Je suis revenue à ma loge, pendant qu'il jasait avec Paul-André.

— Tu lui as pas dit bye ?

— Ben oui, mais de loin. Je me suis pas approchée, j'avais trop peur qu'il me fasse la bise avant de s'en aller.

— Bonne idée. La bonne nouvelle, c'est que t'auras pas à le revoir. Donc ça va calmer tes hormones.

Je souris devant la justesse des propos de mon ami. Rien de mieux que d'éloigner la source du mal pour ne pas succomber aux tentations.

— T'as raison.

— Mais tu sais, Charlotte, la vraie question que tu devrais te poser, c'est par rapport à ton couple.

— Mais non, ça va super bien avec Max.

— T'es certaine ?

— Ben oui, je suis certaine.

— OK, chérie.

J'en ai marre que mes amis me demandent constamment si ça va bien dans mon couple. C'est clair que ça va bien, non ?

Je laisse passer quelques secondes de silence pour signifier que le sujet est clos. Mais une petite voix dans ma tête me rappelle qu'Ugo a souvent un bon jugement... Fatigante, tais-toi donc !

— Bon, l'autre sujet dont je voulais te parler, c'est Marianne. C'est demain que se termine l'ultimatum de Karen, non ?

À la suite du souper désastreux de la Saint-Valentin, Karen n'a pas quitté sa blonde comme je le pressentais. Elle lui a plutôt laissé jusqu'à la fin de mars pour rectifier le tir et annoncer à ses parents qu'elle a une amoureuse, et non un amoureux.

— Yep !

— Est-ce qu'elle est toujours décidée à le faire ?

— Aux dernières nouvelles, oui.

— C'est vraiment pas une bonne idée ! C'est juste pour faire plaisir à Karen.

J'entends Ugo informer ses employés qu'il va dans son bureau deux minutes. Il me demande de patienter un instant et j'en profite pour faire de l'ordre dans ma loge. Ça me rend un peu triste de savoir que je ne reviendrai pas ici avant plusieurs mois. Pas avant les nouveaux enregistrements prévus pour l'automne.

Au bout du fil, j'entends mon ami fermer une porte. Je l'imagine maintenant dans la petite pièce qui lui sert à faire sa comptabilité. Une tâche insupportable à mes yeux. C'est pourquoi je lui ai offert de magnifiques accessoires de bureau en chrome, qui s'harmonisent très bien avec sa table de travail en verre trempé et métal.

— C'est quoi ? Tu voulais plus parler devant eux ?

— J'aimais mieux pas, non.

— Ah bon…

— Tu sais, Charlotte, même si Marianne le fait pour Karen, c'est pas une mauvaise chose.

— Ben voyons donc, Ugo ! On sait pas du tout comment ses parents vont réagir. Tu les as vus, l'autre fois, ils sont tellement pas prêts.

— Je pense qu'elle doit courir le risque.

— Ben pas moi ! Karen a juste à prendre son mal en patience. Marianne doit le leur annoncer quand elle sera prête, c'est tout.

— Le problème, c'est que Marianne sera jamais prête. Et parfois, il faut un petit coup de pouce, c'est tout.

— Et s'ils lui parlent plus, hein ? Tu y as pensé ? Moi, ça m'étonnerait pas du tout.

— …

— Ugo, tu dis rien ?

— Je suis pas con, Charlotte. Je sais très bien que les parents de Marianne peuvent décider de rompre les liens avec elle.

— Bon, tu vois.

— Mais c'est pas une raison pour pas tirer les choses au clair.

J'arrête d'un coup sec le geste que j'étais en train de faire, c'est-à-dire envoyer au sol les graines de biscuit au thé vert matcha répandues sur le bureau.

— Là, Ugo, je te suis pas. T'es prêt à ce qu'elle perde ses parents ? À ce que ses filles aient plus de grands-parents ? dis-je en haussant le ton.

— Tu dramatises tout, Charlotte. C'est pas certain que ça va se passer comme ça.

— Y a de gros risques, en tout cas. Je comprends pas ton raisonnement.

— Tout ce que je dis, c'est que, vivre dans le mensonge, ça use à la longue, ça détruit, même. Et je ne peux pas jouer au chum de Marianne éternellement.

La semaine dernière, Marianne a tellement supplié Ugo qu'il a accepté de l'accompagner au baptême du fils de sa cousine. L'expérience, au dire de mon amie, a été concluante.

— Moi, je trouve que t'as l'air de très bien faire ça.

— Peut-être, mais ça me met vraiment mal à l'aise.

— En plus, Marianne s'accommode parfaitement de la situation. C'est Karen qui capote.

— Karen a raison. Et je pense vraiment qu'elle va quitter Marianne si la situation n'évolue pas.

— Ben qu'elle s'en aille, c'est tout ! Je trouve ça épouvantable qu'elle lui demande ça. Pis toi, t'es pas mieux... Prendre son bord. C'est Marianne que tu devrais soutenir. C'est elle, notre amie.

Je suis furieuse contre Ugo. J'ai l'impression qu'il trahit notre amitié et qu'il n'appuie pas Marianne. La trahison... Je ne pensais jamais vivre ça avec mon meilleur ami.

— Charlotte, calme-toi un peu. C'est pour Marianne que je dis ça. Elle tient à Karen.

— Ouin, pis je sais pas trop pourquoi. Une intolérante de même ! Et toi, tu t'en viens comme elle, Ugo.

— De quoi tu parles ? Je suis pas intolérant. Et Karen non plus.

— En tout cas, t'as changé depuis ton voyage avec Boris. On dirait que tu veux forcer tous les gais de la terre à s'assumer.

Quand j'étais enceinte, Ugo a fait le tour de l'Asie avec le meilleur ami de Maxou, un Parisien bisexuel. Ou peut-être maintenant gai. Mais ce dont je suis certaine, c'est que Boris n'assume pas du tout son attirance envers les hommes et qu'il exige d'Ugo la discrétion la plus totale. Il ne faut pas que cela vienne aux oreilles de quiconque, surtout pas à celles de Maxou.

Si la relation entre Ugo et Boris s'est terminée en même temps que le séjour en Asie, elle a laissé des traces. Ugo a toujours prétendu que Boris n'avait été qu'un amant, mais je le soupçonne d'en être tombé amoureux. Et d'avoir cessé de le fréquenter parce qu'il n'acceptait pas que Boris refuse de vivre leur passion au grand jour. Est-ce que Boris l'aimait aussi ? Hum... Bien difficile à dire.

J'avoue que je comprends sa frustration, d'autant plus que sa relation précédente avec mon ancien collègue, Justin, avait aussi commencé dans le secret. Et que son amant occasionnel de l'heure, monsieur centre d'achat, est marié avec une femme.

Mais ce n'est pas une raison pour mettre de la pression sur Marianne. Oh que non !

Au bout du fil, Ugo reste silencieux. Faut croire que j'ai visé juste !

Toc, toc. Deux coups frappés à ma porte détournent mon attention.

— Je suis occupée, dis-je d'un ton sec, avant de retourner à ma conversation avec Ugo : Tu réponds rien ? J'ai raison, hein ?

— Je vois pas du tout le lien avec Boris. Et je force personne. C'est n'importe quoi !

— Comment ça, n'importe quoi ? T'es ben insultant !

Ugo soupire bruyamment avant de s'excuser du bout des lèvres.

— Ç'a pas l'air sincère, ton affaire..., dis-je, peinée de son attitude.

Il y a un moment que je trouve qu'Ugo prône un peu trop le *coming out*. Il en parle de plus en plus souvent.

Je comprends son point de vue quand il dit que sortir du placard est un geste souvent libérateur, qui permet d'avancer dans la vie. Oui, d'accord, mais je pense aussi que c'est une question infiniment personnelle. Sauf qu'Ugo a parfois tendance à l'oublier.

Toc, toc, toc. Encore ! Pas moyen d'avoir la paix deux minutes. J'ouvre la porte de ma loge et j'aperçois Joannie, l'air un peu inquiet. Elle me lance un regard gêné.

— Excuse-moi de te déranger, Charlotte.

Je lui fais signe que ce n'est pas grave, d'attendre une petite seconde.

— Ugo, faut que je te laisse. Mais on va se reparler de tout ça ce soir.

— Je finis tard, je vais être crevé. Demain, OK ?

— OK, demain.

Je raccroche en songeant que, demain, il pourrait être trop tard. Marianne aura peut-être déjà annoncé la nouvelle à ses parents. Fin finaud, mon Ugo...

Je me sens tout à coup vidée. Complètement exténuée par les dernières heures. On dirait que tous les hommes de ma vie se sont donné le mot pour me faire passer une journée de merde ! À commencer par Adrien qui, ce matin, s'est amusé à dessiner sur le mur avec mes rouges à lèvres. Quatre-vingts dollars de maquillage à la poubelle. Ensuite, Maxou m'a annoncé qu'il ne pouvait pas s'occuper de notre fils ce soir, comme prévu. Adieu séance d'enveloppement aux algues chez la naturopathe. P-O vient de me faire vivre les montagnes russes, et Ugo ne semble pas vouloir du tout se rallier à ma façon de voir les choses. *I need a drink ! Now !*

— Excuse-moi encore, Charlotte, c'est juste que Claude veut nous voir toutes les deux dans son bureau.

— Ah bon ? Sais-tu pourquoi ?

— Euh... non. Aucune idée.

— Lui, s'il m'annonce une mauvaise nouvelle, je l'étripe, dis-je pour moi-même en me tournant pour ramasser mes chaussures.

— Hein ? Quoi ?

Le ton craintif de ma collègue me fait sourire et m'adoucit.

— Rien, rien, ma belle. Tu sais, faut pas prendre tout ce que je dis au premier degré. Sinon t'as pas fini de t'inquiéter.

— OK, je vais essayer.

— Viens, on va aller voir si on a encore une job.

En franchissant la porte de ma loge, je ne peux m'empêcher d'éclater de rire devant l'air alarmé de Joannie. Elle comprend alors que c'est une blague et elle joint son rire au mien. Mais le sien est plutôt jaune.

— Ben voyons donc, Joannie. Penses-tu vraiment que, si Claude voulait nous dire que nos contrats ne sont pas renouvelés, il nous ferait venir dans son bureau ensemble ?

— Ouin… T'as sûrement raison.

En marchant dans le couloir, j'ai soudainement une inquiétude. Et s'il avait convoqué toute l'équipe, pas seulement Joannie et moi… Comme on le fait quand on annonce qu'une émission prend fin. Est-ce possible que le diffuseur ait changé d'idée et qu'il ait mis un terme à notre *show* ? Ah non ! Ne me dites pas que je vais me retrouver relationniste à temps plein !

Je marche de plus en plus vite, pressée d'en avoir le cœur net. En entrant dans le bureau de Claude, je vois que tous les autres membres de l'équipe y sont. Non, non et non ! J'ai besoin de faire de la télé dans la vie, moi !

***

— Alors, comme vous voyez, ce sont d'excellentes nouvelles.

Je suis aux anges ! Mon réalisateur vient de nous apprendre que non seulement l'émission est renouvelée, mais qu'elle est bonifiée. Je vais partir sur la route avec mon équipe de tournage pour quelques émissions spéciales. On visitera des capitales gastronomiques partout dans le mooooooonde ! Trop *hot* !

— Donc, poursuit Claude, l'idée, c'est de faire découvrir aux téléspectateurs les bonnes adresses d'une ville, à travers les yeux d'une vedette, que ce soit un chef ou quelqu'un de la communauté artistique.

— Encore plus le *fun*, dis-je, en souhaitant toutefois qu'il ne m'envoie pas en voyage avec P-O.

— C'est une bonne idée d'inclure des vedettes, se risque Joannie. On commençait à avoir fait le tour avec les chefs.

Je m'empresse de demander :

— Et le premier voyage, c'est où ?

— New York. On partira dans un mois environ. J'espère que t'es libre, Charlotte ?

— Bien sûr ! On pourrait y aller avec Mitsou, hein ? Ce serait chouette, elle adore la gastronomie et elle est super sympathique. Ou avec Danny, le chef d'Auguste, il est tellement drôle. Ou avec...

— Excuse-moi de t'interrompre, mais c'est déjà choisi.

— Ah oui ? C'est qui ?

— Un gars qui connaît très bien New York. Il y a même vécu quelques années avant de fonder son groupe de musique.

— Un musicien ?

— Un chanteur. Charlotte, tu pars avec Alexis Cadieux.

7

Piña colada de Mado :
⅔ oz de rhum blanc
⅔ oz de rhum brun
1½ oz de crème de noix de coco
4 oz de jus d'ananas
5 ou 6 glaçons, concassés
Petite touche Mado :
1 c. à thé de cassonade et 1 c. à thé de miel
Mettre tous les ingrédients au mélangeur et servir
dans un verre tulipe avec des morceaux d'ananas
et des cerises au marasquin.

— Louis, arrête de sauter sur le canapé de Mado, lance maman à mon fils, qui ne l'écoute pas une seconde.

Je me précipite pour prendre Adrien dans mes bras et l'asseoir sur le tapis à longs poils crème de sa grand-mère, devant son camion de pompiers. Voilà ! Inutile d'ajouter une source de stress supplémentaire à ce souper familial.

— Maman, combien de fois t'ai-je demandé d'appeler mon fils par son vrai prénom ?

— Tu n'avais qu'à en choisir un beau. Adrien, je trouve ça affreux.

Je pousse un soupir de découragement. La soirée ne fait que commencer et j'ai déjà hâte qu'elle soit terminée. Maman nous a conviés, Maxou, Adrien et moi, à un souper du samedi soir, dans le condo qu'elle habite maintenant avec papa.

— Euh... Je vous ferai remarquer, Madeleine, que j'ai aussi participé à ce choix, intervient Maxou.

— Je sais, mon cher Maximilien, mais toi, c'est pas pareil.

Pour maman, avec Maxou, ce n'est jamais pareil. Elle est toujours plus tolérante avec lui. La preuve : il est le seul à pouvoir l'appeler Madeleine, « parce que, avec son accent français, ça sonne beaucoup mieux », dit-elle. Pff... N'importe quoi ! La vérité, c'est que, malgré ses bonnes résolutions, maman ne peut s'empêcher de séduire tous les hommes de son entourage.

En m'annonçant que papa et elle allaient refaire vie commune, maman m'avait confié qu'elle n'avait jamais oublié son Reggie. « Je l'ai toujours aimé, mais une partie de moi ne le savait pas. »

Je me rappelle que ces mots m'avaient semblé un peu étranges. Surtout dans la bouche de maman. L'introspection, ça n'a jamais été son fort.

« J'avais besoin de savoir qui j'étais vraiment, avait-elle ajouté pour justifier ses années de butinage avec des hommes plus jeunes. Désormais, je serai la femme d'un seul homme et je n'aurai d'yeux que pour ton père », avait-elle conclu.

Je ne l'ai pas crue. Et j'ai eu bien raison puisque le naturel est vite revenu au galop, et maman a recommencé à faire de l'œil à tout un chacun. Par contre, maintenant, elle se contente de jouer et de regarder. Elle veut le garder, son Reggie.

— Maximilien, tu n'aimes pas mon cocktail ? demande maman en désignant le verre presque plein qu'il tient à la main.

Un genre de *piña colada* hyper sucré, agrémenté d'une brochette de morceaux d'ananas et de cerises au marasquin.

— Non, non, c'est très bien. C'est simplement que je préfère attendre le retour de Réginald.

À notre arrivée, papa était sorti faire une course de dernière minute.

— Tu l'as envoyé chercher quoi, au juste ? dis-je pendant que Maxou consulte ses courriels sur son BlackBerry.

— Des bananes plantains, je les avais oubliées.

— Hein ? Pourquoi ?

— Quelle question ! Les faire frire pour accompagner mon repas africain, voyons.

— Ah... parce que tu cuisines africain ce soir ?

— Je pense, ma fille, que t'en perds des bouts. Je t'ai dit que c'était une soirée africaine. Je t'ai même demandé de porter un p'tit quelque chose coloré, avec des motifs africains, mais j'imagine que c'était pas important pour toi.

Ahhhh, qu'elle m'exaspère ! Comme si j'avais juste ça à faire, me plier aux caprices de ma mère. Je me souviens maintenant d'avoir vaguement vu un courriel de maman à ce sujet, mais je crois l'avoir lu tout de suite après avoir appris que j'allais passer quelques jours dans la ville la plus excitante du monde en compagnie d'un gars tout aussi excitant...

— En tout cas, moi, je suis dans le ton.

En effet, ma mère est colorée ce soir. De là à dire que son costume est typique de celui des Africaines, par contre, je ne suis pas certaine. Elle a une robe bariolée vert, brun et blanc, hyper ajustée, et un bandeau rouge et orangé dans les cheveux. Et d'immenses anneaux dorés aux oreilles. Si vous voulez mon avis, ça sent plutôt le cliché. RI-DI-CU-LE !

— Ah, mais j'y pense, ajoute ma charmante mère, j'ai des accessoires qui pourront faire l'affaire.

Alors qu'elle s'éloigne vers sa chambre, j'en profite pour aller rejoindre mon fils, qui s'amuse un peu trop vigoureusement avec son camion de pompiers. Si ça continue, le jouet risque de rester coincé dans les longs poils du tapis. Mais comme je sais que le lui enlever des mains provoquera une crise mondiale, je préfère déposer Adrien sur le plancher de la cuisine. Et vroum, ça recommence.

Je me rassois à côté de mon mari, qui a toujours les yeux fixés sur son téléphone intelligent.

— Maxou, on te dérange peut-être?

— Excuse-moi, ma chérie, répond-il en rangeant son BlackBerry dans la poche de son veston. Quelques petites préoccupations professionnelles.

— Un samedi soir?

— Les clients n'ont pas d'heure, tu le sais bien.

Je fais une moue boudeuse avant de prendre une gorgée de l'infecte boisson que nous a préparée maman. Je ne peux retenir une grimace, ce qui amuse Maxou.

— Mégaclasse, hein? me dit-il tout bas, sur un ton ironique.

Je jette un coup d'œil dans le couloir pour voir si maman est revenue de sa chambre. C'est beau, la voie est libre. Je m'empare précipitamment de mon verre et de celui de Maxou, qui me regarde avec des points d'interrogation dans les yeux.

D'un pas rapide, je me dirige vers la cuisine où je verse presque la totalité du contenu de nos boissons dans l'évier. Je reviens à ma place comme si de rien n'était et je dépose nos verres devant nous. Mon mari me fait un sourire complice.

Je sens la main de Maxou qui se glisse au bas de mon dos et qui soulève délicatement ma blouse à carreaux blancs et lilas. Il s'approche pour murmurer à mon oreille:

— Tu sais ce que je souhaiterais faire demain?

Le bout de ses doigts effleure à peine ma taille. Maxou sait exactement comment me toucher pour que je ne lui refuse rien. Avec les années, j'ai compris que mon mari était passé maître dans l'art de la manipulation par les caresses. Et quand il s'y met, je tombe parfois en mode défensif. Comme c'est le cas actuellement.

— Non, quoi ?

Je gagerais cent piasses qu'il va me demander s'il peut aller chez son ami Fabrice tout l'après-midi pour regarder le foot.

— Flâner au lit toute la journée avec ma femme… en buvant du champagne.

Ohhh… J'avoue que je ne m'attendais pas à une telle proposition. Touché, mon petit cœur. Chaque fois que Maxou me surprend avec des idées romantiques, je redeviens complètement amoureuse.

— C'est tentant, mais Adrien, lui ?

C'est bien beau, les envies de s'envoyer en l'air toute la journée, mais il faut tenir compte du côté pratique de la chose. On ne peut pas faire disparaître notre fils d'un coup de baguette magique. Ni le soûler au champagne pour qu'il dorme tout l'après-midi !

— Il a des grands-parents, non ? Ils peuvent le garder jusqu'à demain soir.

— Ah, c'est pas bête, ça. Mais on a pas apporté ses affaires.

— Si, si.

Je lance un regard étonné à Maxou. Il a tout prévu. Décidément, cet homme ne cessera de me dérouter.

— Mais va falloir convaincre maman.

— Tu n'as qu'à me laisser manœuvrer. Tu sais que je peux être très persuasif, me rappelle-t-il sans me quitter des yeux.

Sa main remonte tranquillement jusqu'à mon soutien-gorge et s'y arrête un instant. Du regard, il s'assure que nous sommes toujours seuls. Je fais de même et, voyant que maman n'est pas de retour dans la pièce et qu'Adrien est toujours fasciné par son jouet, j'encourage Maxou à poursuivre.

Avec son pouce, Maxou caresse tout doucement mon sein. Pendant quelques secondes, j'ai l'impression de me retrouver au sous-sol d'un bungalow de Laval et de redevenir une adolescente. Celle qui mettait la main sur la bouche de son chum pour étouffer ses gémissements de plaisir, de peur que ses parents ne l'entendent se livrer à ses premières expériences sexuelles. Faire des choses en cachette augmente mon excitation d'un cran. Je plaque mes lèvres sur celles de Maxou et je l'embrasse tendrement en fermant les yeux.

— Surtout, faites comme si j'étais pas là !

La voix de maman et son ton faussement scandalisé, qui cache en réalité un incompréhensible sentiment de rejet, me ramène sur terre.

Je m'écarte rapidement de Maxou et je sens la gêne m'envahir. Je baisse les yeux jusqu'à ce que mon regard soit attiré par les objets colorés que maman place devant nous. *Oh my God !* Plus quétaine que ça, tu meurs.

— Voilà ! Je les ai. Finalement, ils étaient dans le fond de mon *walk-in*.

Maman prend un des colliers composés de fleurs en tissu bleu, jaune et rose pour l'enfiler au cou de Maxou. Avec sa chemise blanche aux fines rayures grises et son veston noir, c'est l'accessoire parfait. Je ne peux m'empêcher d'éclater de rire.

— Pouahhhhh !

Maxou ne trouve pas la chose drôle du tout. Même si, depuis qu'il habite au Québec, mon mari est un peu moins coincé dans son image de mec impeccable, il ne s'en est pas complètement départi. Il a encore beaucoup de mal avec l'autodérision.

— Euh… Madeleine, vous savez que c'est un collier hawaïen, non ?

— Bah, hawaïen ou africain, c'est presque pareil.

— Pas vraiment, non.

— S'il te plaît, fais-moi plaisir, Maximilien. Et ça te fera pas de mal de porter autre chose que du noir ou du gris.

Pour me montrer solidaire, j'en glisse un à mon cou. Satisfaite, maman va rejoindre Adrien pour le déguiser, lui aussi. Bonne chance ! Elle risque de découvrir son collier en mille morceaux d'ici deux minutes.

Je me tourne vers mon mari, l'air toujours renfrogné.

— Oh, allez, Maxou, détends-toi un peu. C'est juste un collier.

— Ça devient nul, cette soirée.

— Mais non, c'est drôle. Et puis oublie pas que t'as un truc à demander à maman.

— T'as raison. Ça vaut bien le coup de se ridiculiser un peu.

Consciente de ses efforts, je pose un baiser sur sa joue en le remerciant. J'appuie ma tête contre son épaule, en rêvant déjà au lendemain.

***

— Papa, qu'est-ce qui se passe entre maman et toi ?

Je tends une casserole propre à mon père pour qu'il l'essuie. Le repas à peine terminé, j'ai offert à maman de tout ranger pour qu'elle se repose un peu au salon. J'ai réquisitionné l'aide de mon père et refusé celle de Maxou, l'enjoignant plutôt à s'occuper de notre fils.

Le but de cette opération était non pas de rendre service à ma mère, mais bien d'avoir des explications sur son attitude. Dès que papa est revenu de sa course, elle a changé d'humeur, passant de relativement joviale à acrimonieuse.

— Qu'est-ce que tu veux dire, ma princesse ?

— Ben voyons, papa. Elle a pas arrêté de te lancer des pointes.

— Ah, j'ai pas vraiment remarqué.

— Hein ? T'es aveugle ou quoi ?

Pendant tout le souper, maman n'a cessé de faire référence au séjour de mon père en Afrique. En disant à peu près n'importe quoi.

« Ici aussi, on peut manger africain, et je suis sûre que c'est même meilleur… Au moins ici, on cuisine pas avec de la bouse de vache… On sait bien, les femmes là-bas ont le sang chaud, mais elles ont toutes le sida. »

Hello les clichés !

— J'en reviens pas que t'aies rien vu ! On aurait juré qu'elle était en compétition avec l'Afrique toute la soirée.

Papa détourne le regard et fixe le comptoir en quartz beige et brun. À ce moment-là, je comprends.

— Salama ?

Le silence de papa confirme mon appréhension. Salama, la belle et jeune Africaine avec qui il a vécu une histoire d'amour torride en Côte d'Ivoire, est revenue dans le portrait.

La sonnerie du cellulaire de mon père interrompt mes pensées.

— Réginald Lavigne à l'appareil, *Reggie Vineyards speaking.*

— Pouahhhhh !

Je ne peux m'empêcher d'éclater de rire. Mon père qui se présente au téléphone comme « Michel Gauvin-Mike Gâââveunne » dans *Québec-Montréal*, un de mes films québécois préférés. Tordant !

Papa me jette un coup d'œil interrogateur et s'éloigne pour parler à sa guise. Toute seule dans la cuisine, je ris encore de bon cœur. Je me souviens de ce soir de mars, l'an passé, où papa avait gardé Adrien chez moi jusqu'au petit matin. Maxou et moi étions allés à la Cabane à sucre du Pied de cochon avec des clients français. À notre retour, papa finissait de regarder *Québec-Montréal*. Faut croire que l'idée de se présenter dans les deux langues lui est venue à ce moment-là. Dans un film, ça peut être drôle, mais dans la vraie vie je ne suis pas certaine que ce soit une bonne idée. Ni que ce soit très crédible.

— Bon, excuse-moi, ma princesse, dit papa en revenant.

— C'est pas grave. C'était qui?

— Ahh, quelqu'un que tu connais pas.

Ça, c'est une réponse que je n'aime pas et qui m'inquiète. D'autant plus que sa façon de répondre à l'appel était possiblement destinée à une relation d'affaires. Et quand mon père décide de faire de la *business*, les problèmes ne sont jamais loin.

— Ça m'intéresse quand même. T'as de nouveaux projets?

— Non, non, pas du tout.

Je jette un regard sceptique à mon père, qui me rassure en disant qu'il est très heureux de ses contrats de déneigement et d'entretien paysager. Ouin... Admettons. Pour l'instant, ce qui me préoccupe, c'est la belle Africaine.

— Salama... Vous vous êtes écrit ou tu l'as revue?

— Écoute, ma princesse, j'aime mieux que tu restes en dehors de tout ça, OK?

— Je suis plus une enfant, papa. T'as pas à me protéger. Elle est ici, hein?

Mon père ne répond pas.

— Tu sais bien que je vais finir par le savoir.

— OK, capitule-t-il. Elle est arrivée la semaine dernière pour un séjour de quelques mois. Elle amasse des fonds pour une école là-bas.

— Hum, t'es sûr que c'est légal, tout ça? Elle serait pas un peu comme son père?

Salama est la fille d'un Ivoirien qui a entraîné papa dans des affaires louches. Ce qui lui a valu un séjour de quelques années en prison.

— Mais non, Salama, c'est la pureté même, l'innocence.

Le regard de papa s'allume quand il parle de Salama. J'y lis de l'admiration, de la tendresse... et du désir.

— Pff... On est pas sortis du bois.

— Charlotte, je l'aide dans ses projets, c'est tout.

— Me semble, oui. C'était ça, ton appel ?

— Mais non, c'est autre chose.

Je lève les yeux au ciel, exaspérée par tant de secrets.

— Ma princesse, je veux pas que tu t'inquiètes, OK ?

Je dépose la mandoline de maman au fond de l'évier, je m'essuie les mains sur une serviette beige aux fleurs dorées et je regarde mon père.

— Je m'inquiète pas. Oui, ça m'a fait plaisir quand vous avez repris, maman et toi, mais si t'es pas heureux…

— J'ai pas dit ça.

— C'est toi qui le sais.

Je retourne à ma tâche en songeant que la vie est parfois drôlement faite. J'étais certaine que le premier de mes deux parents qui souffrirait de leur « nouvelle » relation serait papa. J'aurais mis ma main au feu que maman ne pourrait pas s'empêcher d'avoir des aventures et que papa fermerait les yeux. Mais il semble qu'il en est autrement.

Pourtant, j'éprouve de la compassion pour maman. Je comprends maintenant mieux son comportement de ce soir. Celui d'une âme blessée, qui ne sait pas trop comment se battre contre une femme plus jeune, plus belle, plus exotique.

— J'espère juste, papa, que tu vas être honnête avec maman. Moi, l'infidélité, je suis pas capable.

Sur ces paroles, je quitte la cuisine en disant qu'il est tard, qu'on doit rentrer et qu'Adrien reste avec eux. J'éprouve tout à coup le besoin de me retrouver seule avec mon mari et de me prouver qu'aucune Salama ne menace mon petit cocon à moi.

8

— Je le savais que ça tournerait comme ça ! Je vous l'avais dit !

Ugo, Marianne et moi sommes réunis chez mon ami pour discuter du résultat de l'ultimatum de Karen. Malgré ma réticence, Marianne a cédé aux pressions de sa blonde et elle a envoyé un courriel à ses parents à la dernière minute, leur annonçant qu'elle était amoureuse d'une femme.

La réponse des Lapointe s'est fait attendre cinq jours. Cet après-midi, ma copine a finalement reçu un message de sa mère. Je m'empare de son iPhone qui traîne sur le comptoir de la cuisine pour relire le fameux courriel une troisième fois.

Marianne,

Ton père et moi avons été vraiment surpris d'apprendre une telle nouvelle. D'autant plus que nous aimions beaucoup Ugo, qui est un homme charmant.

Tu comprends que, dans les circonstances, nous avons besoin de digérer tout ça. Je te demanderais donc de nous laisser du temps. Je te ferai signe quand nous serons prêts. Pour le moment, je crois que nous allons garder nos distances, comme le souhaite ton père.

Maman

P.-S. – Pour les filles, nous allons continuer de les voir un dimanche sur deux chez Benoît.

Je redonne le téléphone à mon amie en poussant un soupir de découragement.

— Qu'est-ce que tu vas faire, maintenant?

— Je sais pas trop, répond Marianne. Je m'attendais tellement pas à ça.

J'aurais envie de redire à mon amie que la réaction de ses parents était totalement prévisible, mais sa tristesse m'incite à me taire. Elle a besoin de mon soutien, pas de mes remontrances.

Je vais m'asseoir à la table et j'invite Marianne à en faire autant. Toujours silencieux, Ugo nous prépare l'apéro.

— La décision vient surtout de ton père, je me trompe?

— C'est clair. Je suis certaine que ma mère est pas d'accord, mais elle le dira pas.

— Ouin, elle est vraiment soumise...

— Ç'a toujours été comme ça chez nous, tu t'en souviens pas?

— Je me rappelle surtout que ton père était plus sévère que le mien.

Ugo dépose devant nous deux verres de riesling alsacien, des chips de pita, des bâtonnets de fenouil et de l'houmous à la coriandre, le tout joliment disposé dans un plat à trempette. Il s'assoit ensuite avec nous.

— Et Karen, demande Ugo, qu'est-ce qu'elle en pense?

— C'est certain qu'elle est moins affectée que moi. Elle trouve ça plate, mais, en même temps, elle croit qu'on a pas besoin d'eux dans notre vie.

— Elle, peut-être pas, dis-je. Mais toi, ce sont tes parents quand même.

— Je sais.

— Si elle t'avait pas demandé ça, aussi… On en serait pas là.

— Charlotte, intervient Ugo, tu sais bien que ça ne pouvait pas durer.

— Bon, encore à prendre la défense de Karen.

— Je ne suis du bord de personne, j'essaie juste de mettre les choses en contexte.

— Le contexte… On s'en fout, du contexte ! Le mal est fait, là ! Marianne a de la peine, tu le vois bien !

Ugo baisse les yeux et fait tourner son verre de vin avec ses doigts. Pourquoi semble-t-il tout à coup embarrassé ? Je connais trop bien mon ami, il a quelque chose sur le cœur.

— Dis-le donc, ce que tu penses, Ugo !

Il met quelques secondes avant de lever son visage vers moi.

— Ce qui n'a pas aidé, c'est de leur avoir raconté que j'étais son chum. C'était une erreur.

Je bondis de ma chaise, accrochant au passage mon verre de vin, qui se renverse sur la belle table noire Calligaris.

— C'est ça ! Dis donc que c'est ma faute !

— C'est pas ce que j'ai dit, répond Ugo en allant chercher un linge dans l'armoire sous l'évier.

— Non, mais tu le penses ! De toute façon, depuis le début, on est pas d'accord là-dessus.

S'il m'est arrivé par le passé de ne pas partager l'opinion d'Ugo, c'est la première fois, par contre, que je sens que nos visions sont irréconciliables.

— On est pas toujours obligés d'être d'accord, Charlotte, dit-il en essuyant méticuleusement sa table.

— Peut-être, mais, moi, je sais ce que ça veut dire, pas avoir son père dans sa vie. Et Marianne mérite pas ça!

Pendant les années où papa était emprisonné en Afrique, j'ai trouvé extrêmement difficile de ne pas pouvoir compter sur lui. Il manquait quelque chose d'essentiel à ma vie, un certain équilibre, que je crois avoir retrouvé maintenant que papa est là, près de moi.

— Et moi, tu crois que je le sais pas? lance Ugo.

Je ferme les yeux un instant, me sentant honteuse. Je sais très bien, pourtant, qu'Ugo a perdu son père il y a dix ans. Pourquoi donc n'y ai-je pas pensé? Quand je m'adresse à mon ami, mon ton est plus doux.

— Excuse-moi. C'est que t'en parles tellement pas souvent.

— C'est pas tout le monde qui a besoin d'étaler ses sentiments.

— *Cheap shot*, Ugo Saint-Amand.

Ugo hausse les épaules, comme s'il se foutait complètement de m'avoir blessée. Qu'est-ce qui lui arrive? Habituellement, il s'excuse, il se préoccupe de moi, de mon bonheur... Pourquoi ai-je l'impression que, depuis quelque temps, je suis moins importante pour lui? À la limite, que je lui tape sur les nerfs... Comme en témoigne cette conversation. J'éprouve soudain le besoin irrépressible de lui faire mal à mon tour.

— Moi, en tout cas, je mets pas mon amie dans le trouble juste parce que je veux faire avancer la cause des gais!

Ugo ne répond pas, mais il me fusille du regard. Aussitôt, je regrette mes propos et mon comportement immatures. Marianne, qui assiste, impuissante, à nos échanges musclés depuis le début, décide de s'interposer.

— Arrêtez tout de suite... Qu'est-ce qui vous prend?

Le ton sans appel de mon amie me force à me rasseoir. Il est très rare que Marianne perde patience, ce qui rend son intervention d'autant plus intimidante.

Je saisis son verre de vin et j'en avale une longue gorgée. Marianne me regarde avec tristesse, tandis qu'Ugo me tourne le dos, tout occupé qu'il est à rincer son linge. Tout à coup, la sonnette de la porte d'entrée retentit.

— Ah merde, j'avais oublié. C'est Max qui m'amène Adrien avant d'aller à son souper.

Je marche dans le couloir, m'efforçant d'effacer toute trace d'animosité de mon visage pour offrir mon plus beau sourire à mon fils. Mais quand j'ouvre la porte, c'est à une inconnue que je montre ma bonne humeur toute feinte.

— Bonsoir, me dit-elle.

Je détaille des pieds à la tête la femme qui se tient devant moi. Mi-vingtaine, les cheveux d'un brun très profond, bouclés jusqu'aux épaules, de beaux yeux marron avec des cils interminables et des lèvres boudeuses. Grande, élancée, elle a une taille de mannequin, comme le laisse deviner son long imper ouvert.

— Bonsoir.

— Ugo est là ? me demande-t-elle avec un accent que je connais bien.

— Oui, entrez.

Je ferme la porte derrière l'inconnue visiblement originaire de France et j'avise Ugo qu'il a de la visite. Aussitôt, il arrive.

— Ah, c'est toi, Ingrid. Tout va bien ?

— Oui, oui, t'inquiète. Tu veux bien me prêter un marteau, s'il te plaît ? J'ai des tableaux à suspendre.

— Bien sûr. Tu ne connais pas Charlotte, je crois ?

— Non, on ne s'est jamais rencontrées.

— Charlotte Lavigne, dis-je en lui tendant la main.

Elle me serre la main en précisant qu'elle s'appelle Ingrid Blancheteau.

— Ingrid est ma nouvelle locataire. Je lui loue l'appartement du haut, dit Ugo en s'éloignant.

Je constate à l'instant que mon ami a volontairement évité mon regard pendant ce court intermède. Ça me remplit d'une grande tristesse. Je n'ai pas vraiment envie de rester dans l'entrée avec Ingrid, mais il serait un peu impoli de la laisser là toute seule. Je lui pose donc les questions d'usage, sur un ton mécanique.

— Vous êtes au Québec depuis longtemps ?

— Depuis septembre. J'étudie en comm à l'université.

Ingrid me raconte qu'elle vient tout juste d'emménager dans l'appartement « trop chou » situé à l'étage du duplex de mon ami. Une bénédiction après les derniers mois passés en résidence sur le campus de l'Université de Montréal.

— Et vous êtes originaire d'où, en France ?

— Paris… En fait, Issy-les-Moulineaux, c'est la proche banlieue.

— Oui, oui, je connais, j'ai déjà vécu en France.

Ding, dong ! La sonnette retentit une deuxième fois. Ingrid s'écarte pour que j'ouvre la porte. Aussitôt, une bombe entre, suivie de mon mari.

— Maman ! lance Adrien en encerclant mes deux jambes de ses petits bras.

Je m'accroupis pour être à la même hauteur que mon fils et lui faire un gros bisou. Je reste collée contre lui quelques instants, à la recherche d'un peu de réconfort. J'ai droit à deux secondes de quiétude, ma joue contre celle d'Adrien, avant que celui-ci s'impatiente.

— Charlotte, m'interpelle Maxou en posant le sac de couches par terre, je crois bien que tu devrais le changer.

Je soupire d'exaspération à l'idée de devoir me battre avec Adrien pour le déshabiller et le rhabiller aussitôt, mais je m'exécute néanmoins.

— Français ? demande Ingrid à Maxou.

— Oui. Vous aussi ?

— Hum, hum.

Ils se présentent tandis que j'essaie d'empêcher mon garçon de courir dans le couloir d'Ugo avec ses bottes salies par la gadoue d'avril.

Maxou et Ingrid continuent de discuter sur un ton qui ne me plaît pas beaucoup. Quand mon mari parle avec des Français, je sens parfois entre eux une complicité dont je suis exclue. Surtout quand il s'agit d'une femme et qu'elle lui fait de grands sourires engageants.

Avant de partir aux toilettes avec mon fils, je m'assure de poser un baiser passionné sur les lèvres de Maxou.

— À plus tard, mon amour.

Et je me tourne ensuite pour saluer Ingrid d'un signe de tête. Pas touche à mon mari, madame l'étudiante française, est-ce assez clair ?

***

À mon retour de la salle de bain, Maxou est parti. Ingrid aussi. Ugo et Marianne sont dans la cuisine, occupés à pianoter sur leur iPhone.

Adrien plonge la main dans le plat à trempette pour saisir une poignée de chips de pita qu'il porte à sa bouche, non sans en laisser échapper quelques-unes au sol. Je me penche pour les ramasser, mais, au même moment, Adrien décide de les piétiner.

Exaspérée, je gronde mon fils comme je pense qu'une mère doit le faire. Je demande ensuite à Ugo où est son balai.

— C'est correct. Je vais m'en occuper.

Je lève les yeux vers mon ami. Son regard est froid et distant, et il s'empresse de retourner à son téléphone intelligent. Mon cœur se serre, et je sens les larmes me monter aux yeux.

— Ugoooo, s'il te plaît.

Mon ami continue d'être faussement absorbé par ce qui se passe sur l'écran de son iPhone. Je fais une autre tentative.

— Je voulais pas vraiment dire ça.

— Écoute, Charlotte, on en reparlera une autre fois, répond-il sans me regarder.

Mais qu'est-ce qui est arrivé? Pourquoi tout a dérapé? Je jette un regard désespéré vers Marianne, qui hausse les épaules comme si elle ne comprenait pas non plus.

— Maman! Veux manger!

La voix de petit dictateur de mon enfant m'oblige à revenir à des considérations pratiques.

— Oui, mon chou, on y va.

En m'éloignant dans le couloir, je me tourne une dernière fois pour vérifier si Ugo est revenu à de meilleures dispositions. Son visage est toujours impassible. Marianne se lève pour me rejoindre. Je lui murmure, tout en enfilant son manteau à Adrien:

— Je comprends pas, Marianne. Il me semble que c'est pas si pire, ce que j'ai dit.

— Ben… c'était pas très habile, en tout cas.

— Ouin, mais il *overreacte*, non?

— Un peu, oui.

— Tu vas rester pour lui parler? Tu vas arranger ça, hein, Marianne?

Je supplie mon amie du regard. C'est la première fois que, Ugo et moi, on se quitte après une prise de bec sans qu'on se soit expliqués. Et je me sens complètement perdue.

— Je vais essayer, mais, toi, laisse la poussière retomber.

— Peut-être que je devrais m'excuser?

— Non, non. Qu'est-ce que je viens de dire? Donne-lui un peu de temps.

Je soupire et, même si j'ai seulement envie d'aller régler tout ça avec Ugo, j'écoute ma sage amie. Et je vais nourrir mon fils qui réclame son souper à grands cris. J'embrasse Marianne sur les deux joues, et c'est le cœur gros que je sors sous la pluie printanière.

9

« Les blessures d'amitié sont inconsolables. »
TAHAR BEN JELLOUN.

1:47. C'est l'heure qu'affiche mon réveil. Trois minutes de plus que la dernière fois où je lui ai jeté un coup d'œil. Maxou dort profondément à mes côtés et j'essaie de faire de même depuis plusieurs heures, mais je n'y arrive pas. Des sentiments contradictoires m'habitent : peur, colère, rejet, incompréhension… Mais celui qui prédomine, c'est la peur. Celle d'avoir perdu mon ami, mon frère.

J'ai senti ce soir qu'Ugo et moi avions franchi un pas… dans la mauvaise direction. Et j'ai peur que nous ne puissions jamais retourner en arrière. Je sais que notre amitié a toujours été forte, mais je ne parviens pas à chasser cette impression qu'Ugo ne m'aime plus autant, que je lui tape royalement sur les nerfs… Tout comme mon fils, d'ailleurs.

D'un geste sec, j'écarte le drap et la douillette. Ça ne sert à rien d'essayer de dormir, j'en suis totalement incapable.

Je me lève et je descends à la cuisine me préparer une tasse de lait chaud. Une boisson que je fais parfois pour mon fils avant le dodo, mais qui, je l'espère, m'apportera un peu de réconfort cette nuit. Et pour être encore plus certaine du résultat, j'y ajoute une bonne lampée de liqueur à la crème et au sirop d'érable, une sorte de Baileys québécois.

Deux tasses plus tard, je n'ai pas du tout envie d'aller me recoucher. Au contraire. Le mélange sucré a réveillé mes instincts de batailleuse. Je ne peux pas laisser ma relation avec Ugo s'envenimer. Il faut crever l'abcès maintenant, qu'il soit 2 h 08 du matin ou pas !

Je revêts mon trench turquoise par-dessus mon ensemble camisole-boxer en coton et je chausse mes baskets rouges Michael Kors. J'attrape mon iPhone et la bouteille de crème au sirop d'érable, et je sors pour reconquérir mon ami.

Ugo habite à exactement huit maisons de chez moi. J'y arrive en moins de deux minutes. Le salon double est baigné d'une douce lumière, celle de sa lampe métallisée sur pied. Tout comme moi, Ugo ne dort pas.

Malgré la fine pluie froide qui dégouline dans mon cou, je n'ose pas entrer comme ça, sans crier gare. Je lui envoie tout d'abord un texto.

« Je suis devant chez toi. »

La réponse de mon ami se fait attendre quelques minutes. Inquiète, je fixe la porte, en espérant qu'elle s'ouvre. Je retourne ensuite à mon iPhone, priant d'y voir apparaître un message. Toujours rien. J'avale une gorgée de crème au sirop d'érable, à même la bouteille. T'es d'un chic, Charlotte… Mais je m'en fous, tout ce que je veux, c'est parler à mon ami.

Bip ! Fiou, il me répond.

« Quessé tu fais là ? »

Comment, qu'est-ce que je fais là ? Évident, non ?

« Tu le sais, ouvre-moi. »

« C'est une proposition indécente ? »

Hein ? Qu'est-ce qui lui prend ? Depuis quand est-ce que je lui fais des propositions indécentes ? Bon, il est peut-être soûl, mieux vaut entrer. Je me dirige vers la porte quand mon téléphone annonce l'arrivée d'un autre texto.

« Qu'est-ce que tu portes ? »

Ben voyons ! Notre chicane l'a vraiment rendu fou ! Je m'apprête à frapper à la porte quand un doute m'assaille soudainement. Ugo ne m'a jamais parlé comme ça. Même complètement ivre. Est-ce que je me serais trompée de destinataire ? Si oui, qui est cet homme qui croit que je me pointe chez lui au beau milieu de la nuit ? Est-ce que, par malheur, ce serait Alexis Cadieux ?

Je regarde à nouveau l'écran de mon iPhone et c'est encore pire que je le pensais. C'est à P-O que j'ai envoyé mes messages.

— Merde ! Merde ! Merde !

Je fais quoi maintenant ? J'efface notre conversation, en espérant qu'il l'oubliera ? Et j'agis comme si de rien n'était la prochaine fois que je le rencontre ? « Tu trouves pas que tu lui as déjà fait assez mal, à ton ami chef ? » me souffle une petite voix. La vérité, Charlotte, tu lui dis la vérité.

Je relis le dernier message de P-O : « Qu'est-ce que tu portes ? »

Wow… Un flot de souvenirs remonte à la surface et je ne peux retenir un sourire. Combien de *sextos* avons-nous échangés pendant nos trois mois de fréquentations ? Je ne pourrais dire, mais je me rappelle très bien l'effet qu'ils me faisaient. Et c'est sans parler des photos un peu osées que P-O s'amusait à m'envoyer… Elles non plus, je ne les ai pas oubliées.

Je secoue la tête pour chasser les images qui surgissent. J'avoue que la réponse de P-O me fait grandement plaisir, elle me prouve qu'il n'est plus fâché. Mais ce n'est pas une raison pour laisser planer des doutes.

« Oups, désolée, P-O, je me suis trompée de numéro. C'était pour Ugo. »

Voilà ! J'ai la conscience plus tranquille. En rangeant mon téléphone, la bouteille de liqueur que je garde coincée entre mon coude et le creux de ma taille se met à glisser tout doucement le long de mon manteau détrempé. Noooonn !

J'essaie de la rattraper, mais la vilaine s'écrase sur le pavé uni et se brise en mille morceaux. Le précieux liquide coule entre les pierres rouges, laissant des traces jaunâtres qui, heureusement, disparaîtront avec la pluie.

Je me penche pour tenter de ramasser les morceaux de verre, mais j'y renonce. On n'y voit rien et je n'ai pas envie de m'automutiler avec des tessons. Oh là là, quel bordel ! Pas la meilleure façon de renouer avec mon ami, lui qui n'aime pas le désordre.

La porte d'entrée s'ouvre soudainement. Toujours accroupie, un peu honteuse, je garde les yeux fixés sur les jambes nues d'Ugo. Mais c'est surtout la peur qui m'empêche de le regarder. La peur de découvrir qu'il est encore fâché. Ou qu'il est exaspéré. Ou, pire, indifférent devant mon désarroi.

— Viens, Charlotte. Tu vas prendre froid.

— Une minute, faut que je ramasse ça.

Je souhaite tellement que tout redevienne comme avant entre nous. Je veux effacer les traces de ma dernière gaffe le plus tôt possible. Peut-être qu'alors on pourra repartir sur de nouvelles bases ?

— Demain, chérie.

Chérie ? Ugo m'a appelée « chérie »... Il y a de l'espoir. J'attrape la main qu'il me tend et je me retrouve face à face avec l'homme qui, depuis plus de dix ans, est le chêne sur lequel je m'appuie pour ne pas tomber.

— M'excuse, Ugo.

— C'est pas à toi de t'excuser. Pas cette fois-ci. Entre.

Ugo me laisse passer, referme la porte et, dans un geste délicat, enlève mon manteau ruisselant. Ma tenue légère me fait frissonner et je croise les bras. Toujours en silence, Ugo saisit le jeté gris en polyester qui traîne sur le canapé et m'en enveloppe doucement. Il me serre ensuite tendrement contre lui. Soulagée, épuisée et embrouillée par l'alcool, j'éclate en sanglots.

— Chut, chut, ça va aller, Charlotte.

— On se fait plus jamais ça, OK?

— Promis.

***

Une demi-heure plus tard, toujours blottie dans les bras de mon ami, je suis plus calme, mais je ressens une immense tristesse. Nous sommes assis confortablement sur le grand canapé, dans un silence qui suit un long monologue. Ugo vient de passer cette demi-heure à s'excuser de sa mauvaise humeur des derniers mois, mais surtout à se confier sur les raisons de son attitude. Tout y est passé.

La quarantaine et les rides qui viennent avec, ses relations décevantes avec les hommes, sa boucherie qui le tient encore trop occupé et le dixième anniversaire de la mort de son père qui a remué des émotions enfouies au plus profond de lui.

Un an après que j'ai emménagé en haut de chez lui, Ugo a perdu son père et hérité de la boucherie.

Je me souviendrai toujours de cette chaude soirée de juillet, pendant laquelle nous avions mangé des brochettes vietnamiennes et une salade de concombre au nuoc-mam en buvant du rosé. Beaucoup de rosé.

Ugo m'avait alors raconté que, s'il avait pu le faire, son père aurait préféré laisser la boucherie à son cousin, qui avait femme et enfants, plutôt qu'à lui. Il n'avait jamais accepté l'homosexualité de son fils unique et ne lui avait pas parlé pendant des années, refusant même de le voir à Noël.

C'est l'une des rares fois où Ugo a évoqué son père, et il ne m'a plus jamais reparlé de lui par la suite.

— Tu lui en veux encore?

— Je pensais que c'était du passé, mais ç'a l'air que non.

— Je te comprends.

Je me demande comment j'aurais réagi, moi, si un de mes parents m'avait rejetée. J'aurais exprimé ma colère, c'est certain. Il faut qu'Ugo laisse sortir la sienne. Soudainement, j'ai un éclair de génie.

— Attends, je reviens!

Je me lève et je me précipite à la cuisine, toute fière de ma trouvaille. J'ouvre le frigo et je m'empare d'un paquet sur la première tablette. Quand je retourne au salon, Ugo regarde l'objet d'un air interrogatif.

— Tu veux faire quoi avec ça?

— Habille-toi, dis-je à mon ami, vêtu uniquement d'un boxer Jack & Jones noir avec des rayures orange.

— Pourquoi?

— On s'en va au cimetière… Ton père, il est bien enterré à Côte-des-Neiges?

Ugo écarquille les yeux, mettant un instant à comprendre mon plan d'enfer. Puis il éclate de rire.

— Pouahhhhh! Tu veux aller pitcher des œufs sur la tombe de mon père?

— Ben quoi? C'est une bonne idée, non?

— T'as pas d'allure! Pas question.

— OK, d'abord. Dis-moi ce qui te ferait du bien, dans ce cas-là?

Ugo soupire et me regarde, découragé, pendant que je me rassois sagement à ses côtés.

— J'aimerais juste avoir une relation normale. Comme la tienne avec Max.

— Je comprends, chéri.

La promesse que je me suis faite il y a quelques mois me revient maintenant en tête. Trouver un chum à Ugo... Je m'y attaquerai dès mon retour de New York. Devrais-je lui en parler? Nahhhh... Inutile de gâcher ce beau moment. Il le saura en temps et lieu.

— Parfois, je me dis que la vie aurait été beaucoup plus simple si je n'étais pas gai.

— Ah ça, c'est sûr. Tu serais mon chum. Et comme je suis une fille suuuuuuuper facile à vivre... dis-je ironiquement.

Ugo sourit et me donne un bisou sur le front. Le voir plus heureux vaut bien un peu d'autodérision.

— Je sais pas si on serait ensemble, Charlotte, mais je pense que j'aurais pas trop de misère à me trouver une blonde.

— C'est sûr! Elles seraient toutes après toi. Beau comme t'es. Pis fin. Pis généreux.

— Arrête, je vais m'enfler la tête.

— Bah, pas de danger que ça t'arrive!

— Ouais, j'avoue que c'est plutôt ton genre, répond-il en se moquant.

— Eille! M'as t'en faire, dis-je sur un ton faussement indigné.

— En tout cas, là, je suis complètement disponible.

— Qu'est-ce que tu veux dire?

— Je vois plus personne.

— Même pas monsieur centre d'achat?

— *Nope.*

— C'est une bonne nouvelle! Ça menait à rien de toute façon.

— Exactement.

Un doux silence s'installe entre nous. Je me pelotonne contre mon ami, prête à sombrer dans le sommeil, quand on entend un bip.

— C'est toi ou c'est moi?

— Je pense que c'est toi, répond Ugo.

Je me lève pour fouiller dans la poche de mon manteau et j'y attrape mon iPhone. L'espace d'une seconde, je me surprends à souhaiter que P-O m'ait écrit après mon dernier message et, surtout, qu'il ne soit pas fâché. Mais non, c'est mon mari. Déçue, je lis son bref texto :

« Putain, t'es où ? Adrien pleure. »

Je lui réponds que je suis chez Ugo et que je m'en viens. Je vérifie si j'ai raté un message. Rien. P-O n'a pas donné signe de vie… Faut dire que je le comprends. Pas très brillant de se tromper de destinataire. Ah, que c'est compliqué, les relations, parfois.

Pourquoi est-ce que le silence de P-O me dérange autant ? J'ai Maxou, ça va super bien avec lui. Le dimanche que nous avons passé tous les deux collés l'un contre l'autre nous a fait un bien immense. J'y tiens, à mon mari… D'ailleurs, il y a une chose que je dois régler.

— Ugooooooo ?

— Oui, Charlotte ?

— Ta locataire, là…

— Ingrid ?

— Ouin, *elle*. Tu vas pas la garder longtemps, hein ?

Ugo me dévisage d'un drôle d'air et hausse les épaules comme s'il ne comprenait pas… Ahhhhh… Pourquoi faut-il toujours tout expliquer ?

— Je l'aime pas.

— Ben voyons, elle est super fine.

— Ouin, mais…

— Mais quoi ?

— Elle est trop belle.

— Et alors ?

— Pis trop française.

— Trop française ?

— Oui. Pis trop jeune.

— Charlotte, je peux pas évincer une locataire juste parce que tu te sens en compétition avec elle.

— C'est pas ça !

— C'est quoi, d'abord ?

— J'ai pas aimé la façon dont elle regardait Maxou.

— Ça m'étonne pas. Ingrid est plutôt du genre charmeuse.

— Tu vois ? En plus, elle étudie en communication. Je voudrais pas qu'elle demande à Max de lui servir de mentor.

— T'as pas à t'inquiéter. Elle a un chum et elle est très amoureuse. Je pense même qu'ils vont se marier.

— T'es sûr ?

— Ben oui, je l'ai vu. Méchant beau gars. Inquiète-toi pas.

— Si tu le dis…

— De toute façon, c'est toi la plus belle.

— Ahh, t'es fin… Mais je te crois pas.

Sur ces paroles qui me réchauffent tout de même le cœur, je serre mon ami encore une fois dans mes bras, comblée par nos retrouvailles. Je retourne à la maison, contente de savoir que je vais pouvoir finalement trouver le sommeil. En sortant, je jette un regard à l'appartement du haut, celui qu'habite la locataire d'Ugo, et je me fais la promesse de quand même l'avoir à l'œil, la Ingrid je-ne-sais-plus-quoi.

10

« Je ne me suis jamais senti aussi vivant qu'à New York. »

ALAIN DUCASSE, grand chef étoilé,
lors de la parution de son guide
J'aime New York – Mon New York gourmand en 150 adresses,
octobre 2012.

Quelle ville extraordinaire ! Comment se fait-il que je n'y aie pas mis les pieds avant aujourd'hui ? New York, c'est tellement moi ! C'est *sooooo* Charlotte Lavigne.

Je suis arrivée hier, lundi, dans la *Big Apple* avec Claude, mon réalisateur, qui a engagé un caméraman d'ici, Evan. Ils sont partis filmer des images de la ville, tandis que j'en profite pour faire du *shopping*. Je quitte à l'instant Fishs Eddy, la plus formidable boutique d'articles de cuisine que j'aie jamais vue de ma vie. Je m'y suis procuré quelques bols et tasses de la collection Bridge & Tunnel et, si je m'étais écoutée, c'est l'assortiment complet que j'aurais acheté.

Dans le taxi qui m'amène chez Eataly, j'en profite pour consulter mon horaire de travail des prochains jours. Alexis Cadieux vient nous rejoindre demain matin. Claude et Evan l'accueilleront à l'aéroport JFK et je les retrouverai à Times Square. Nous tournerons ensemble mercredi et jeudi, puis nous rentrerons tous au bercail par le même vol vendredi.

J'ai décidé de minimiser ma présence auprès d'Alexis. Je ne le verrai que si c'est nécessaire. De toute façon, j'ai beaucoup mieux à faire ici que de passer du temps avec un chanteur un peu trop séduisant. Tout d'abord, je veux visiter la galerie qui expose les magnifiques œuvres de Corno, ma peintre québécoise préférée. Ensuite, j'ai l'intention de profiter le plus possible des magasins, cafés, restos et bars, qui sont beaucoup plus intéressants qu'un tête-à-tête avec Alexis. Et le seul danger qu'ils exercent, c'est sur mon portefeuille.

Je regarde la liste des endroits que nous visiterons avec notre invité et qu'il a lui-même choisis : le Monkey Bar, l'établissement de Don Draper dans *Mad Men* ; Boom Boom Room, un bar situé au dix-huitième étage d'un hôtel et d'où on va pouvoir admirer le panorama ; le Red Hook Lobster Pound, pour manger un sandwich au homard délirant dans Brooklyn ; et le Russian Tea Room. Je trouve que ce dernier établissement ne cadre pas trop avec la personnalité du chanteur. Alexis Cadieux, amateur de thé ? Bah, pourquoi pas, après tout.

J'ai ajouté à cette liste ma sélection personnelle, soit le M. Wells Dinette, un resto qui appartient à un chef québécois, et le marché de Chelsea. Non mais, qu'est-ce qu'on va s'empiffrer pendant deux jours !

— *There you are*, m'annonce le chauffeur de taxi.

Je règle la course et je pénètre dans la Mecque de la cuisine italienne en Amérique du Nord. *Oh. My. God.* Je veux trop vivre ici !

Mon regard est attiré par les centaines d'étagères qui regorgent d'aliments tous plus attrayants les uns que les autres. Ça y est ! Je veux tout acheter. Des huiles d'olive que je n'ai jamais encore vues, même dans mes rêves, des pâtes courtes dont je ne soupçonnais pas l'existence, des salamis qui portent des noms qui me sont inconnus, des *pannetone* des plus grandes maisons italiennes… Je vacille tellement je suis éblouie par tant de découvertes.

Je crois que je suis atteinte du syndrome de Stendhal. Mais, pour ma part, ce ne sont pas les chefs-d'œuvre de la ville de Florence qui provoquent cette sensation de vertige. Mes œuvres d'art à moi, elles se mangent.

Je dois m'asseoir. Maintenant. Je réussis à me faufiler dans la foule jusqu'aux comptoirs à café où je prends place pour retrouver mes esprits. J'observe la faune composée de touristes et d'habitués venus faire quelques courses. Et je sais d'instinct que, moi aussi, si je vivais à NYC, je ferais mes achats ici le plus souvent possible. Je pense que, dans une autre vie, je devais être italienne. Cela va de soi.

Je regarde la grande carte de l'Italie qui orne le mur à ma droite. Peut-être que je vivais à Venise et que je conduisais des touristes dans une gondole. Ou à Corleone et que j'étais mariée à un mafioso. Ou à Parme et que j'y fabriquais le meilleur jambon du village. Qui sait? Il existe certainement une raison pour laquelle j'aime autant tout ce qui vient d'Italie. Les Italiens compris.

Surtout les Italo-Québécois, ceux que je fréquente au marché Jean-Talon et dans les cafés de la Petite-Italie. À l'évocation des Italo-Québécois, mon esprit vagabonde immédiatement vers celui que je connais le plus intimement: P-O.

Quelques jours après lui avoir écrit un message par inadvertance, je lui ai envoyé un texto pour savoir s'il avait eu des nouvelles de Paul-André et de son article sur notre «réconciliation», et pour m'excuser encore. Cette fois-là, j'ai eu droit à une réponse: «No news.» Un peu brève et sèche, mais au moins il m'a écrit.

Est-ce que P-O est déjà venu ici, chez Eataly? Je ne me souviens pas qu'il m'en ait déjà parlé. Il tripperait tellement, c'est certain. Et si je lui faisais faire le tour des lieux ? Virtuellement, on s'entend. Quelle bonne idée, il va adorer.

À l'aide de mon iPhone, je filme l'endroit le plus discrètement que je peux, tout en commentant ce que je vois. « Ici, c'est la section des prosciuttos… Y en a au moins une quinzaine de sortes différentes… Et puis là, c'est la plus grosse meule de parmesan que j'aie jamais vue… Ici, c'est le comptoir de Mini-Charlotte, avec toutes ces pâtisseries… Et t'as vu la quantité de saucisses ? Impressionnant… T'imagines si on avait pu s'approvisionner ici l'été où on a eu notre cantine ? »

Je joue la guide encore une minute et je termine ma vidéo en regardant mon appareil et en lui disant : « Si un jour t'en as marre de tes restos, tu pourrais importer le concept à Montréal. Je suis certaine que ça marcherait à fond. Voilà, c'était Charlotte en direct de New York. *Ciao*, mon beau. »

Au moment d'expédier ma vidéo à P-O, j'hésite et j'entends la voix d'Ugo qui me souffle : « À quoi tu joues ? » Je ne joue à rien, bon. Je suis simplement incapable de rester en froid avec P-O. Il y a trop longtemps que ça dure. Je n'avais pas réalisé qu'il me manquait, mais, depuis que je l'ai revu, j'ai besoin de sentir que nous sommes redevenus amis. Je m'ennuie de notre complicité culinaire et je veux la retrouver. Et puis, même s'il existe une tension sexuelle entre nous, ça ne signifie pas qu'on ne peut pas être amis, hein ? Même que ça ajouterait un peu de piquant.

Mon doigt pèse sur « envoyer » sans aucun remords. P-O ne pourra pas dire que je ne suis pas une bonne amie. C'est à ses intérêts que je pense en l'initiant à Eataly. Je m'installe à La Piazza, sur un haut tabouret design, et je consulte la carte des antipasti. Un bip résonne sur mon téléphone. Déjà une réponse de P-O… Yé !

« Suis allé trois fois. »

Ahhhhh… Déception totale. Je soupire de découragement. Décidément, la partie n'est pas gagnée d'avance. P-O ne semble vraiment pas dans de bonnes dispositions à mon égard.

Bip ! Sur mon iPhone, la photo que j'aperçois me chavire le cœur tout entier. Un visage délicat, un sourire coquin et deux petits yeux pétillants qui me regardent avec une intensité que j'avais réussi à oublier… Mini-Charlotte mangeant des cannoli en plein où je me trouve. La fille de P-O, mais surtout celle que je considérais comme la mienne. Une enfant qui m'a remplie de joie et que j'ai quittée avec une peine immense. Un chagrin dont je me suis consolée seulement le jour où Adrien est né.

La revoir, même sur un simple écran de téléphone, me bouleverse beaucoup plus que je ne l'aurais cru. Elle est encore plus belle, du haut de ses six ans.

Je lis le texte qui accompagne la photo.

« Tu sais qu'elle t'a pleurée des jours. »

Le message de P-O me souffle. Je ressens une douleur aiguë à la poitrine, comme si on venait de me transpercer le cœur d'un coup de poignard. J'imagine Mini-Charlotte les yeux pleins d'eau, cherchant une raison à mon départ. J'aurais tant voulu la voir une dernière fois, lui expliquer pourquoi je ne serais plus là à l'avenir, la rassurer en lui faisant comprendre que ce n'était pas sa faute. Mais P-O a refusé catégoriquement. Je lui préférais un autre homme, je n'avais qu'à assumer ma décision.

Le sentiment de culpabilité que j'étais parvenue à enfouir au plus profond de moi-même refait tout à coup surface. Comment ai-je pu abandonner cette enfant qui avait accepté de m'ouvrir son cœur ? Comment ai-je pu blesser un petit être vulnérable qui n'avait rien à voir avec mes choix d'adulte ?

En essuyant discrètement mes larmes, je me promets que jamais, au grand jamais, je ne ferai subir pareille épreuve à Adrien. L'abandon laisse trop de cicatrices dans le cœur d'un enfant.

J'éprouve soudainement le besoin d'entendre la voix de mon fils, de lui dire que je l'aime et que je serai toujours là. Je compose le numéro de la garderie, même si mon fils n'a pas encore apprivoisé le téléphone et qu'il ne comprendra probablement pas pourquoi sa maman lui parle dans un appareil. Et ça me donnera un prétexte pour savoir si tout se passe bien en mon absence.

— Aux Gentils Castors tapageurs, bonjour.

Comme chaque fois que j'entends le nom de l'établissement qui héberge mon enfant, les poils se dressent sur mes bras. Tellement gnangnan.

— Bonjour, pouvez-vous demander à Adrien Lavigne-Lhermitte de prendre la ligne, s'il vous plaît ? C'est sa mère.

— Je regrette, madame Lavigne, c'est l'heure de la sieste, me répond l'éducateur.

C'est vrai, je l'avais oubliée, celle-là. Je regarde ma montre.

— Elle est presque terminée, je crois. Voulez-vous le réveiller ?

— Madame Lavigne, vous savez très bien qu'un enfant de cet âge-là ne parle pas au téléphone.

— C'est moi qui vais parler.

— En plus, on a assez de difficulté avec Adrien, ces jours-ci. Je ne crois pas que ce soit une bonne idée d'écourter son dodo.

— Comment ça, de la difficulté ? Je ne suis pas au courant.

— J'ai fait le message à votre gardienne hier.

— Pardon ? À qui ?

— À votre gardienne, Anne-Pascale. Quand elle est venue chercher Adrien.

Anne-Pascale ? Je ne connais qu'une Anne-Pascale et ce n'est pas ma gardienne, mais bien la réceptionniste au bureau de mon mari. Depuis quand s'occupe-t-elle de mon fils ? Lui, il va se faire parler dans le casque !

— Et mon mari vous avait donné l'autorisation de confier Adrien à cette… gardienne?

— Bien sûr, s'offusque l'éducateur. Il nous avait avisés le matin.

Je prends une grande respiration pour rester calme. Un enfant a besoin de stabilité. Pourquoi Maxou ne comprend-il pas ça?

J'écoute ensuite l'éducateur me raconter que mon fils est encore plus turbulent que d'habitude, qu'il fait des crises pour un oui ou pour un non et qu'il a même tapé son «ami-castor Éli-Noé». Rien de nouveau, quoi!

— Oui, mais c'est parce qu'il est *déjà* dans son *terrible two*.

— Euh… On en reparlera, d'accord, madame Lavigne? Peut-être que ça ira mieux quand vous allez revenir. Il n'a pas beaucoup aimé partir avec la gardienne hier.

— Ah non, pauvre chou. Il a pleuré?

— Il a surtout piqué une colère.

— Bon, désolée. Mais mettez-vous à sa place, c'est pas facile d'être loin de sa maman.

— Je sais, oui. Donc on se voit vendredi soir, je crois?

— En effet. Comment connaissez-vous mon horaire?

— À cause de la gardienne.

— Hein?

Un malaise s'installe au bout du fil.

— Ben oui… C'est elle qui vient tous les soirs cette semaine, non? Le matin, c'est votre mari, mais le soir, c'est elle, sauf vendredi.

Nouvelle inspiration de yogi. Reste calme, Charlotte. Premièrement, t'es dans un endroit public. Deuxièmement, ce n'est pas la faute de l'éducateur; il ne fait qu'obéir aux ordres de ton mari trop peu sensible au bien-être de son fils.

— On verra.

Je raccroche sans plus de façons, pour aussitôt composer le numéro de cellulaire de mon mari.

— Maximilien Lhermitte. Laissez un message.

Maudite boîte vocale ! Je ferme l'appareil sans rien dire et je m'apprête à appeler au bureau pour parler directement à Anne-Pascale quand j'entends le bip qui annonce l'arrivée d'un texto.

« T'as eu ma photo ? » m'écrit P-O.

Eille ! Ça suffit, le harcèlement envers les ex-*stepmom* ! Je sais maintenant qu'il me sera impossible de contrôler toute ma fureur. Je me précipite donc à l'extérieur et je traverse les deux grandes artères, jusqu'au Madison Square Park. C'est là que je compose le numéro de P-O en faisant les cent pas.

— Salut, répond-il.

— Oui, je l'ai reçue, ta cal$?%# de photo, si tu veux tout savoir. Pis oui, ça m'a brisé le cœur, si c'est ce que tu voulais. Je comprends pas pourquoi, deux ans et demi plus tard, tu veux encore me le faire payer. Pour moi aussi, ç'a été dur. Pas juste pour toi.

— Charlotte, je voulais pas…

— *Bullshit !* Tu savais très bien ce que tu faisais, Pierre-Olivier Gagnon. Mais là, je suis tannée de passer pour la méchante dans cette histoire-là.

— J'ai pas dit…

— Si tu m'avais laissée lui parler, aussi. Tout lui expliquer ou même la voir de temps en temps, elle aurait eu bien moins de peine.

— Je pense pas, non, lance P-O en haussant la voix à son tour. Tu le sais pas, t'étais pas là. C'est pas toi qui l'as ramassée à la petite cuillère. Si, par malheur, elle te voyait à la télé, elle se mettait à pleurer.

Cette dernière information me fige sur place. J'en ai tout à coup assez de me chicaner. Comment deux êtres qui se sont aimés peuvent-ils se parler sur ce ton ? Ça doit cesser. Je n'ai pas envie de ça dans ma vie.

Je m'assois sur un banc, à côté d'une dame âgée qui caresse doucement la tête de son petit chien, sagement assis à ses pieds. Cette tendre image apaise ma rage et me ramène à de meilleurs sentiments.

Au bout du fil, c'est le silence. J'ignore ce que P-O ressent, mais je parierais qu'il n'est pas plus fier que moi. Je laisse encore passer quelques secondes, essayant de trouver un peu de paix en offrant mon visage aux chauds rayons du soleil de cette fin d'avril.

— Charlotte, t'es là ?

Sa voix maintenant plus douce et légèrement inquiète me fait penser que lui aussi estime que nous sommes allés trop loin.

— Hum, hum.

— Bon, ben… Est-ce que tu voulais me dire autre chose ?

Épuisée par l'intensité de notre conversation, je décide de faire un peu de *small talk*.

— T'es pas au resto ?

— Non, j'ai arrêté de faire les midis en début de semaine.

— Ah bon ? Tant mieux, ça te donne plus de temps pour toi.

— Et toi ? Qu'est-ce que tu fais à New York ?

— Tournage.

Je lui raconte la nouvelle orientation de mon émission. Il se dit très heureux pour moi et je lui demande si Paul-André lui a finalement envoyé l'ébauche de l'article à notre sujet.

— Non, pas encore.

— Ouin, je pense qu'il est en train de nous en passer une petite vite.

— Je vais l'appeler, inquiète-toi pas.

— OK, merci… Je te laisse, je vais continuer mon magasinage.

— Profite bien de New York, Charlotte.

— Merci. À bientôt.

— Bye.

Juste au moment où je m'apprêtais à raccrocher, je change d'idée.

— P-OOOOOO ?

— Oui ?

— Tu sais que j'ai jamais voulu te faire de peine, hein ?

P-O met un moment avant de répondre. J'attends, fébrile.

— Je le sais bien, Charlotte... Mais le résultat est le même.

Et sur ces paroles qui me fendent le cœur, mon ex-amoureux met fin à la conversation, m'abandonnant à mes interrogations. Est-ce qu'un jour P-O et moi pourrons à nouveau être amis ? Je n'en suis pas certaine, mais je le souhaite avec ardeur. Avec beaucoup d'ardeur.

11

« Il n'y a pas de femmes moches,
il n'y a que des verres de vodka trop petits. »
FRÉDÉRIC BEIGBEDER.

— *Need help, Evan ?*

— *No thanks, darling.*

C'est toujours comme ça. Chaque fois que j'offre à un caméraman de l'aider à installer son équipement en prévision du tournage, il refuse. Bon, il m'est arrivé par le passé de briser une lentille de caméra en l'échappant par terre… Et je sais que je ne fais toujours pas la différence entre une Kino Flo et une Fresnel. Normal, non ? Quoi qu'il en soit, ce n'est pas une raison pour m'écarter de leur travail.

Si ma réputation de gaffeuse est établie auprès des techniciens québécois, je ne peux pas croire qu'elle se soit rendue jusqu'aux oreilles d'un caméraman américain. Enfin, on ne sait jamais.

Je le laisse donc se débrouiller avec ses mille et un fils, sous la supervision de Claude, et je retourne à ma paperasse. J'ai étalé mes notes sur une des tables du Russian Tea Room, où nous enregistrons le dernier segment de l'émission. Je me cale dans la confortable banquette écarlate pour relire les questions préparées par ma recherchiste.

— Alors, t'es contente du tournage jusqu'à présent? demande mon réalisateur en se glissant à mes côtés.

— Très. Et toi?

— Bien meilleur que je pensais.

Je lève un sourcil, étonnée par sa réponse. Croyait-il que j'allais être pourrie sur le terrain? Que j'étais juste bonne à faire des interviews en studio, là où tout est contrôlé? Que je ne serais pas capable de réagir aux imprévus qu'on rencontre en reportage à l'extérieur? Bref, me prenait-il pour une *moumoune*?

— Mais non, Charlotte, je parle d'Alexis. Pas de toi.

Ah, fiou! Encore une fois, je suis renversée de constater à quel point cet homme devine mes pensées. Il me connaît comme si j'étais une vieille amie. Pourtant, c'est à peine si nous nous voyons en dehors du boulot. Peut-être qu'il a une fille de mon âge qui me ressemble, il faudra que je lui pose la question un jour.

— Tu pensais pas qu'il nous donnerait un bon *show*?

— Oui, oui, mais je ne le croyais pas aussi généreux et facile à travailler.

— Moi non plus, je l'avoue.

Les deux derniers jours passés à arpenter les rues de New York avec le beau chanteur se sont déroulés comme un charme. Toujours à l'heure, Alexis Cadieux a accepté de se plier aux exigences de Claude et de répondre à toutes mes questions sans rechigner. Il nous a même offert une prestation privée en chantant un de ses plus grands succès devant quelques clients québécois du resto M. Wells Dinette, tout en s'accompagnant lui-même avec son piano numérique portatif. Quel beau moment de télé en perspective!

Et ce que j'ai particulièrement apprécié d'Alexis, c'est qu'il a mis de côté ses intentions de me séduire. Aussitôt les tournages terminés, il nous quittait pour retourner à l'hôtel ou aller voir des amis. Aucune invitation à prendre un dernier verre, aucune proposition de sauter dans le même taxi pour rentrer. Rien. Et c'est parfait. Je crois que je ne pourrais pas le supporter, mon petit cœur est un peu trop mêlé ces jours-ci.

Je suis encore triste de la dernière conversation que j'ai eue avec P-O et je suis découragée de mon mari. Maxou a beau m'expliquer qu'Adrien est entre bonnes mains avec Anne-Pascale, qu'elle a elle-même une petite fille, je ne comprends pas son attitude.

« Tu sais bien, ma chérie, que je ne peux pas quitter le boulot à 17 heures. »

Pourquoi pas ? Les dossiers, ça s'apporte à la maison, non ? La vérité, c'est que Maxou n'aime pas passer du temps que je qualifierais de « routinier » avec son fils. Pour lui, le souper, le bain, les dodos ne font pas partie de son rôle de père. Il veut être présent dans la vie d'Adrien, mais pas pour changer sa couche. Plutôt pour l'éduquer, lui transmettre ses connaissances, le conseiller et, bien entendu, lui payer tout ce dont il aura besoin. Comme son éventuelle classe de violon... Pourquoi le violon ? « Parce que c'est noble », dit-il. Ainsi que ses camps d'équitation – même raison – et ses études supérieures en France. Pour ça, on verra.

« Le reste, c'est fait pour la nounou », ne cesse-t-il d'essayer de me convaincre.

Mais nous n'avons pas de nounou et je n'en veux pas ! Je dois donc tout faire pratiquement seule. J'admets qu'il lui arrive tout de même de *daigner* donner le bain à son fils, mais je dois toujours me battre avec lui.

Quand je regarde tout ça avec le recul, je me dis que j'aurais dû m'en douter. Maxou a été élevé par une étrangère, jusqu'à la mort de son père, alors qu'il n'avait que huit ans. Et pour lui, c'est normal. J'oublie parfois que j'ai marié un Français. Bourgeois, de surcroît. L'avantage, c'est que, avec Maxou, Adrien aura la meilleure éducation qui soit. Et j'avoue que, pour moi aussi, c'est d'une importance capitale.

Et puis il y a ces moments d'infinie tendresse entre les deux hommes de ma vie. Ceux où mon mari prend son fils dans ses bras et que le monde semble s'arrêter. Des instants qui me réconcilient avec le père qu'il est. Maxou est comme ça. Il n'est pas là souvent pour Adrien et moi, mais, quand il décide de s'offrir du temps de qualité avec lui ou moi, ou les deux, il est tout là. Comme ce dimanche que nous avons passé en tête à tête et où il a même éteint son BlackBerry. Il m'a demandé de faire la même chose avec mon iPhone. Je lui ai obéi, mais je suis allée vérifier mes messages à quelques reprises aux toilettes.

C'est le lendemain que le diagnostic d'Ugo est tombé: « Charlotte, tu es nomophobe », m'a-t-il annoncé après que je lui ai raconté ma journée d'amoureux.

Bon, encore des grands mots. Nomophobe ! Oui, j'aime mon téléphone intelligent. Bien sûr que je ne peux pas passer une heure sans savoir si quelqu'un parle de moi sur Facebook. Évidemment que je consulte mon fil Twitter quinze fois par jour. Et alors ? Ça ne fait de mal à personne.

« En tout cas, c'est mieux d'être nomophobe qu'homophobe. » C'est tout ce que j'ai trouvé à répondre à mon ami gai. Pas fort comme argument, je l'avoue, mais j'en ai marre qu'on cherche des poux là où il n'y en a pas.

Qu'on me dise que j'ai des dépendances à l'amour, à mon fils, aux soupers bien arrosés entre amis, au *shopping* culinaire… Soit, je l'accepte. Ce sont toutes des choses essentielles à ma vie. Mais vivre sans mon téléphone ? Pff… n'importe quand !

Il est toutefois le temps de vérifier mes messages. Et puisque Claude quitte sa place pour aller aider Evan qui l'interpelle, je n'aurai pas l'air impolie. J'ai hâte de savoir si Ugo a répondu à mon texto. Je tiens absolument à bruncher avec lui dimanche, pour lui raconter mon voyage et, surtout, lui remettre sous le nez ses fausses prédictions.

« Je gage cent piasses que tu te retrouves dans la chambre d'Alexis le premier soir », m'a-t-il lancé, le regard plein de défi. Eh bien, mon cher Ugo, tu avais tout faux. Je suis demeurée, bien sage, dans MA chambre tout le long du voyage.

Je fouille frénétiquement dans mon grand cabas bleu roi, parmi les mille et un objets qui s'y trouvent. Foutue sacoche trop profonde ! J'en sors maintenant un à un le contenu. Mon petit pot de crème à main en forme de hibou, mon combiné rétro orange pour mon iPhone, mon livre de poche du moment, mon portefeuille Fossil jaune citron, deux tampons égarés, ma trousse de maquillage, trois *gloss* qui s'en sont échappés, mon miroir Betty Boop, un reste de bretzel tendre enveloppé dans une serviette de papier, une chaussette de Batman qu'Adrien sera très heureux de récupérer… mais pas de téléphone.

Pour y voir plus clair, je vide tout sur la table. J'y découvre aussi un paquet d'emporte-pièces formant le mot LOVE, que j'ai acheté cet après-midi, et des bonbons au bacon que je m'empresse de mettre de côté. Immangeables, ces friandises. Toujours pas de cellulaire. Merde ! Pas de panique, Charlotte, tu l'as peut-être laissé tomber par terre.

Je m'assure qu'il n'est pas sur la banquette et je regarde autour de moi pour vérifier si beaucoup de gens peuvent me voir. Ce que je m'apprête à faire n'est pas tellement à propos dans un distingué salon de thé, mais, comme on nous a installés à l'écart, je ne risque pas grand-chose.

Je me glisse sous la table et je me mets à quatre pattes. Rien en vue ici. J'avance en poussant les fils qu'Evan a placés un peu partout. Toujours rien. Est-ce que je l'aurais oublié tout à l'heure dans le taxi qui m'a amenée ici ? Si c'est le cas, je ne le retrouverai jamais.

Bye bye cellulaire ! Ah non ! Je dois le récupérer. Bon, l'appareil se remplace, on s'entend, mais pas ma liste de contacts, ni mon agenda, ni tous mes mots de passe que j'ai cachés dans mon cellulaire.

Les mots de passe de mes médias sociaux, mais aussi ceux de mes comptes : banque, cartes de crédit, Hydro, Vidéotron, etc. Et ceux pour ma vie sociale : cours de cuisine, achat de billets de spectacle, réservations au resto. Comment vais-je savoir lequel de mes mots inventés correspond au bon compte ? adrien, Adrien01, adrienLavigne02, AdrienLhermitte03, AdrienCœur1608, adrienChou04, AdrienTannant06… Mot de passe entré dans mon iPhone une journée où mon fils était particulièrement turbulent.

Oh my God, je ne suis pas sortie du bois ! Qu'est-ce qui m'a pris, aussi, de retarder la synchronisation de mon iPhone et de mon nouvel ordinateur ? Procrastination, quand tu nous tiens…

Je poursuis mon exploration en priant silencieusement pour qu'apparaisse devant moi mon téléphone facile à distinguer avec son étui muni de deux oreilles de lapin et d'une queue ronde en fausse fourrure.

Je soulève un petit projecteur servant d'éclairage d'appoint. Atche ! C'est chaud ! Mon téléphone n'y est pas non plus. Les yeux toujours fixés au sol, mes mains rencontrent soudainement deux pieds chaussés de Converse noirs. Oups ! Je lève la tête et mon regard se pose directement… sur l'entrejambe d'Alexis.

— Ça va, Charlotte, je peux t'aider ?

Mais qu'est-ce qu'il fout là, lui ? Il est en avance, ma foi ! On ne l'attendait pas avant 16 heures, pour le *four o'clock tea*. Ça fait combien de temps qu'il m'observe aller à quatre pattes, ma robe Mélissa Nepton en soie remontée sur mes cuisses nues pour ne pas la salir et ne portant aucun collant…

— Cherche mon cell, dis-je en marmonnant.

Je me relève aussitôt, ignorant la main qu'Alexis me tend. Je replace rapidement ma robe, tout en l'informant que nous ne sommes pas prêts pour le tournage. J'évite de croiser son regard, devinant qu'il doit beaucoup s'amuser à mes dépens.

Alexis sort son téléphone de sa poche et pèse sur quelques touches pendant que je continue mon observation des lieux, cette fois-ci sur mes talons hauts.

Tout à coup, la mélodie de la toune la plus romantique du chanteur retentit dans le resto. Oh non... La honte ! Alexis vient de composer mon numéro sur son appareil, faisant sonner mon téléphone. J'avais programmé cette sonnerie pour m'annoncer ses appels du temps où j'étais sa relationniste, mais j'ai négligé de la modifier. De quoi ai-je l'air maintenant devant mon invité ? D'une vraie groupie !

Je me précipite vers l'endroit d'où provient le bruit : la table où j'étais assise il y a quelques minutes. Hein ? Pourtant, je n'ai rien vu. Je regarde de nouveau et je remarque mon long imper blanc cassé et sa large poche de côté. Quelle andouille ! Je mets la main au fond et j'attrape mon téléphone par ses oreilles de lapin. Je m'empresse de l'éteindre et, du coup, je respire mieux.

Je me tourne vers Alexis pour le remercier et, surtout, pour m'assurer qu'il ne tire aucune conclusion sur le fait que sa chanson est une sonnerie de mon téléphone. Pas envie qu'il pense que je passe mon temps à écouter son répertoire en fantasmant sur lui comme le font des milliers de jeunes Québécoises. Mais comme il jase avec Claude, je décide de laisser tomber. Pas d'explication vaut parfois mieux qu'une explication peu plausible.

Je me concentre sur mes notes, ajoutant quelques questions à la liste que j'ai entre les mains, en rayant d'autres. Occuper mon esprit m'aide à oublier que je viens de faire une folle de moi. Ça m'enrage ! Je pensais qu'avec les années et mon nouveau rôle de maman j'aurais plus de sagesse, plus de maturité, mais non. Enfin, si peu. J'ai parfois l'impression de ne pas être une vraie adulte, d'être restée une petite fille. Celle qui n'a aucune patience et qui veut tout, tout de suite.

Parce qu'il est là, le problème. Quand je décide d'obtenir quelque chose, je ne réfléchis plus. Cet incident le démontre bien. Tout le monde sait que la meilleure manière de retrouver un téléphone est de le faire sonner et de se laisser guider par le bruit. Moi y compris. Alors pourquoi n'y ai-je pas pensé? « Parce que tu aimes vivre dans l'urgence, Charlotte. » Voilà ce que m'a répondu Ugo quand nous avons eu cette discussion récemment. « T'es accro à ça, Charlotte. C'est ta façon de te sentir vivante », a-t-il ajouté.

D'accord, j'aime l'adrénaline que procure le sentiment d'urgence. Même si c'est seulement pour retrouver mon téléphone. Mais de là à en être dépendante... Psychologie à cinq cents tout ça!

Je suis convaincue que je suis capable de vivre sans montagnes russes, sans vagues de dix mètres, sans cette sensation de tremblement de terre dans mon corps trois fois par jour. Dès mon retour au Québec, je vais m'employer à démontrer à mon ami qu'il a tort et que je peux, moi aussi, avoir une vie équilibrée sans toujours chercher les émotions fortes.

— Charlotte, on est prêts, m'informe Claude.

Je vérifie mon maquillage dans mon miroir de poche et je rejoins mon équipe. Alexis est déjà assis bien droit sur une chaise, devant une table sur laquelle sont disposés un service à thé en porcelaine ainsi qu'un assortiment de scones, *cupcakes* et petits fours.

Juste avant que je m'assoie, Claude attire discrètement mon attention et me chuchote à l'oreille.

— Il est trop brillant.

— Quoi? Tu veux que je lui mette de la poudre?

— Je te rappelle qu'on a pas de maquilleuse.

— Bon, OK.

Je retourne chercher ma trousse à maquillage et je m'approche d'Alexis. Je lui demande de fermer les yeux pour appliquer un peu de fond de teint en poudre sur son front.

— Ah oui, en passant, belle sonnerie de cellulaire, me nargue-t-il.

Son sourire moqueur me donne juste envie de lui enfoncer mon pinceau dans un œil. Mais je me contente de continuer mon travail en silence. Je me rends compte, toutefois, que j'aurais dû éponger le visage d'Alexis avant de le maquiller. Il est légèrement en sueur.

Je cherche des papiers mouchoirs, mais j'ai encore oublié d'en acheter.

— Est-ce que quelqu'un a des kleenex?

Evan me tend une petite pile de serviettes en papier.

— *Try this, honey.*

— *Thanks, Evan.*

Les serviettes sont un peu défraîchies, mais il faudra s'en contenter. J'essuie doucement le front et les joues de mon invité quand, tout à coup, la serviette se désagrège, laissant de petits fragments blancs sur le visage d'Alexis et un peu partout sur son t-shirt noir à l'effigie de Bob Dylan. Ce n'est pas vrai! Quand ça va mal…

— C'est long, mettre de la poudre, me dit-il.

— J'achève.

J'enlève un à un les morceaux de papier avec mes doigts. J'essaie de le faire le plus discrètement possible, mais Alexis sent bien que ce n'est plus un pinceau qui lui chatouille les pommettes.

— Qu'est-ce que tu fais?

— Un peu de patience. C'est pas mon métier, tu sais.

Alexis fronce les sourcils, mais reste silencieux et tranquille.

Une fois les fragments enlevés de son visage, je m'attaque à son chandail. Dès mon premier contact, il sursaute et ouvre les yeux. Craignant sa réaction, je m'écarte rapidement. Devant la mine ahurie de mon invité, j'ai juste envie d'éclater de rire, mais je me retiens pour ne pas créer d'incident diplomatique.

— Calv% ?# ! C'est quoi, ça ? dit-il en regardant son torse.

— Excuse-moi, Alexis, je voulais juste t'éponger le visage un peu. Je vais tout arranger.

— Laisse faire !

Alexis se lève pour secouer son chandail. C'est qu'il n'est pas content du tout, notre chanteur vedette ! D'autant plus que mon sourire en coin ne lui a pas échappé. Ah, et puis merde ! S'il n'est pas capable de rire de lui-même, c'est son problème.

— *Sorry, Man, my mistake*, intervient Evan.

— *That's fine*, répond Alexis.

Et il se tourne vers moi, avec un air de défi.

— Toi, si tu pars à rire, c'est avec ta robe que je vais m'essuyer !

— Pff… Que je te voie !

En ne me quittant pas des yeux une seconde, Alexis m'arrache des mains mon pinceau et mon petit contenant de poudre. Je soutiens son regard sans broncher.

— Je reviens, m'informe-t-il en se dirigeant vers la salle de bain.

Je le regarde s'éloigner avec sa démarche sexy et je me demande s'il aurait eu le culot de mettre sa menace à exécution. J'imagine Alexis Cadieux, le visage enfoui dans ma robe de soie… Intéressant. Tout à coup, je regrette presque de ne pas avoir osé rire un bon coup.

***

La dernière entrevue de mon premier reportage à l'étranger vient de se terminer et je suis très contente. Non seulement mon invité s'est prêté au jeu de la dégustation de thé avec beaucoup d'humour, mais il nous a raconté une tranche de vie très touchante.

Son amour du thé, il le tient de sa grand-mère paternelle. C'est elle qui l'a initié au rituel du *four o'clock tea*. Dès qu'il est libre le dimanche après-midi, Alexis se rend à la résidence pour personnes âgées où habite sa grand-mère. Il apporte le thé et des scones, qu'il partage avec elle ainsi qu'avec d'autres résidants de l'étage. Inévitablement, Alexis termine sa visite par une chanson qu'il interprète *a cappella*. « Et je le ferai jusqu'à sa mort », a-t-il ajouté.

— Trop chou, l'histoire de ta grand-mère, Alexis. Merci de nous l'avoir racontée, dis-je en enlevant mon micro-cravate pour le rendre à Evan.

— De rien, répond Alexis en détournant les yeux.

Je plisse le front, croyant deviner un malaise. Est-ce que le beau chanteur nous aurait raconté des bobards ? Pour se rendre plus humain, plus accessible envers son public, pour vendre plus de disques ? Il en est bien capable !

La voix de Claude qui s'approche me tire de ma réflexion.

— Bravo ! Ça va faire une super bonne émission. Soirée libre pour tout le monde.

Mon réalisateur m'embrasse, pendant qu'Evan s'affaire à ranger l'équipement et qu'Alexis se lève pour aller s'asseoir sur une large banquette rouge.

— Bravo à toi, Claude, dis-je. Ç'a vraiment été super.

Tout en continuant de discuter avec mon réalisateur, j'observe discrètement Alexis qui consulte le menu. Mais qu'est-ce qu'il fait là ? On vient de s'empiffrer de desserts et on a bu notre ration de thé pour les dix prochains jours. Il en veut encore ?

Je suis Claude qui se dirige vers Alexis pour le féliciter. Les deux hommes se serrent la main, et je fais de même avec mon invité. Il ne me reste plus qu'à saluer Evan et je crois bien que je pourrai y aller. À moi les petites boutiques *fashion* de Soho !

— Bon, est-ce qu'on passe aux choses sérieuses ? nous demande Alexis en brandissant le menu.

— T'as encore faim ? Ah, pas moi.

— Moi, je vous laisse, signale Claude. Je dois aider Evan à ramasser le *stock* et, après, il faut tout aller porter à la compagnie de location.

Il s'éloigne en nous rappelant que notre avion décolle à 10 heures le lendemain matin et qu'on se rencontre dans le hall de l'hôtel à 7 h 30.

— Moi aussi, j'y vais. Je veux profiter de ma dernière soirée pour magasiner. Faut absolument que je trouve quelque chose à rapporter à mon fils.

Non mais, avouez que ça paraît mieux de mettre ses envies de *shopping* sur le dos de son enfant !

— T'as même pas le temps pour un petit verre ? s'enquiert mon invité.

— Un verre ? Ici ?

— Ben oui. C'est pas pour le thé que j'ai voulu venir ici, Charlotte.

— Ah bon ? Je pensais que t'aimais ça.

— Ben oui, mais y a encore mieux.

— Ah ouin ? dis-je, soudainement intriguée et un peu contrariée de ne pas savoir de quoi il parle.

— Assois-toi. Tu vas boire la meilleure vodka de toute ta vie.

***

— Pis là, l'infirmière m'amène dans le bain-tourbillon. Pour me relaxer, qu'elle dit. Moi, je suis à *boutte* ! Ça fait je sais plus combien d'heures que j'ai des contractions. J'en peux plus !

Je m'interromps pour prendre une nouvelle gorgée de vodka avant de poursuivre le récit de mon accouchement. Assis en face de moi, Alexis semble fasciné, mais à mon avis c'est par pure politesse.

— Le bain, la chaleur, tout ça… Le cœur me lève. J'essaie de sortir, mais je suis pas capable. La pression des contractions est trop forte. Tout à coup, je me mets à vomir dans le bain. Pis je vomis, pis j'arrête pas.

Alexis éclate d'un grand rire franc, avant de me demander ce que fait l'infirmière pendant tout ce temps.

— Elle est comme gelée.

— Elle fait rien ? s'étonne-t-il.

— Ben non. Jusqu'à ce que mon chum crie après elle pour qu'elle me sorte de là !

Nouvel éclat de rire de mon invité. Très communicatif, dois-je avouer. Surtout quand on a bu... combien de verres de vodka, déjà ? Cinq ? Six ? Je ne sais plus trop. Je n'ai pas compté toutes les commandes qu'a passées Alexis.

Après le service du thé, nous voilà en pleine dégustation de vodka provenant d'un peu partout dans le monde. La Jewel of Russia est la première que nous avons bue. Ensuite, les noms m'échappent, mais elles ont toutes eu le même effet grisant.

— En tout cas, moi, accoucher, c'est fini ! Plus jamais ! Si je décide d'avoir un autre enfant, ben, je l'adopterai. C'est tout.

J'avale d'un coup le reste de mon verre, en me disant que je raconte vraiment n'importe quoi pour me rendre intéressante. Je n'ai jamais pensé à l'adoption de ma vie. Alexis m'informe que nous allons maintenant tester une vodka aromatisée à la cerise noire.

Il fait un signe à la serveuse qui s'approche de notre table à pas feutrés. Alors qu'il discute avec elle des caractéristiques de l'eau-de-vie qu'il a choisie, je réalise que mon enthousiasme est peut-être un peu trop débordant. Qu'est-ce qui m'a pris de raconter mon accouchement à quelqu'un que je ne connais pas beaucoup ? À un mec, en plus ? Comment tout ça a commencé ? Ah oui... L'histoire des fleurs.

Il y a quelques minutes, un homme d'un certain âge est entré dans l'établissement, un immense bouquet de roses rouges à la main. Tout attendrie, je l'ai regardé offrir les fleurs de l'amour à une très belle dame aux cheveux grisonnants. *Telllllllement* romantique !

C'est là qu'Alexis m'a raconté que, depuis la naissance de sa fille, il ne supportait plus le moindre bouquet de fleurs chez lui.

— Hein ? Pourquoi ? ai-je demandé.

Dans les jours suivant l'accouchement de Magalie, leur maison a été inondée d'assortiments floraux, envoyés par des amis, des connaissances du milieu artistique et des admirateurs. À un point tel que ça sentait le salon mortuaire dans toutes les pièces. Et c'est à partir de là que je me suis laissée aller à décrire un des moments les plus intimes de ma vie à cet homme dont je me méfiais encore il y a quelques minutes à peine. Je regarde Alexis remercier chaleureusement la serveuse, avant qu'elle s'éloigne. Encore une fois, je tombe sous le charme de son sourire séducteur. OK, je dois décamper d'ici au plus vite !

— Euh, Alexis, assez de vodka pour moi. Faut que j'y aille.

— Une dernière. Tu vas voir, ça vaut la peine. Et puis elle est déjà commandée.

En guise de réponse, je sors ma carte de crédit de mon portefeuille.

— C'est la production qui invite.

Je ne suis pas certaine du tout que Claude va accepter un compte de dépenses pour une beuverie à la vodka. Sinon je préfère payer moi-même et ne rien devoir au beau chanteur.

— Si tu y tiens.

— J'y tiens.

— En tout cas, je voulais te remercier, Charlotte. Ç'a été un super beau tournage.

— C'est moi qui te remercie.

— En plus, ça m'a permis d'être ailleurs quelques jours.

— ...

Je ne réponds pas, bien décidée à ne pas me lancer dans une autre conversation personnelle avec Alexis. En même temps, je me demande ce qu'il veut dire. Était-il content de quitter sa petite famille ? Il continue.

— Je trouve ça dur d'être toujours à la maison.

Code rouge ! Code rouge ! Code rouge ! Stop ! C'est assez. Je reprends ma carte de crédit, dans l'intention d'aller directement au comptoir régler l'addition, et je me lève. Dans ma hâte, je passe tout près d'entrer en collision avec la serveuse qui s'apprête à nous verser la vodka à la cerise noire.

— *Sorry.*

— Tu vas m'accompagner, Charlotte ? Allez…

— Bon, d'accord, dis-je en me rassoyant.

Je m'empresse toutefois de donner ma carte de crédit à la serveuse. Et j'aborde un sujet plus neutre.

— T'es allé souper où, hier, avec tes amis ?

— Bof, finalement, j'ai juste pris l'apéro avec eux et je suis rentré.

— T'as pas mangé ?

— Oui, oui, un gyros au Halal Cart.

— Ah, je voulais l'essayer, mais j'ai pas eu le temps. C'était bon ?

— Hum, hum, répond-il en buvant sa vodka à petites gorgées.

De mon côté, je n'ai pas encore touché à la mienne.

— Essaie, tu vas voir.

Je porte le verre à ma bouche et j'y trempe les lèvres. L'odeur légèrement sucrée de la vodka me donne envie d'en boire une bonne gorgée, mais je me l'interdis et je me contente de passer ma langue sur mes lèvres. Alexis me regarde, attentif, et je me rends compte de la sensualité de mon geste. Ah non, pas question de lui laisser croire quoi que ce soit ! Pour faire diversion, je consulte mes messages sur mon iPhone.

— Toi, Charlotte, trouves-tu que ton chum est un bon père ?

Je sursaute, surprise par la question d'Alexis. Pourquoi s'intéresse-t-il à Maxou tout à coup ? Bon, c'est vrai qu'il le connaît, puisque c'est lui qui a finalement réglé son problème de groupie, mais de là à vouloir parler de son rôle de père… Étrange.

— Oui, oui. Pourquoi tu me demandes ça?

— Parce que, moi, y paraît que je l'ai pas pantoute comme père.

— Je pense que tout le monde fait son possible, dis-je prudemment.

Tant qu'on est dans les généralités, il n'y a pas de danger. L'important, c'est de ne poser aucune question, de boire ma vodka au plus vite et de sortir dépenser sans compter. Et surtout, d'oublier cette chaleur qui envahit mon corps tout entier et qui n'est pas seulement l'effet de l'alcool. Malheureusement.

— En tout cas, c'est ce que pense Magalie. Et je t'avoue que ça commence à être pas mal lourd.

— Bah, je suis sûre que c'est pas si pire. Je l'ai rencontrée, ta blonde, et elle m'a l'air très correcte.

— Non, je t'assure, c'est l'enfer. Elle est tout le temps sur mon dos.

Je dépose mon cellulaire avec lequel j'essaie d'occuper mes mains depuis un moment et je regarde Alexis droit dans les yeux.

— Ah oui? Et là, tu vas me dire qu'il ne se passe plus rien entre vous deux depuis la naissance du bébé, que tu te sens rejeté, que t'as besoin d'affection. Blablabla.

— Je le dirais pas de cette façon-là, mais…

— Alex, arrête ton petit jeu, ça marche pas avec moi.

Sûrement peu habitué à se faire parler aussi franchement, Alexis Cadieux reste figé quelques instants. Je le regarde sans aucune gêne, assez fière de mon coup. Sans que je m'y attende, il se lève et vient s'asseoir à mes côtés sur la banquette de cuir. Déstabilisée, je ne sais plus où regarder et je fixe la table.

Alexis colle sa cuisse contre la mienne et prend mon menton dans sa main gauche pour me forcer à le regarder. Il est tellement près que je sens son souffle sur mes joues. Surprise, je ne sais pas comment réagir.

— OK, on arrête de jouer, Charlotte. Je vais te dire le fond de ma pensée.

« Non, non, s'il te plaît », crie une petite voix intérieure. Je ne veux pas le savoir. Pourtant, je ne bouge pas. Je ne fais pas un geste pour fuir.

— Tu me fais vibrer, Charlotte. Totalement. Je te désire comme j'ai pas désiré une femme depuis longtemps. Et c'est pas vrai que je vais retourner à Montréal sans t'avoir baisée comme j'en ai envie depuis des mois.

12

« He got the most perfect dick I have ever seen :
long, pink, amazing.
It's dicklicious. »
SAMANTHA JONES (KIM CATTRALL), *Sex and the City.*

— Comment tu voulais que je résiste à ça ? C'est sûr que je l'ai suivi à sa chambre.

Je suis tout juste descendue de l'avion que, déjà, me voilà dans le bureau de mon meilleur ami à lui raconter ce qui s'est passé au cours des dernières heures.

— Je veux pas te faire de peine, Charlotte, mais t'es sûrement pas la première à qui il dit ça.

— Peut-être. Mais moi, y avait longtemps que j'avais pas senti qu'un homme me voulait autant. C'était pas une déclaration d'amour, mais c'était une déclaration de désir assez claire. Un désir brut, presque violent. Toi aussi, t'aurais capoté.

— Sans doute.

— Et on était à New York. Personne allait le savoir.

— Ça valait la peine, au moins ?

Je replace machinalement l'étiquette en forme de hibou de ma valise rose à roulettes, que j'ai traînée jusqu'ici.

— Je sais pas.

— Comment ça, tu sais pas ?

— On est pas allés jusqu'au bout.

— Ah non ? Pourquoi ? T'as pensé à Max et t'as eu des remords ?

— Même pas. C'est à cause de quelque chose qu'il a dit.

— C'est quoi ?

Je parcours des yeux le bureau de mon ami, à la recherche d'un truc à me mettre sous la dent. N'importe quoi qui puisse me donner un peu de courage. Oui, j'ai déjà parlé à Ugo de mes relations intimes avec mes amants, sans rien raconter de précis. Sans lui permettre de se former une image dans sa tête. Alors que là… Mais bon, j'ai besoin de savoir ce qu'il en pense. Je décide de plonger.

— Charlotte ?

— Euh… Il a dit : « J'aime pas ça et… »

— Hein ? Qu'est-ce qu'il aimait pas ?

— Il a dit : « Je sens tes dents. »

Mon ami éclate de rire en tapant des mains. Ce qu'il fait très rarement. Tu parles ! Il trouve ça hilarant !

— Ris pas ! C'est pas drôle.

— Ben oui, Charlotte, c'est drôle.

— Non. Je l'ai pas pris pantoute. Toi, t'es là, la conne, ça fait dix minutes que t'es en train de lui faire une pipe d'enfer. Pis lui, il se plaint.

— C'est sûr que c'est pas très agréable quand on sent…

— Eille ! Je sais comment faire ça !

— OK, j'ai rien dit… Qu'est-ce qui s'est passé ? T'es partie ?

— Exactement. Je me suis rhabillée et je suis retournée à ma chambre.

— Ohhh… Il devait pas être content.

— Je m'en fous. Quand il a dit ça, je me suis rendu compte qu'il est vraiment égocentrique. *J'aime pas ça.* Je, me, moi.

— Est-ce que tu lui as donné une explication?

— Non! Je lui devais rien. Coudonc, tu prends pour lui?

— Non, non, c'est juste que... Mets-toi à sa place deux minutes.

Je hausse les épaules. Le bien-être d'Alexis Cadieux est bien le dernier de mes soucis.

— Je lui ai dit que ça me tentait plus, que j'en avais rien à foutre d'un gars qui pense juste à lui.

Le téléphone posé sur le bureau d'Ugo sonne. Il regarde l'afficheur, sourit et répond.

— Oui, Enzo.

Enzo? C'est qui, lui?

— OK, j'arrive, ajoute Ugo avant de raccrocher et de se lever.

— Attends-moi ici, Charlotte.

Je le regarde s'éloigner. Sourire en coin, il sort du bureau et referme la porte. Qu'est-ce qui m'échappe? Je quitte la pièce à mon tour, bien décidée à savoir ce qui peut apporter un tel contentement à mon ami.

Je traverse la section des fromages et charcuteries, en passant derrière le comptoir comme j'en ai souvent l'habitude. Ce n'est pas comme si je n'étais pas connue ici. Tous les employés d'Ugo sont toujours très gentils avec moi. En fait, ils semblent tous me vouer une affection particulière.

Chaque fois que je viens ici, j'éprouve un sentiment de fierté envers Ugo. Sa boucherie-charcuterie-fromagerie-pâtisserie-épicerie fine, qui offre aussi des plats préparés, emploie au moins une vingtaine de personnes. Ce n'est pas rien.

— Salut, Charlotte, j'ai une nouvelle mousse de foie de volaille au Sortilège en dégustation, si ça te tente, m'offre au passage le plus fidèle aide-boucher d'Ugo.

— Merci, t'es fin. Plus tard, peut-être.

Je poursuis mon chemin jusqu'aux cuisines et j'y trouve mon ami en pleine conversation avec un employé que je ne connais pas. Et là, je comprends tout. Ce jeune homme, qui doit être Enzo, a un visage à faire craquer n'importe qui. Un teint basané, de grands yeux d'un noir profond et des cheveux parfaitement décoiffés. Plutôt petit, Enzo est mince et me semble légèrement musclé sous son tablier. Rien d'un *sex-symbol*, mais tout de la grâce et de la douceur d'un danseur de ballet. Oh là là…

— Ah, Charlotte, lance Ugo en m'apercevant, tu connais pas Enzo, je crois ?

— Non, pas encore.

Je serre la main du nouvel employé d'Ugo et je tombe aussitôt sous le charme de son sourire un peu timide. Ce gars-là n'est pas conscient de ses atouts spectaculaires, ce qui le rend d'autant plus séduisant.

— Enzo vient de cuisiner ses premières empanadas. Tu veux goûter ?

Ugo m'en tend une en m'expliquant que, grâce à Enzo, il offrira désormais des mets chiliens à ses clients.

— Tu viens du Chili ?

— Oui, madame.

— Non, pas madame. S'il te plaît, appelle-moi Charlotte.

Enzo me fait un petit signe de tête poli. Docile en plus.

Je mords dans l'empanadas toute chaude et… Wow ! Quel délice ! Enzo est vraiment doué. Ugo paraît ravi. Mais je doute que ce soit pour les mêmes raisons que moi. Ugo a un béguin, c'est clair. Ce qui n'est pas une bonne nouvelle. De un, Enzo est beaucoup trop jeune ; il doit avoir à peine vingt-cinq ans. Et de deux, il travaille pour lui. Je savoure chaque bouchée du mariage parfait entre la pâte moelleuse et le bœuf au goût de paprika et coriandre en réfléchissant au comportement inhabituel de mon ami. Jamais, au grand jamais, Ugo n'a eu une aventure avec un de ses employés. Il s'en est toujours fait un devoir.

— Ils sont parfaits, Enzo, commente mon ami. Ça va se vendre… comme des petits pains chauds.

Et le voilà à faire de l'humour facile, en plus. Le genre de blague qu'on dit quand on est déstabilisé. Vraiment, ce n'est pas l'Ugo que je connais. J'observe les deux hommes discuter des autres plats que préparera Enzo, et mon cœur se serre. Il y a longtemps que je n'ai vu cette petite étincelle au fond des yeux de mon ami. Je devrais m'en réjouir, mais je ne peux pas. C'est plus fort que moi, je pressens un désastre. Encore une fois.

— Ugo, on retourne à ton bureau ?

— Euh… C'est que j'ai beaucoup de travail, tu vois.

— Deux minutes. Le temps de finir notre conversation. À bientôt, Enzo.

Je le tire par la main, arrachant son regard à celui d'Enzo. En chemin, Ugo salue chaleureusement quelques clients, dont un certain Samuel. Je le presse de me suivre quand il se penche pour me murmurer à l'oreille.

— C'est lui, le chum d'Ingrid.

— *Ingriiiid* ?

— Ma locataire.

— Ah !

Je me hâte de vérifier si ce qu'Ugo m'a dit à son sujet est vrai. Un seul coup d'œil me rassure. Le Samuel en question est vraiment *hot*. Beau comme un dieu et beaucoup plus jeune que Maxou. À peine au début de la trentaine, je dirais. Voilà au moins une affaire réglée.

Une fois à l'abri des oreilles indiscrètes, je poursuis le récit de mon aventure new-yorkaise. J'aborderai le cas d'Enzo plus tard.

— En tout cas, c'était lourd dans l'avion ce matin.

— Ça devait.

— D'autant plus qu'on était assis l'un à côté de l'autre.

— C'est sûr, répond Ugo en consultant ses courriels sur son ordi.

— Bon, je vois que ça t'intéresse pour de vrai.

— Excuse-moi, Charlotte, mais faut absolument que je réponde à mes messages. Et j'ai un rendez-vous dans dix minutes avec une nouvelle confiturière qui veut que je vende ses produits.

Devant mon air tristounet, Ugo vient m'enlacer les épaules. Il me donne un petit bisou sur la tête.

— On en reparlera, OK, chérie ?

— Quand ?

— Je sais pas trop.

— Dimanche ? On brunche comme prévu ? Je pourrais appeler Marianne.

— OK, parfait. Choisissez l'endroit, je vais être là.

Ugo s'éloigne pour retourner devant son écran. Je me lève, avec l'envie soudaine de serrer mon fils dans mes bras. Je décide d'aller le chercher immédiatement à la garderie plutôt que d'attendre la fin de la journée, même si je sais que les éducateurs n'aiment pas qu'on arrive à brûle-pourpoint.

Avant de sortir du bureau, je sens le besoin de conclure le sujet New York. Le déjeuner de dimanche servira à discuter d'Enzo.

— La bonne nouvelle, dans tout ça, c'est que finalement j'ai pas trompé Maxou.

Ugo me fixe subitement d'un drôle d'air.

— Ben quoi ?

— C'est une façon de voir les choses, dit-il prudemment.

— Quoi ? T'es pas d'accord ?

— J'ai pas à être d'accord ou pas, Charlotte. C'est toi qui sais si tu as été infidèle ou pas.

Exactement. C'est moi qui le sais, personne d'autre. J'ouvre la porte du bureau et je fais rouler ma valise dans le couloir. Au dernier moment, je me tourne vers mon ami.

— Si c'était toi, est-ce que tu considérerais ça comme de l'infidélité ?

Ugo me regarde quelques secondes avant de dire que cela va de soi. Je referme la porte et je sors du commerce, ébranlée par la réponse de mon ami.

***

« Tromper » et « fellation ».

Voici les deux mots que je viens de taper sur Google et qui me mènent directement sur des forums de discussion dont la crédibilité m'apparaît douteuse. Mais bon, un peu de recherche sur le sujet ne fera pas de mal, histoire de connaître divers points de vue. Et surtout de voir si le mien est partagé.

Mon portable sur les genoux, je suis assise sur le tapis de jeu rouge brique de la chambre d'Adrien. La pièce est plongée dans la pénombre pour permettre à mon fils d'y faire la sieste. Si je me suis installée ici, c'est que la présence de mon enfant me réconforte. Elle me ramène à l'une des seules choses dont je ne doute jamais dans ma vie : l'amour inconditionnel que je lui porte.

Je lis les différentes réponses des internautes à la question : « Selon vous, faire une fellation, c'est tromper ? »

« C'est pareil comme avoir une vraie relation. Même affaire. » Mona Lisa

« Non si t'es pas mariée. Mais si t'es mariée, c'est oui. » Cmoi

« Si t'es un gars et que tu laisses faire, non tu trompes pas. Mais la fille qui le fait et qui prend l'initiative, oui, elle est infidèle. » AlainL33

Mais c'est n'importe quoi ! Je referme mon portable d'un coup sec, de plus en plus angoissée. Je dois trouver une façon d'y voir clair, d'avoir un vrai avis. Celui d'une personne qui connaît bien l'infidélité et qui aurait aussi des notions en psychologie.

Un psy ? Serait-ce le temps pour moi de consulter ? D'entamer ma première vraie thérapie ? De songer à emprunter une autre voie que celle de me jeter corps et âme dans mes chaudrons pour régler mes problèmes?

Je jongle avec cette idée en pesant le pour et le contre. C'est quelque chose que je n'ai jamais essayé: je m'ouvrirais donc à d'autres horizons. J'ai du temps devant moi, puisque mon travail ne reprend qu'à la fin de l'été, ça me laisse donc un peu plus de trois mois. Autre argument: les assurances du bureau de Maxou me rembourseront. Le contre, maintenant... Comment trouver la bonne personne, celle qui ME conviendra? Pas évident. Je n'ai surtout pas envie de me faire juger. À l'idée de devoir passer des heures à chercher le bon psy, le découragement m'envahit.

L'arrivée d'un texto me tire de ma réflexion. C'est Maxou.

«T'as fait un bon vol?»

«Vol OK. Suis à la maison avec Adrien.»

«Hâte de te voir. On dîne à l'extérieur?»

Mon mari a beau vivre au Québec depuis des années, pour lui, le repas du soir reste encore et toujours le dîner. Ce qui cause des imbroglios incroyables quand vient le moment de fixer des rendez-vous avec des clients.

«Me 2. Pas de resto, plutôt envie de cocooning.»

«D'ac. Je t'aime.»

Je t'aime... Deux petits mots qui éveillent en moi un fort sentiment de culpabilité. Comment ai-je pu songer à le trahir? Pourquoi suis-je attirée par d'autres hommes alors que j'ai celui que j'ai toujours voulu à mes côtés? Elle vient d'où, cette envie de me retrouver dans le lit d'Alexis, de P-O et de Bradley Cooper? Bon, ce dernier ne compte pas... Chacun sait qu'il est le fantasme de toutes les filles. De plus, étant inaccessible, il est complètement inoffensif. Mais les deux autres...

Il y a quelque chose qui ne tourne pas rond avec moi. Une femme comblée comme je le suis ne devrait pas se comporter de la sorte. Plus j'y pense, plus je me sens mesquine et égocentrique. Et surtout, je ne comprends pas ce qui m'arrive. Ce n'est pas moi, ça! Ce n'est pas la Charlotte Lavigne entière, honnête et sensible aux autres que je croyais être. Ce n'est pas non plus celle qui a toujours méprisé les gens infidèles. Si ça continue, c'est moi-même que je vais avoir en horreur.

Pour tenter de faire disparaître ces émotions qui me torturent, je renvoie les mêmes mots à mon mari: « Je t'aime. » J'ajoute: « Plus que jamais. »

Je repose mon téléphone, tout aussi tourmentée. Mon message est-il vraiment authentique? Je sens une première larme couler sur mes joues. Puis d'autres. Je pleure tout doucement pour ne pas réveiller mon fils, dont la respiration lente et régulière finit par m'apaiser.

***

— Donc j'ai décidé de consulter. Trouvez-vous que c'est une bonne idée?

Marianne et Ugo accueillent ma décision avec satisfaction et... une pointe de soulagement. C'est du moins ce que je crois déceler dans leurs regards, ce qui me chagrine un peu.

J'attrape une tranche de pain dans la corbeille devant moi et j'y étends une bonne couche de tartinade de noisette maison. Délicieuse, comme tout ce que nous a cuisiné la gentille chef du mignon resto turc où nous sommes attablés. Un brunch savoureux, bien différent du traditionnel œuf, bacon, patates et fèves au lard.

— Comme ça, je vais arrêter de vous tanner avec mes histoires.

— Tu nous tannes pas! s'exclament en chœur mes amis.

— Ben oui, ben oui... Pis je m'appelle Louise Bourgoin, et Ugo, c'est David Beckham.

— Et moi, je suis qui? lance Marianne, faussement outrée.

— Toi... je sais pas... T'es Ellen DeGeneres, tiens!

— Ah... J'aime ça!

Nous rigolons un moment en buvant notre thé. Je relance la conversation.

— Remarquez que je vous en veux pas. Moi, à votre place, je serais écœurée d'entendre toujours le même discours.

Depuis que je suis revenue de New York, il y a quarante-huit heures, j'ai dû les appeler au moins trois fois chacun pour leur confier mes problèmes.

— C'est pas ça, Charlotte, précise Ugo. C'est juste qu'on sait plus quoi te dire pour t'aider à y voir clair.

— Oui, je sais. Je pense qu'il faut que je fasse un genre d'introspection.

Mes amis savourent leurs plats d'œufs au beurre épicé et au yogourt.

— Une chose dont je suis certaine, c'est que je veux pas être infidèle. J'ai failli l'être... Là, faut que je me calme avant de faire des folies que je pourrais regretter toute ma vie.

Ugo baisse les yeux sur son assiette presque vide et joue avec sa fourchette. Je sais qu'il ne pense pas comme moi et qu'il croit que j'ai trompé Maxou. Mais je n'ai pas envie de l'entendre. Je me concentre donc sur mon repas.

— Tu sais, Charlotte, avance doucement Marianne, ce serait peut-être plus facile si tu étais pas dans le déni.

Ah non! Pas elle aussi! Je ne suis pas dans le déni, je N'AI PAS été infidèle. Point final. C'est ce que j'aurais envie de crier par la tête à mon amie. Mais comme je sais qu'elle n'a pas de mauvaises intentions, je prends une grande respiration avant de lui répondre.

— Je respecte ton opinion, Marianne, mais j'ai pas la même que toi à ce sujet-là.

— Très bien. J'en parle plus.

— Merci.

— Et comment tu vas choisir ton psy?

— Ça, c'est un peu le problème, tu vois. Je veux pas prendre n'importe qui, mais j'ai personne à qui demander des références.

— Je te comprends. T'as pas trop envie que ça se sache, je suppose.

— Non, ça me dérange pas. Je trouve au contraire qu'il faut en parler. C'est pas parce que tu consultes que t'es fou!

— T'as entièrement raison, intervient Ugo. Sauf que c'est pas tout le monde qui pense comme ça.

— Il est peut-être temps que ça change. Y a trop de gens qui ont peur de voir un psy à cause des qu'en-dira-t-on! Tiens, je pourrais même donner une entrevue sur le sujet au *Cinq jours*.

— Ah oui. Tu vois le titre: «Charlotte Lavigne en thérapie pour soigner sa trop grande libido»!

Ugo éclate de rire, suivi de Marianne, qui y va, elle aussi, d'une hypothèse salée.

— Avec une citation: «J'ai envie de faire l'amour avec tous les invités de mon émission.»

— Vous êtes ben niaiseux! Je raconterais pas ça. Et vous exagérez, j'ai pas envie de *tous* mes invités, franchement!

— N'empêche que, moi, je voudrais pas être le prochain chef ou la prochaine vedette qui va participer à ton *show*! lance Ugo.

— Ça va être dangereux pour son couple, complète Marianne.

— Ah... Vous êtes cons!

Le rire de mes amis finit par me contaminer et, tous les trois, on s'esclaffe de bon cœur. Marianne jette un coup d'œil à la ronde et nous signale de nous calmer. Je crois qu'on se fait un peu trop remarquer dans le petit resto. Nos fous rires s'étouffent dans des soupirs de contentement.

Je tiens tout de même à expliquer à mes copains le fond de ma pensée.

— Je dirais simplement que je consulte pour mieux me connaître, pour savoir où j'en suis dans la vie, pour avoir une plus grande confiance en moi. Juste pour encourager les gens à le faire, eux aussi, s'ils en ont besoin.

— C'est très louable, mais sois prudente. On sait pas comment ça peut sortir, dit mon amie.

— Eille ! lance soudainement Ugo avec un enthousiasme débordant. Ça me fait penser… Tu t'es vue sur le *front* du *Cinq jours* ?

— Non ! Je suis sur celui de cette semaine ?

— Oui, je l'ai vu hier au dépanneur. T'es avec P-O sur la photo.

— Merde ! Merde ! Merde ! Paul-André était censé m'envoyer le texte avant de le publier. C'était quoi, le titre ?

— Euh… je m'en souviens plus trop.

— Ben là !

— Tu l'as pas acheté ? lui demande Marianne.

— Euh… je voulais, mais j'ai eu un appel et, après, j'ai oublié.

Marianne et moi dévisageons notre ami sans dire un mot jusqu'à ce qu'il comprenne notre demande – ou plutôt exigence – silencieuse.

— OK, je reviens.

Ugo dépose sa serviette de table, enfile sa veste de cuir et sort à la recherche du premier dépanneur dans les environs. Mais l'article est peut-être sur le Net ?

Je fouille dans mon sac à main pour trouver mon iPhone quand je me rappelle l'avoir déposé sur la table à la demande d'Ugo au début du repas. Curieuse requête à laquelle j'ai toutefois acquiescé. Mon ami a ensuite posé son téléphone sur le mien et Marianne a terminé la petite pile en y plaçant le sien.

Devant mon regard interrogatif, Ugo m'a expliqué les règles de ce qu'il a appelé « le nouveau jeu pour me guérir de ma nomophobie ». Encore ce mot ! Mais c'est n'importe quoi, ai-je pensé. Je me suis une nouvelle fois opposée à son diagnostic, mais Ugo a ignoré mes récriminations.

« Le premier qui touche à son cell paie l'addition », a-t-il annoncé. Ce qui m'a royalement déplu et me déplaît encore plus à l'instant même. Dire qu'avec un seul petit clic je pourrais calmer mon sentiment d'angoisse de plus en plus fort. Alors que, là, je suis obligée d'attendre la version papier je ne sais pas combien de temps... Pff, très démodé, tout ça. Quel jeu stupide ! Et puis je déteste participer à une activité quand je n'ai pas moi-même établi les règles. J'approche ma main des trois téléphones en jetant un regard suppliant à mon amie.

— Tu le diras pas à Ugo, hein ?

— Fais ce que tu veux, Charlotte. Si t'as envie de jouer dans le dos de ton meilleur ami...

— Bon, bon, les gros mots. Je voulais juste voir l'article.

Je retire néanmoins ma main, secouée par les paroles de Marianne. Et si je le faisais sans le cacher à personne ? Combien coûtait chaque plat, déjà ? Environ 20 dollars. Si j'ajoute trois mimosas, à 5 ou 6 dollars chacun, les taxes et le pourboire, ça fait... je ne sais pas combien exactement, mais moins de 100 dollars, c'est certain.

Hum... C'est un peu cher pour gagner quelques minutes. Par contre, je dois admettre qu'il y a longtemps que je n'ai pas offert de cadeau à mes deux copains. Ils le méritent bien, eux qui m'ont patiemment écoutée ces derniers jours. Ça vaut bien un petit brunch turc, non ?

— Marianne, c'est moi qui invite, dis-je en m'emparant de mon cellulaire.

— Si tu y tiens tant que ça.

— Oui, oui, vous avez été super fins avec moi. C'est la moindre des choses.

Marianne me regarde d'un air découragé et, dans un geste d'exaspération totale, elle lève les yeux au ciel et pousse un long soupir. J'ai rarement vu mon amie aussi démonstrative, elle qui est habituellement si réservée. Ça veut dire qu'elle en a plein le dos, ce qui me rend triste tout à coup.

— Je t'énerve, hein ?

Aussitôt, son visage se radoucit.

— Mais non, Charlotte. Mais, parfois, tu m'inquiètes.

— Pourquoi ?

— Parce que tu façonnes trop la réalité à ton avantage. Tu veux pas pantoute nous faire de cadeau, tu veux juste utiliser ton téléphone.

Je baisse les yeux, soudainement honteuse. J'ai toujours mon téléphone dans la main, mais je ne l'ai pas encore ouvert. En prenant une profonde respiration, je le redépose sur la pile. Marianne sourit et j'essaie de l'imiter, mais le cœur n'y est pas. Non pas parce que je n'ai pas pu naviguer sur le Web, mais bien parce que les paroles de mon amie m'agacent et me laissent perplexe.

— Tu crois vraiment que je fabrique ma propre réalité ?

— Écoute, Charlotte, c'est pas la première fois qu'on en parle. Tu te rappelles quand on s'est revues juste avant ton mariage avec Max ?

À l'évocation du souvenir de cette journée mémorable, où j'ai rencontré par hasard mon amie d'enfance que je n'avais pas vue depuis six ans, je suis transportée de joie.

— Ouiiiiiii ! Et je pense que je te remercierai jamais assez pour m'avoir permis de me marier dans l'endroit de mes rêves.

Marianne, qui travaille pour la Ville de Montréal, avait accepté de déroger aux règlements municipaux et de me louer la salle du chalet du Mont-Royal pour le plus beau jour de ma vie.

— Ça m'a fait plaisir, Charlotte. C'était un très beau mariage.

— Un mariage parfait… Mais pourquoi tu me parles de ça ?

— Parce que tu avais raconté qu'il y aurait plein de célébrités, surtout françaises, à ton mariage. Tu avais même parlé du président français, tu t'en souviens ?

— Ben oui, mais j'y croyais pas, voyons ! Je savais bien que c'était pas vrai. C'était juste pour être certaine d'avoir la salle.

— Oui, je sais, mais ça commence comme ça, Charlotte. On se raconte des histoires, on y croit pas vraiment. On s'en raconte d'autres, on y croit un peu. Pis finalement, on y croit dur comme fer.

— Je suis pas certaine de te suivre, Marianne.

— Je détiens pas toute la vérité, tu y réfléchiras toi-même. Mais je pense que t'as de plus en plus tendance à enjoliver la réalité.

— Vraiment ? dis-je, maintenant abasourdie par le jugement de mon amie.

Marianne hoche la tête, un peu tristement. Elle entrouvre les lèvres pour dire quelque chose, mais elle se tait.

— Bon, tu veux me reparler d'Alexis ?

— *Come on*, Charlotte, tu sais bien, au fond, que t'as trompé Max.

— Ben non.

— Ben oui… T'as quand même fait le geste le plus intime qu'on puisse faire à un homme, non ?

Je baisse le regard sur mes deux mains et je tourne nerveusement mon alliance. Quand je redresse la tête, ma vision est embrouillée par les larmes.

— Tu comprends pas, hein ?

— Qu'est-ce que je comprends pas, Charlotte ? Qu'est-ce qui te met dans tous tes états ?

— Je peux PAS l'avoir trompé.

— Ça arrive, c'est pas la fin du monde.

— Si je l'ai fait, Marianne, c'est que je suis comme elle.

— Qui ça ?

— Ma mère. Ça veut dire que je vaux pas mieux que ma mère.

— Hein ? Ben non.

— Oui. Je serai jamais capable de me contenter du même homme, je vais courir après l'amour toute ma vie.

— Tu mélanges tout, Charlotte. Elle, c'étaient les jeunes hommes.

— Pas au début, Marianne. Je sais très bien que maman a eu des aventures bien avant de se séparer. Et c'était avec des hommes de son âge. C'est plus tard qu'elle a viré *cougar*.

— C'est pas la même chose du tout, voyons…

— Marianne, j'ai tellement peur d'être comme elle… Tellement peur…

— Ah, pauvre pitchounette.

Marianne sort un paquet de mouchoirs de sa veste et m'en tend un. Il est orné de petites images d'escarpins, de sacs à main et de flûtes à champagne. Ce qui me fait aussitôt sourire. J'essuie discrètement mes larmes et je secoue la tête pour chasser mes idées sombres.

— Qu'est-ce que tu fais avec ça ? C'est pas ton genre, dis-je en lui montrant le mouchoir *girlie*.

— Quand je les ai vus, j'ai pensé que tu les aimerais.

— Ah, t'es fine. C'est vrai qu'ils sont *cute*. Mais arrange-toi pas pour que Karen tombe là-dessus !

— Charlotte ! Franchement ! Ma blonde m'empêche pas de vivre.

— Non, mais elle aime pas les kleenex. Alors imagine ceux-là.

— Karen est très féminine.

— Ben oui, je sais bien. C'est juste que…

— Elle a ses idées, c'est tout.

Notre conversation est heureusement interrompue par le retour d'Ugo, le *Cinq jours* à la main. Je dis « heureusement » parce que, quand je parle de Karen avec Marianne, il arrive que ça tourne au vinaigre.

— Tiens, dit Ugo en déposant la revue sur la table. Super belle photo.

La photo, je m'en fous, c'est le texte qui m'importe. Qu'est-ce que Paul-André a bien pu écrire au sujet de ce qu'il a appelé notre « réconciliation » ? Je suis soulagée en lisant le titre de la une.

« Pierre-Olivier Gagnon se confie à son ex-coanimatrice. »

Rien de tragique. Je tourne les pages fébrilement jusqu'à ce que je trouve l'article, que je lis en diagonale.

« Je suis choyée que P-O ait accepté d'être mon dernier invité de la saison, nous révèle Charlotte. »

« Ça m'a rappelé les bons moments que nous avons eus sur le plateau de notre émission, se souvient Pierre-Olivier. »

« Les deux amis caressent le projet de retravailler ensemble. » Hein ? Je n'ai jamais dit ça ! Mais j'avoue que ce serait une bonne idée. De plus, ça me fait bien paraître.

Je parcours le texte de Paul-André à la recherche des mots « réconciliation » « retrouvailles » ou même « chicane ».

« ... aiment tous les deux la cuisine... très bonne intervieweuse... propriétaire de deux restos très branchés... ont aussi en commun l'amour de la télévision... »

Rien sur la présumée histoire qui m'angoissait tant. Pas un mot. Juste un moment rose bonbon entre deux amis qui partagent les mêmes passions.

— J'en reviens pas ! Y a pas écrit une ligne sur notre chicane.

Mes amis, qui s'attendaient comme moi à une catastrophe nucléaire, sont aussi surpris.

— En tout cas, c'est une bonne nouvelle, commente Marianne.

— Mets-en ! Je sais bien pas ce qui a pu le faire changer d'idée.

— Quelqu'un a dû lui parler, suggère Ugo.

— Sans doute, approuve Marianne.

Mes copains ont raison. Ça ne peut pas venir de Paul-André. Mais qui peut bien avoir eu autant d'influence sur le journaliste à potins le plus respecté du milieu ? Une personne qui avait les mêmes intérêts que moi, il va sans dire…

— Ça doit être P-O. Je vois personne d'autre.

Mes amis approuvent mon hypothèse. Qu'est-ce que P-O a bien pu raconter à Paul-André ? Quelle stratégie a-t-il utilisée ? J'ai terriblement envie de lui lâcher un coup de fil pour connaître le fond de l'histoire, mais je n'ose pas.

À la suite de notre dernière conversation, j'ai décidé d'attendre un peu avant de le rappeler. Peut-être que, d'ici quelques mois, il sera plus disposé à redevenir mon ami, comme je le souhaite. En même temps, je dois absolument le remercier. Je ne peux pas passer sous silence ce qu'il a fait. Dilemme. Que je réglerai plus tard puisque, de toute façon, je suis privée de mon téléphone jusqu'à ce que nous sortions du restaurant.

Je regarde maintenant les photos qui accompagnent l'article. Elles sont tout simplement magnifiques. P-O est hyper sexy avec sa chemise blanche Prada légèrement entrouverte sur son torse. Prada… Hein ? Il fait des affaires d'or avec ses restos, on dirait.

Je constate que la robe noire très cintrée que je porte s'harmonise parfaitement à la tenue de P-O. Avec ses délicats motifs floraux blancs sur le bustier, on jurerait que je l'ai choisie en sachant comment mon compagnon allait être habillé.

Il est rare que je sois complètement satisfaite des photos de moi qui sont publiées dans les magazines. Il y a toujours un petit quelque chose qui ne me plaît pas. Sourire trop statique, yeux un peu plissés, posture qui pourrait être plus élégante et ventre pas assez plat. Mais cette fois-ci, je n'ai rien à redire. Le photographe a fait des merveilles, il a même réussi à aller chercher l'étincelle au fond de mes yeux.

— On dirait deux amoureux, lance spontanément Marianne.

— Ben voyons donc ! Pantoute !

— Je suis plutôt d'accord avec Marianne, ajoute Ugo.

— Vous êtes pas sérieux, là ?

— On a pas dit que vous l'étiez. On a juste dit que vous *aviez l'air* de deux amoureux, précise mon ami.

J'essaie de scruter la photo avec un regard différent. Moi, je n'y vois qu'une belle complicité entre deux amis, mais se pourrait-il qu'un autre œil y perçoive des sentiments plus profonds ? Ou même une histoire d'amour secrète ?

— Eh merde ! Faut pas que Maxou tombe là-dessus.

— Non, surtout pas, renchérit Ugo.

Maxou n'a jamais aimé P-O. Quand il est revenu vivre au Québec, mon mari ne m'a posé aucune question sur les hommes que j'avais fréquentés pendant notre séparation. Il a eu un seul commentaire, un soir où nous nous étions collés après l'amour.

« Si le con qui te sert de faire-valoir à ton émission te cause des emmerdes, tu m'avises. J'aurai beaucoup de plaisir à lui rappeler que nous sommes mariés. »

Je me souviens d'être restée paralysée. Je n'ai rien répondu et j'ai laissé ma tête sur sa poitrine pour éviter son regard. J'ai été choquée qu'il traite P-O de faire-valoir, mais sans être étonnée. C'est du Maxou tout craché, après tout. Je me suis ensuite demandé ce qu'il savait exactement de ma relation avec mon coanimateur. Même si je mourais d'envie de l'interroger à ce sujet, j'ai jugé plus sage de me taire. Il n'a plus jamais été question de P-O entre nous. Et c'est très bien ainsi. Est-ce que la publication de ces photos ramènera le sujet sur la table ? Peut-être aurais-je dû prévenir mon mari que j'avais accordé cette entrevue au *Cinq jours* ?

— Tu devrais peut-être le préparer ? propose Marianne.

— Je suis pas certaine. De toute façon, c'est pas le genre de revue qui l'intéresse, ça m'étonnerait qu'il la voie.

— C'est parce que… c'est sur le *front*, ajoute Ugo. Il risque de la voir n'importe où. À l'épicerie, au dépanneur.

— Ouin… t'as raison. Surtout que je lui ai pas dit que j'avais donné cette entrevue.

— D'autant plus !

Je songe un instant à la façon dont je vais amadouer Maxou. Il me faut un stratagème, un plan, une ruse… Peut-être que mon fils pourrait m'aider, me servir de messager ? Devant Adrien, Maxou n'oserait pas m'engueuler… Hum, ça mérite réflexion.

Le serveur dépose trois additions sur la table. Ugo s'en empare immédiatement.

— Ma tournée. Pour te récompenser, Charlotte, d'avoir respecté les règles du jeu.

— Merci, t'es fin !

Nous quittons le resto pour retourner à nos activités dominicales. En me rendant à ma voiture, je constate que j'ai complètement oublié de questionner Ugo au sujet de son nouvel employé au sang chaud. Je me promets de le faire dès notre prochaine rencontre.

Je m'installe au volant de ma petite compacte, un véhicule contre lequel j'ai, la mort dans l'âme, échangé ma Coccinelle rose. Bébé oblige.

Je ne démarre pas tout de suite, m'accordant un moment pour réfléchir. Je jongle avec l'idée d'appeler P-O. Juste un coup de fil pour le remercier d'être intervenu auprès de Paul-André pour nous éviter une situation embarrassante. Une minute, pas plus. Je cherche son numéro dans mes contacts, mais j'hésite. S'il est encore distant avec moi, je ne pourrai pas le supporter.

Bien moins risqué de lui envoyer un texto, somme toute.

« Merci, P-O. Je sais pas ce que t'as dit à Paul-André, mais je suis très contente de l'article. Bisous. »

Bon voilà, c'est parti ! Je me croise les doigts pour qu'il me réponde. Je fixe l'écran de mon iPhone quelques secondes, puis j'entends le bip tant attendu.

« ☺ »

Un bonhomme sourire ! Wow, c'est chouette ! P-O ne semble plus m'en vouloir. Quelle belle nouvelle ! Et si je l'invitais à luncher, hein ? Pour jaser entre copains, sans prétention. Histoire de refaire connaissance et de se remettre à jour sur nos vies respectives. Oui, je crois que c'est une bonne idée… Mais laissons passer un peu de temps. Une étape à la fois.

Je reste dans la voiture quelques minutes de plus et je fais le tour de mon téléphone intelligent. Qu'est-ce que j'ai manqué ces deux dernières heures ? Bof, rien d'excitant. Je fais défiler les publications de mes amis Facebook quand l'une d'entre elles attire mon attention, au point de ne pouvoir m'empêcher de m'exclamer tout haut.

— Encore !

Depuis qu'elle a maigri de façon significative, mon ex-collègue Martine Lebœuf ne cesse d'exposer ses nouvelles dimensions sur Facebook. Tous les deux jours, elle change sa photo de profil, se montrant en minijupe, en tenue de tennis, en camisole licou hyper ajustée et même… en serviette de bain nouée autour de la poitrine, les cheveux trempés… Elle s'aime, ce n'est pas croyable.

J'ai connu Martine à l'époque de *Plaisirs épicés*. Psychothérapeute de formation, elle était collaboratrice à l'émission que je coanimais avec P-O. J'appréciais beaucoup ses chroniques sur les relations hommes-femmes, entre autres. Même si je savais que, lorsqu'elle parlait d'infidélité, elle n'était pas crédible pour deux sous… Elle collectionnait les amants. Je dois avouer que son mari n'avait rien pour exciter une femme. Un peu trop beige à mon goût.

Martine a même eu une aventure avec papa, ce qui m'a profondément déplu. Je n'ai pas exprimé mon désaccord devant ma collègue, mais mon langage non verbal m'a trahie. Je me souviens qu'elle m'a dit: « Toi aussi, un jour, tu vas peut-être t'ennuyer dans ton couple et tu vas chercher des distractions. Mais moi, chère, je te jugerai jamais. »

Je réalise soudainement que j'ai la solution à mes problèmes. Une femme qui ne me jugera pas, qui va comprendre le désir que j'éprouve pour d'autres hommes, qui va le décortiquer pour que je puisse enfin m'en débarrasser.

C'est en plein la psy qu'il me faut ! Martine Lebœuf, trouve un trou dans ton horaire pour me recevoir en thérapie. *Here I come…*

13

« Hé, que c'est pas beau une madame soûle. »
ANNE-PASCALE, réceptionniste chez
Lhermitte et Desforges Communication.

La sonnerie du téléphone de mon bureau me fait sursauter. Je détourne les yeux de mon ordinateur et du communiqué de presse que je m'évertue à rédiger de façon intéressante depuis une demi-heure pour regarder l'afficheur. C'est la réceptionniste qui m'appelle.

— Oui, Anne-Pascale.

— Charlotte, peux-tu venir à la réception, s'il te plaît ? Tout de suite.

L'urgence dans le ton de ma collègue me met immédiatement sur un pied d'alerte.

— J'arrive.

Je raccroche en vitesse et j'ouvre la porte de mon bureau. Aussitôt, une voix féminine haut perchée parvient à mes oreilles.

— Vous pouvez pas m'empêcher de voir mon gendre !

Hein ? Mais c'est maman ! Qu'est-ce qu'elle fait ici ? Et pourquoi crie-t-elle à fendre l'âme ?

Je presse le pas pour traverser le couloir qui mène à la réception. Dès que j'aperçois maman, je comprends qu'elle a eu un dîner bien arrosé. Ses yeux sont rougis par l'alcool et son *eye-liner* a coulé. Sur les lèvres, il ne lui reste qu'un épais trait de crayon contour marron. Son manteau ciré noir est boutonné de travers et son long foulard en soie léopard lui pend jusqu'aux genoux. Triste portrait…

— Charlotte, ordonne à cette jeune fille de me laisser passer, dit-elle en montrant mollement du doigt Anne-Pascale.

Craintive devant les ongles pointus de maman qui tentent de toucher son bras droit, la réceptionniste recule de quelques pas.

— Maman, s'il te plaît ! Qu'est-ce qui se passe ?

— Faut que je voie Max'milen. Ça presse.

— Bon, on va aller dans mon bureau.

J'essaie de prendre maman par le bras pour lui enjoindre de me suivre, mais elle repousse ma main avec une force que je ne soupçonnais pas. Anne-Pascale me jette un regard inquiet.

— Non, c'est pas toi que je veux voir.

— Maman, Max est en réunion.

— C'est une urg… une urgence, ma fille.

Je respire profondément pour me calmer. Quand maman bute sur les mots, c'est qu'elle est vraiment soûle.

— On va boire un café et tu le verras ensuite.

— Y a un scandale. Ici, au Québec. Pis en Afrique.

Le scandale, il est devant moi, si tu veux mon avis, chère maman. Et non pas en Afrique.

Ma mère a toujours aimé l'alcool. La voir ivre n'est malheureusement pas nouveau pour moi. Par contre, c'est la première fois que je la sens aussi agressive… Et aussi désespérée. J'avoue que c'est tout un choc.

Je réessaie de m'approcher d'elle. Contre toute attente, elle me prend par les épaules pour me parler à deux centimètres du visage.

— Faut appeler les journaux. *Tu* suite ! lance-t-elle en postillonnant.

Sa voix de plus en plus aiguë me fait craindre le pire. Que Maxou et ses clients l'entendent depuis la salle de réunion. Mauvaise image pour une firme de relations publiques…

— Bon, là, ça suffit ! dis-je sur le ton que j'emploierais pour gronder sévèrement mon fils.

Du même coup, j'enlève ses mains de mes épaules, en m'efforçant de ne pas me blesser avec ses horribles ongles pointus aux étranges motifs zébrés. Heureusement, je récolte l'effet escompté. Peu habituée à m'entendre lui parler de la sorte, maman se fige.

Je l'aide à marcher dans le couloir en la tenant par la taille. Elle se fait maintenant toute petite et se laisse guider sans ronchonner. Comme une fillette désemparée.

— Tu sais que j't'aime, hein, Charlotte ? me souffle-t-elle d'un ton larmoyant.

— Oui, maman, je le sais.

— Je te l'ai pas assez dit, je pense.

Là, elle marque un point. Mais inutile d'en rajouter, n'est-ce pas ? On ne frappe pas quelqu'un qui est déjà à terre.

J'entre dans mon bureau et je la mène vers la confortable causeuse que j'y ai récemment fait installer. Maman s'y effondre lourdement, dans une position pas très élégante. Je lui enlève ses chaussures et je replie ses jambes. Je la regarde fermer les yeux et, l'instant suivant, tomber dans un profond sommeil.

Je compose le numéro de la personne que je soupçonne être la cause de la beuverie de maman.

— Réginald Lavigne à l'appareil, *Reggie Vineyards speaking* !

— Ah ! Papa ! Arrête de répondre comme ça. C'est colon.

— Tiens, si c'est pas ma princesse adorée.

Cher papa, toujours les bons mots pour me calmer.

— Excuse-moi.

— T'as l'air à pic, ma princesse. Qu'est-ce qui se passe ?

— Tu devines pas ?

— Non. Mon futur joueur de hockey va bien, au moins ?

— Oui, papa. Adrien va très bien. Et je t'ai déjà dit que j'étais vraiment pas chaude à l'idée qu'il joue au hockey !

— Et moi, je te répète que c'est la meilleure façon de lui apprendre à devenir un homme.

— Ah, papa, c'est n'importe quoi ! Et j'ai pas envie d'aller me geler les fesses dans un aréna le samedi à 5 heures du matin.

— Je vais l'emmener, moi !

Quand j'ai eu Adrien, je crois que l'homme le plus heureux de la Terre n'était pas mon mari, mais mon père. Il a vu en son petit-fils la possibilité de vivre l'enfance que lui-même aurait pu avoir s'il était né à la bonne époque.

Papa a donc tracé tout un plan pour *son* Adrien. Du hockey dès l'âge de trois ans… Non mais, ça va pas, la tête ? Devenir champion aux billes… Comme si ce jeu existait encore de nos jours. Faire des courses de vélo dans le bois, sans casque de protection, parce que, dit-il, « nous, les Lavigne, on est pas des moumounes »… Inutile de préciser mon point de vue à ce sujet.

J'ai de la peine pour papa, mais il ne peut pas utiliser Adrien pour vivre ses propres rêves de petit garçon, et il devra le comprendre.

— Bon, papa, on réglera pas ça aujourd'hui. Je t'appelais pas pour ça. Je veux te parler de maman.

— Qu'est-ce qu'elle a ?

— Comment, qu'est-ce qu'elle a ? Ce serait plutôt à toi de me le dire. Elle est arrivée à mon bureau complètement soûle.

— Ah oui ?

— Oui, à 2 heures de l'après-midi ! En parlant d'un scandale en Afrique en plus. Qu'est-ce qui s'est passé entre vous ?

— Rien.

— Comment, rien ? Ç'a rapport avec Salama, j'en suis certaine.

— …

— Papa ?

— Écoute, ma princesse, ta mère et moi, on vit un peu de… On traverse une zone de turbulences, mettons.

Ouache ! Zone de turbulences… C'est fou comme ça sonne quétaine dans la bouche de papa.

— Je m'en doutais, figure-toi. Mais je veux savoir où vous en êtes. Allez-vous vous séparer à nouveau ?

— On a rien décidé encore.

— Est-ce que tu vas reprendre avec Salama ?

Papa pousse un long soupir mais reste silencieux.

— Je suis assez grande pour comprendre, tu sais, dis-je en me radoucissant un peu.

— Même si je voulais… Salama retourne en Afrique le mois prochain.

Je sens une pointe de chagrin dans sa voix. J'ai tout à coup peur qu'une pure étrangère m'enlève mon papa pour de bon.

— Tu vas pas la suivre, hein ?

— T'en fais pas, ma princesse. Pas question que j'abandonne mon petit-fils.

— C'est fin pour moi, ça…

— Mais non, tu sais bien que tu comptes aussi. C'est juste que, avec Adrien, si je veux remplir ma mission…

— Ta mission ? C'est quoi, cette affaire-là ?

— C'est… euh… ben tu sais… qu'il reste québécois. Qu'il ne devienne pas trop français.

— Papa ! Que tu le veuilles ou non, Adrien est à moitié français et il va le rester. J'en suis très fière, tu sauras.

— Moi aussi, Charlotte, je suis fier de lui. Mais tu comprends qu'il va faire rire de lui à l'école s'il regarde seulement du soccer français à la télé. Moi, je vais l'emmener voir les Canadiens, au moins!

— Eille, la guerre de coqs, ça suffit!

Je suis découragée devant le comportement puéril de mon père. Me voilà maintenant avec un enfant de plus dans ma vie! Comme si je n'avais pas assez du mien et de mon mari, qui peut, lui aussi à l'occasion, réagir de façon immature.

— À qui tu parles?

Ma mère vient de se réveiller. Bon, je l'avais oubliée, elle.

— À personne, maman, repose-toi encore un peu.

Elle laisse retomber sa tête lourdement sur le coussin et referme les yeux. Je continue ma conversation avec mon père, en pivotant ma chaise pour tourner le dos à maman.

— Tu viendrais pas la chercher, hein?

— Euh…

— Papa, s'il te plaît. J'ai pas juste ça à faire.

Silence au bout du fil. C'est plutôt la voix maintenant enragée de ma mère que j'entends:

— Tu y diras que je veux RIEN SAVOIR de son entente!

Je me retourne vivement. Maman s'est redressée et a repris de la vigueur. Elle se lève et s'approche de mon bureau en titubant.

— Donne-moi le téléphone!

— Euh…

— Passe-moi ton père, j'ai dit.

À contrecœur, je lui tends le combiné. Je m'apprête à me lever quand maman m'ordonne de ne pas bouger.

— Il est temps que tu connaisses la vérité sur ton père!

Oh que non! Surtout quand « la vérité » sort de la bouche d'une femme soûle, qui a la rage au cœur.

— Non, maman, c'est vos affaires.

Je m'éloigne rapidement, mais pas assez pour ne pas entendre ce que j'aurais préféré ne jamais savoir.

— Y est pas question que je te laisse t'envoyer en l'air avec ta p'tite jeune, pis que tu reviennes ensuite comme si de rien n'était. Si tu voulais me tromper, Réginald Lavigne, t'avais juste à le faire en cachette comme tout le monde !

14

« Oh, à propos, est-ce que vous saviez que le chocolat a la propriété de déclencher la libération d'endorphines ? Ça vous donne la sensation d'être amoureux ! »

WILLY WONKA (JOHNNY DEPP),
Charlie et la Chocolaterie, 2005.

— Veux-tu bien me dire dans quel monde on vit, Martine ?

— Dans le monde des humains, chère. Dans le monde des humains.

Immédiatement après avoir mis ma mère dans un taxi avec un sac à vomi, au cas où, je me suis précipitée au bureau de mon ex-collègue Martine Lebœuf pour lui demander de me recevoir d'urgence. Ce qu'elle a accepté après m'avoir laissée poireauter une demi-heure.

Ces minutes dans la salle d'attente de ma nouvelle psy m'ont permis de faire le point sur ce que je venais d'apprendre.

J'ai bien de la difficulté à imaginer papa demander à maman d'avoir une relation ouverte. Mais c'est pourtant ce que j'ai compris. Il le souhaitait, comme me l'a brièvement raconté maman, « juste pendant le séjour de Salama ». Comme si ça rendait la chose plus acceptable.

Il aurait aussi dit à maman qu'il ne voulait pas lui jouer dans le dos, qu'il l'aimait toujours, mais qu'il voulait juste clore le chapitre Salama avant que celle-ci reparte en Afrique. Et pour ça, il devait retourner dans ses bras un moment.

Non mais, je rêve ! C'est incroyable ce que les hommes sont prêts à inventer pour satisfaire leurs besoins sexuels. J'avais toutefois l'impression que mon père n'appartenait pas à cette catégorie. Une impression que je sais malheureusement fausse aujourd'hui. C'est ce qu'on appelle faire descendre quelqu'un de son piédestal. Et assez brusquement merci.

— Cet homme dont tu me parles, ça fait longtemps qu'il est revenu avec cette Fabienne ?

La question de Martine me déconcentre quelques instants. Mais de qui peut-elle bien parler ? Réveille, Charlotte ! C'est de tes parents qu'il s'agit ! Ceux que tu as présentés sous l'identité d'un couple de voisins.

— Euh, quelques années, je ne sais plus trop.

En attendant mon rendez-vous avec Martine, j'ai réalisé qu'elle n'était peut-être pas la meilleure personne à qui confier les frasques de mon père, elle qui a déjà eu une liaison avec lui. C'est comme ça que Réginald et Madeleine sont devenus Réal et Fabienne.

— Mais, Charlotte, t'es pas venue me voir pour me parler de tes voisins, hein ?

— Non, t'as raison.

— Si tu veux entreprendre une thérapie, je vais être heureuse de t'aider.

J'observe attentivement mon ex-collègue, pas tout à fait certaine que je prends la bonne décision. Je n'avais pas vu Martine depuis un moment, sauf sur d'innombrables photos Facebook, et je dois avouer que la transformation est encore plus spectaculaire en personne. Martine a dû perdre au moins trente kilos et, si je me fie à ses bras musclés qu'elle expose bien à ma vue, elle fréquente assidûment le gym.

— Mais c'est toi qui sais si tu es prête à t'investir ou pas… Quoique, si tu veux mon avis… t'en as besoin depuis longtemps.

— T'es pas gênée, Martine Lebœuf!

Elle vient de me fournir une excellente raison pour déguerpir à toute vitesse. Je ne suis pas ici pour me faire juger.

— Tu me connais, Charlotte. Tu sais très bien que je suis pas achalée. Je suis pas différente dans ma pratique. Je dis ce que je pense.

— Je sais pas si ça me convient vraiment.

— À toi de voir. Je te tords pas le bras. Mais, avec moi, tu vas avoir l'heure juste. Pas de fla-fla.

Je réfléchis tandis que Martine attend ma réponse en tapotant les breloques en or de son bracelet Pandora. Est-ce que j'ai envie de me faire dire mes quatre vérités? Est-ce que j'ai assez confiance en Martine pour la laisser me guider comme elle me le propose? Pas évident de répondre à cette question sans avoir tenté l'expérience. Et si mes souvenirs sont bons, les conseils qu'elle livrait aux téléspectatrices de *Plaisirs épicés* étaient pleins de bon sens. Pourquoi en serait-il autrement en thérapie?

— OK, Martine, je suis prête à essayer.

Ma psychothérapeute frappe dans ses mains.

— *Good!*

— Comment on procède?

— Je vais commencer par te dire pourquoi t'as besoin d'une thérapie.

— Euh, je suis pas certaine que…

— Tu manques de détachement, Charlotte. Ç'a toujours été ton problème.

— Hein?

— Tu prends trop les choses au premier degré. T'es trop dramatique, trop intense. Tu vas péter au *frette* à un moment donné.

Je pousse un long soupir d'agacement et je me lève brusquement du fauteuil crapaud en velours bleu dans lequel j'ai pris place il y a à peine dix minutes.

— Ça marchera pas, Martine. On est mieux d'arrêter ça tout de suite.

— Regarde-toi, Charlotte. Tu le fais encore !

— Quoi ?

— Dramatiser.

— Ç'a pas rapport.

— La clé du bonheur, Charlotte, c'est le détachement. Et toi, c'est quelque chose que t'as pas compris… Mais si t'aimes mieux jouer à l'autruche, t'as le droit.

Cette femme a décidément le don de me faire passer par toute la gamme des émotions. Elle m'exaspère, me porte à être sur la défensive et, maintenant, elle me fait douter de moi-même. Peut-être qu'il y a un fond de vérité dans son analyse.

— Ouin, mais c'est pas un défaut de prendre les choses trop à cœur. Je trouve au contraire que c'est une belle qualité.

— Rassieds-toi. On va en parler calmement.

— Je suis pas encore certaine, dis-je en lui obéissant néanmoins.

— Regarde, Charlotte, si tu veux une thérapie plus traditionnelle, je peux te recommander un collègue.

— Non, non, ça va. J'aimerais juste que tu m'écoutes un peu.

— Très bien, chère. Pourquoi t'es ici ?

Ouf ! Vaste question. Par quoi commencer ?

— Ben, c'est que… euh…

— Je vais t'aider. Dis-moi ça en une phrase.

— Une phrase ?

— Exactement. On va droit au but. Qu'est-ce que tu veux changer ?

— Je veux redevenir follement amoureuse de mon mari, comme au début. Comme ça, je n'aurai pas envie de coucher avec d'autres hommes.

Martine lève un sourcil, l'air interrogatif.

— Tu parles de ton Français, là ? Celui que tu étais tellement heureuse de voir revenir au Québec ?

— Euh… oui, oui, c'est lui.

— Ouin, ç'a pas été long que la passion s'est éteinte…

— Pas éteinte, Martine. Juste usée par le quotidien.

— Donc tu veux travailler sur ta relation de couple. Pas sur toi.

— Ben, un peu des deux, non ?

— Je privilégie l'approche avec un objectif à la fois.

— Mais encore ?

— Si t'es plus amoureuse de ton mari, c'est parce que…

— Martine, est-ce que tu m'écoutes ? J'ai pas dit que je l'étais plus. Je le suis *moins*.

— Ça signifie quand même qu'il y a un problème entre vous. Et donc ce serait préférable d'entreprendre une thérapie de couple.

— Les deux ensemble ?

— Ben oui, chère.

— Oublie ça. Maxou voudra jamais.

— Parle-lui-en, au moins. On verra.

— Pour lui dire quoi ? « Écoute, chéri, je me sens plus ou moins amoureuse ces temps-ci, j'ai juste envie de baiser avec d'autres hommes, j'ai même fait une pipe à un autre gars… Fait que viens, on va aller voir une psy avant que je te trompe pour de vrai… »

— Chère Charlotte, toujours le don de l'exagération.

— Lui, il en voit pas, de problème.

— Tu le sais pas.

— Mais bien sûr que je le sais. Il me l'aurait dit !

— T'es certaine ?

L'insistance de Martine me fait douter. Et si, comme moi, Maxou trouvait que notre relation manque d'entrain ? Qu'il éprouvait une attirance envers d'autres femmes ? Je l'aurais senti, non ? Hum… pas nécessairement, dois-je avouer.

— Bon, c'est vrai que je peux pas en être certaine à 100 %.

— Tu vois. Avec une thérapie de couple, tu en aurais le cœur net.

— Ouin, je vais y penser.

— Et puis arrête de t'inquiéter parce que t'es attirée par d'autres hommes. Le démon du midi, Charlotte, ça touche pas juste les hommes.

— Mais je veux pas être comme ça !

— Et puis des petites aventures, si tu veux mon avis, ça fait pas mourir personne.

— Mais moi, je suis pas ce genre de femme-là ! Je suis pas une courailleuse.

— Ton histoire de pipe, ça doit pas être si grave ?

— Je sais plus trop, je suis un peu mêlée. Ça s'est passé à New York.

— Bon, déjà, si c'est un étranger, tu ne le reverras plus. Ça facilite toujours les choses.

— C'est que… c'est pas un étranger.

— Ah non ?

— Non, c'est… c'est une vedette d'ici, dis-je sur le ton de la confidence.

Même si toute cette histoire avec Alexis Cadieux me traumatise encore, je ne peux pas m'empêcher de ressentir une pointe de fierté à la pensée qu'un gars aussi *hot* que lui s'est intéressé à moi. Ça me fait un petit velours que je veux partager avec ma psy. Après tout, elle est liée au secret professionnel, non ?

— C'est Alexis Cadieux.

— Le chanteur ?

— Oui, madame.

— Wow… Belle prise, Charlotte.

— Merci !

— En tout cas, t'as l'air d'y avoir pris goût. Va falloir que t'apprennes à t'accepter telle que tu es. Une femme qui aime les hommes.

Accepter de faire partie du clan des infidèles ? Jamais de la vie ! Oui, j'ai commis des erreurs. Oui, je suis prête à me pardonner. Mais pas dans le but de continuer mes frasques. Plutôt afin de tourner la page et d'aller de l'avant avec Maxou.

Martine jette un coup d'œil au mur derrière moi d'une façon pas subtile du tout. Il est clair qu'elle consulte l'horloge.

— Tu m'excuseras, Charlotte, mais la séance est terminée, dit-elle en se levant.

— Déjà ?

— C'est que t'étais pas prévue à mon horaire, aujourd'hui. Et là, j'ai un rendez-vous avec mon prof de pilates.

— Ah bon. Mais avant que je parte, t'aurais pas un p'tit truc à me donner ? N'importe quoi pour m'aider à ranimer la passion.

— Un truc ? Charlotte, je suis pas magicienne.

Martine s'éloigne vers la porte. Je la suis. Au passage, je la vois se pencher au-dessus d'un bol de fruits déposé sur une table. Elle approche son visage tout près des pommes, des bananes et des clémentines… Mais qu'est-ce qu'elle fait ? *My God*, elle renifle les fruits !

Elle relève la tête, et ses yeux croisent les miens. Je ne peux pas m'empêcher de la dévisager d'un air suspect.

— Je suis pas folle, Charlotte. Ça fait partie de mon régime.

— Hein ?

— T'essaieras ça un jour si t'as du poids à perdre. Tu sens les aliments et ça envoie le message à ton cerveau que t'as mangé. Donc t'as moins faim.

— Ben voyons ! Tu me niaises ?

— Pantoute !

— T'as maigri comme ça ?

— Ça, le pilates, peinturer les murs de ma salle à manger en bleu et baisser le chauffage.

— En bleu ?

— Oui, le bleu supprime l'appétit. Ce qui aide aussi, c'est d'utiliser des assiettes bleues.

— Ah ouin ? Étrange.

— Je t'assure, ça marche.

— Et c'est quoi, le rapport avec le chauffage ?

— En baissant le thermostat, t'as froid, donc tu grelottes. Tes muscles se contractent et tu brûles des calories.

Je reste sceptique quant à ces méthodes saugrenues. Mais force est d'admettre que sur Martine les résultats sont impressionnants. Avec sa nouvelle coupe de cheveux au carré flou et ses mèches caramel, elle a de la gueule, c'est le moins qu'on puisse dire.

Martine ouvre la porte de son bureau, m'enjoignant de vérifier ses disponibilités pour la semaine prochaine auprès de la réceptionniste.

— Et essaie de convaincre ton mari de t'accompagner.

— Souhaite-moi bonne chance.

— Je te fais confiance, t'es capable.

— Hum, hum…

Martine s'apprête à refermer la porte quand elle se ravise.

— Ah, Charlotte.

— Oui ?

— Si tu veux, en attendant notre prochaine rencontre, tu peux toujours manger du chocolat.

— Du chocolat ?

— Mais oui, c'est prouvé. Ça libère les endorphines et tu vas te sentir follement amoureuse.

— C'est vrai, j'ai déjà entendu parler de ça.

Je me souviens que Martine m'a déjà confié être totalement accro au chocolat. J'en connais maintenant la raison.

— Et le truc, ajoute ma psy, c'est de laisser fondre le chocolat le plus lentement possible dans ta bouche. Tu vas voir, ça *start* une fille !

***

Deux heures plus tard, je stationne devant chez Marianne.

— Viens, Adrien, on s'en va jouer avec les jumelles.

En descendant de mon véhicule, j'aperçois une personne sortir de chez mon amie. Une femme qui porte un long manteau gris, avec un capuchon sur la tête. Elle regarde furtivement à gauche et à droite, avant de s'élancer d'un pas rapide sur le trottoir. Je reconnais maintenant la frêle silhouette de la mère de Marianne. Ohhh… une réconciliation en vue ? Ce serait trop chouette !

Je sonne et je me retrouve face à Karen, qui est étonnée de me voir. Elle est d'autant plus surprise quand elle constate que je ne suis pas seule et que je porte un grand sac sur l'épaule droite.

— Charlotte ? Qu'est-ce que tu fais ici ?

— Marianne t'a pas avertie ? Elle garde Adrien ce soir.

— Zumelles ! s'exclame soudainement mon fils en bousculant Karen pour se précipiter à l'intérieur.

La blonde de ma meilleure amie ne peut s'empêcher de faire une grimace de désapprobation.

— Non, Marianne me l'avait pas dit. Et comme je vis ici, au cas où tu l'aurais oublié, j'aimerais ça qu'à l'avenir tu me demandes mon avis aussi.

Je respire profondément pour ne pas me fâcher. Je m'imagine un instant tourner la situation en ridicule, en me prosternant devant Karen pour l'implorer de me libérer de mon fils quelques heures. Mais comme elle est du genre à tout prendre au premier degré, il est préférable d'y aller d'une façon plus convenue.

— Karen, est-ce que tu voudrais garder Adrien ce soir… et cette nuit ?

— Ben oui, entre.

Je m'exécute, et les cris de joie des jumelles qui accueillent chaleureusement mon garçon me vont droit au cœur. Chaque fois, je suis touchée par l'affection que les deux fillettes portent à Adrien. Surtout quand on sait à quel point il peut être enquiquinant quand il s'y met. Je dois admettre toutefois qu'avec les filles de Marianne il lui arrive d'être moins turbulent. Je sens qu'il est subjugué par les fillettes et qu'il veut les impressionner... Même pas deux ans et déjà séducteur. Adrien est bien le fils de Maximilien Lhermitte, ça saute aux yeux.

— Tu travailles ce soir, Charlotte ? demande Karen.

— Euh... oui, oui.

Un petit mensonge inoffensif n'a jamais fait de tort. Inutile de mettre Karen en colère en lui racontant que j'ai décidé, à la dernière minute, de tester la suggestion de Martine. J'ai préparé une soirée chocolat pour mon mari et moi.

Je suis donc allée chez le traiteur mexicain pour acheter deux portions de poulet *mole*, ce délicieux plat typique fait avec du cacao. Ensuite, je me suis rendue à la chocolaterie artisanale du quartier pour choisir un assortiment de chocolats aux diverses saveurs. Et j'ai même arrêté à la pâtisserie, où j'ai jeté mon dévolu sur des brownies triple chocolat pour demain matin.

Je passe devant le salon où les jumelles jouent déjà à la maman avec Adrien, en lui enlevant son manteau et en le couvrant de bécots. Je continue jusqu'à la cuisine où je trouve mon amie en pleine préparation de ce qui semble être des brochettes de tofu. Bonne chance pour faire avaler ça à mon fils...

— Hé, Marianne ! C'est ta mère que j'ai vue sortir d'ici ? dis-je en l'embrassant.

— Yep !

— Ahhh, je suis contente. Ça s'est finalement arrangé, avec tes parents ?

— Avec ma mère, pas avec mon père.

— Ah bon ?

— Oui, c'est la deuxième fois qu'elle vient nous voir en cachette.

— T'es pas sérieuse ?

— Ouais… Mon père est pas au courant. Elle vient en métro et elle lui dit qu'elle a des rendez-vous médicaux.

— Ayoye ! Elle veut.

— Tu dis ! Je pense qu'elle avait jamais pris le métro de sa vie avant.

— Et comment ça se passe ? Est-ce qu'elle commence à accepter la situation ?

— Oui, oui, elle s'y fait tranquillement. Karen m'aide beaucoup, elle explique certaines choses à ma mère.

Je jette un coup d'œil à Karen, qui déchire un vieux drap pour en faire des chiffons. Elle lève les yeux et je lui souris avec reconnaissance.

— Je suis certaine que tu sais trouver les bons mots, dis-je en le pensant à moitié.

Une façon comme une autre de lui rappeler de mettre ses gros sabots de côté.

— Oui, elle est très bonne, commente Marianne en regardant amoureusement sa blonde.

— Merci, ma puce, répond Karen avec la même douceur.

Devant ce moment de tendresse entre mon amie et sa compagne, je réalise à quel point Marianne aurait souffert si Karen avait décidé de mettre les voiles. Peut-être même qu'elle m'en aurait voulu… Je crois qu'on l'a échappé belle, toutes les deux.

— Maman !

Je me retourne et j'aperçois mon fils qui fonce tout droit dans ma direction en courant. Il s'apprête à se jeter sur moi quand je vois qu'il a les mains et le chandail salis par une matière brunâtre d'origine douteuse.

— Non, Adrien !

Trop tard ! Le voilà collé contre mes cuisses à essayer de nettoyer ses mains contre le nouveau pantalon rose que j'ai choisi pour inaugurer le mois de mai.

— Adrieeen, qu'est-ce que t'as fait ? C'est quoi, ça ?

Je prends ses petites mains dans les miennes et je constate que mon fils a joué dans la terre.

— Les filles, je pense qu'il a massacré vos plantes.

— Euh... ça m'étonnerait. On a pas de plantes, précise Marianne.

— Comment ça, pas de plantes? C'est écolo, de la verdure, non?

— Ah *shit*! s'exclame soudain Karen en s'éloignant rapidement vers le couloir.

Elle entre dans la petite pièce qui sert de bureau.

— C'est pas vrai! ajoute Marianne en la suivant.

— C'est quoi? Qu'est-ce qui se passe?

— Il a joué dans les vers, répond mon amie.

— QUOI?

Spontanément, sans penser aux conséquences et en oubliant totalement mon rôle de mère, je repousse mon fils. Il se met immédiatement à hurler.

— Ah, excuse-moi, mon chou. J'ai pas fait exprès.

Je m'accroupis pour tenter de le calmer. Tout en lui parlant doucement, je réfléchis à la meilleure façon de régler le problème. Qu'est-ce qui lui a pris de jouer dans le contenant du vermicompostage, aussi? En plus, c'est quoi l'idée d'avoir un tel attirail dans la maison? Beurk!

Adrien continue de s'impatienter. Il faut que je le déshabille, mais j'hésite. Le problème, c'est que je dois lui retirer son chandail. Et juste à penser que de petits vers pourraient se faufiler dans ses cheveux, ses oreilles ou ses yeux, je vire folle!

Je sais! Je vais faire comme les ambulanciers avec un accidenté et je vais découper son chandail en lambeaux.

— Marianne, ils sont où, tes ciseaux? dis-je assez fort pour couvrir les cris de mon enfant.

— Pour quoi faire? me demande mon amie en revenant dans la cuisine.

— Pour couper son chandail.

— Ben voyons, Charlotte!

Marianne s'approche de mon fils et, d'un geste vif et précis, elle lui enlève son t-shirt, sans même que j'aie le temps de m'interposer. Elle le jette ensuite au sol. Ne comprenant pas trop ce qui se passe, Adrien hurle de plus belle. Je m'empresse de vérifier si de vilains vers en ont profité pour sauter dans ses cheveux, mais Marianne ne me laisse pas le temps de l'examiner comme il se doit. Elle le prend dans ses bras et, malgré ses protestations, elle l'emmène aux toilettes.

— Allez, on va se laver, dit-elle à Adrien.

— Noooooooooon!

— Ça va, Marianne, je vais m'en occuper.

— Non, non, vas-y, Charlotte. C'est beau.

— T'es certaine?

— Ben oui, c'est correct.

Le cœur serré par mon fils qui me réclame à grands cris, je le laisse toutefois aux bons soins de mon amie. Elle sait y faire avec lui... Parfois beaucoup plus que moi, suis-je forcée d'admettre.

Je regarde mon pantalon rose, sali par la terre et... les vers. Ouache! Je dois l'enlever au plus tôt.

— Marianne, je peux t'emprunter un jeans?

— Oui, oui, fouille.

Marianne referme la porte de la salle de bain derrière elle, étouffant à peine les pleurs d'Adrien. Je prends une grande respiration pour m'obliger à ne pas aller lui porter secours...

D'un geste sec, je retire mon pantalon et je le lance sur le balcon avec les visiteurs indésirables. Je fais de même avec le chandail de mon garçon.

Je me rends dans la chambre de mon amie. De mes amies, devrais-je dire. J'enfile un yoga jeans gris Second qui traîne sur le lit, en espérant qu'il appartient à Marianne et non à sa blonde.

Je retourne dans le couloir, où je m'approche de la porte de la salle de bain. Je reste debout pendant ce qui me semble une éternité, à écouter Marianne consoler Adrien. Ce n'est que lorsque mon bébé cesse de pleurer que je pars sur la pointe des pieds.

***

— C'est moi!

J'entre dans la maison, mes provisions de chocolat plein les bras. Il est à peine 18 heures et Maxou est déjà arrivé, si je me fie à la porte déverrouillée. Étonnant.

— T'es où, mon amour? dis-je en me rendant à la cuisine pour y déposer mes sacs.

Pas de réponse. J'arpente toutes les pièces du rez-de-chaussée. Vides. Je m'inquiète soudainement. Et si ce n'était pas Maxou qui est entré ici? Si c'était un voleur? Mais non, Charlotte, il n'y a aucune trace d'effraction, c'est quelqu'un qui a la clé.

— Ugo? Papa?

Toujours rien. Je fixe quelques secondes l'escalier qui mène à l'étage. J'y vais ou pas? Mieux vaut ne pas courir de risques.

J'attrape mon cellulaire dans la poche arrière de mon jeans et je m'apprête à composer le 9-1-1. Puis je change d'avis en songeant que je dramatise encore, comme me dit Martine. Peut-être que j'ai simplement oublié de verrouiller la porte quand je suis revenue en trombe chercher le sac d'Adrien un peu plus tôt? Ce serait une explication logique, que je me vois mal fournir à des policiers venus répondre à un appel « d'urgence ».

Je prends une grande respiration, je retire mes Mary Jane et je me dirige vers l'escalier. Je m'empare du premier objet qui traîne dans le hall: mon parapluie mauve avec l'inscription: « Je fais la pluie et le beau temps. » Je me sens maintenant plus en sécurité, mais je n'ose pas m'aventurer à l'étage pour autant.

J'y pense! Je ne suis peut-être pas prête à passer pour une folle finie devant les policiers, mais je peux facilement assumer mes phobies auprès de mon mari. C'est à lui que je devrais téléphoner pour qu'il s'empresse de venir vérifier si un individu louche se trouve chez nous.

« Mais non, Charlotte ! Il n'y a personne, tu le vois bien. C'est encore ton imagination qui te joue des tours. Fais une femme de toi et va t'en assurer toi-même. »

Je me raisonne et je grimpe les marches en essayant de ne pas me faire entendre. Juste au cas où...

Tout à coup, le silence de la maison est brisé par un bruit suspect, qui provient de l'étage. Je sursaute, j'étouffe un cri de mort et je redescends aussitôt.

Bon, assez risqué ma vie ! Je lance mon parapluie, je sors de la maison et je m'éloigne pour appeler Maxou. Une sonnerie, deux sonneries, trois sonneries... Allez, réponds, merde !

— Maximilien Lhermitte. Laissez un message.

Sa boîte vocale ! Comme si j'avais besoin de ça en plus. Plus le choix, maintenant, il faut que je demande l'intervention des flics. Je compose le 9-1-1 et je m'adosse à une voiture stationnée dans la rue pour reprendre mes esprits et expliquer calmement le but de mon appel.

— Neuf un un. *Nine one one.*

— Je pense qu'il y a un voleur chez moi !

— Quelle est votre adresse ?

Dans l'énervement, je n'arrive pas à me rappeler le nom de la rue. Plus je m'énerve, moins je m'en souviens. Et moins je m'en souviens, plus j'ai l'impression de faire une vraie folle de moi auprès de la préposée qui a une patience d'ange.

— Concentrez-vous, madame.

Je fais un demi-tour sur moi-même quand je réalise que la voiture garée de l'autre côté de la rue... je la connais. Très bien, même. C'est la BMW de Maxou !

— Madame, vous habitez quel quartier ?

— Euh... Plateau, mais attendez un peu, dis-je en scrutant du regard la fenêtre du haut, celle du bureau de mon mari.

J'éprouve à la fois un vif soulagement et une profonde colère quand j'aperçois la chevelure discrètement teinte en blonde de Maxou entre les lamelles du store en bois.

— Excusez-moi, madame, je suis vraiment, mais vraiment désolée. Je vous ai appelée pour rien.

La dame me suggère de faire attention à l'avenir et je lui présente mes excuses une fois de plus, tout en retournant à l'intérieur. J'éclate aussitôt la porte fermée.

— MAXOU, CAL%&$! Tu m'as fait une de ces peurs !

Je monte l'escalier quatre à quatre et j'entre dans le bureau en coup de vent. Maxou me tourne le dos, les yeux rivés sur son ordinateur.

— Pourquoi tu réponds pas ?

Je m'approche et je le vois sursauter. Il me regarde, visiblement de très mauvaise humeur, et il retire de ses oreilles les petits écouteurs boutons que je viens tout juste de remarquer.

— Veux-tu bien me dire ce que t'écoutes aussi fort ? J'étais certaine qu'il y avait un voleur dans la maison.

Maxou hausse les épaules avant de remettre ses écouteurs. Je le regarde, éberluée. Non mais, c'est quoi, ce mari qui se fiche complètement de ce que sa femme peut vivre !

Je lui arrache une oreillette pour lui parler et j'en profite pour vérifier ce qu'il écoute. Je n'ai même pas à me l'insérer dans l'oreille. Je reconnais la musique de Lescop, un artiste que Maxou a adopté récemment et qui a remplacé toutes les quétaineries qu'il m'imposait depuis des années.

— Baisse ça, Maxou. Tu vas te crever les tympans.

— Sottises ! J'ai besoin de décompresser, m'informe-t-il en reprenant son écouteur.

— Qu'est-ce qui se passe ?

— À toi de me le dire !

Sans un mot de plus, Maxou enlève son autre écouteur et arrête sa musique. Il ouvre ensuite son porte-documents et en sort une copie du *Cinq jours*, qu'il dépose devant moi. Ouch!

— Justement, j'allais t'en parler.

— J'aurais préféré. C'est une collègue qui m'a appris que ma femme faisait la une d'un magazine à potins avec un autre mec! Son ex-petit ami de surcroît!

— Ah, Maxou, voyons... Tu connais la *game*. Ça veut rien dire, cette photo-là.

Maxou me jette un regard soupçonneux, quitte la pièce et disparaît dans l'escalier. Je le suis jusqu'à la cuisine, où il sort une bouteille de blanc du frigo. Je pose deux verres à vin sur l'îlot central.

Il se verse du sancerre et en boit une longue gorgée en fixant les armoires. Rien pour moi. Oh là là, quand Maxou perd sa galanterie légendaire, c'est qu'il est vraiment perturbé.

— Il est où, mon fils?

Son fils? Bon, j'ai compris, il veut me blesser. Et quand Maxou se comporte de cette façon, c'est parce qu'il a de la peine. Mais comme tout bon coq qui se respecte, il préfère mourir plutôt que de l'avouer.

— Il est chez Marianne.

— Et pourquoi donc?

— Euh... je pensais qu'on pouvait avoir une soirée à nous.

— Je ne crois pas, non. J'ai du boulot.

— Maxouuuuuuu. S'il te plaît. Il ne se passe absolument rien entre P-O et moi.

— Ce n'est pas ce que je constate sur les photos. Je ne suis pas aveugle, Charlotte.

— C'est un *show*! Tu le sais bien!

— Charlotte, je ne t'ai jamais posé de questions sur ce que tu avais vécu avec lui avant mon retour. Mais maintenant, j'estime que j'ai le droit de savoir.

Je remplis mon verre de vin et j'en avale une grande gorgée en réfléchissant à ce que je vais lui raconter. Et surtout à ce que je *ne* vais *pas* lui raconter. Une chose est certaine: mieux vaut passer sous silence le fait que je m'apprêtais à emménager chez P-O quand il est revenu au Québec.

— On se voyait de temps en temps, c'est tout.

— Ça, je l'avais deviné, figure-toi.

— Comment tu l'as su ?

— Je ne l'ai pas su, je l'ai compris... en regardant ton émission.

— Hein ? Ça m'étonne, on était vraiment professionnels.

— T'es ma femme, Charlotte. Je pense que je te connais mieux que tes téléspectatrices !

— Oui, bien sûr.

J'aperçois mes provisions sur le comptoir et je songe qu'à l'heure actuelle ma soirée chocolat s'en va tout droit chez le diable... À moins que...

— Maxou, tu veux un peu de chocolat ?

— Euh... non.

J'ignore sa réponse et je sors une boîte de mon sac « petites courses au pas de course ». J'offre un chocolat au coulis de framboises à mon mari.

— Goûtes-y ! Juste pour me faire plaisir.

— Charlotte, je n'ai pas envie de manger du chocolat avant le dîner. Surtout pas avec un verre de blanc.

— Justement, il paraît que ça se marie super bien avec la framboise.

— C'est n'importe quoi. Tu ne cherches qu'à détourner mon attention.

— Mais non.

Bon, d'accord, il a raison. Je veux lui faire oublier toute cette histoire avec P-O. Et je compte sur le chocolat pour qu'il revienne à des sentiments amoureux. Pour ma part, je n'éprouve plus du tout le besoin de manger du chocolat pour avoir envie de Maxou. Sa crise de jalousie a fait le travail.

J'ai toujours aimé qu'un homme me veuille pour lui tout seul, qu'il se place en compétition avec les autres, qu'il me fasse sentir que je lui appartiens totalement. Je sais, c'est un peu malsain, mais, moi, je le vois comme une preuve d'amour. À la condition, bien entendu, que ça ne dépasse pas certaines limites. Pas envie d'un mec qui m'emprisonne.

Pour encourager Maxou à manger du chocolat, j'en porte moi-même un morceau à ma bouche. Je le savoure lentement tout en l'écoutant me redemander les détails de ma relation avec P-O. Mais plutôt que de lui répondre, j'essaie à nouveau de l'inciter à m'imiter.

— Hum, c'est bon. Tu sais pas ce que tu manques.

— Bon, j'en ai assez. Quand tu auras fini de te servir de la nourriture pour éviter une discussion, tu me feras signe. Je sors.

Maxou se dirige vers la porte. Je sens mon cœur se serrer à l'idée qu'il reste en colère contre moi. Après tout, qu'est-ce que j'ai tant à cacher ? Rien. Je suis sortie avec P-O alors que nous n'étions plus ensemble et je l'ai quitté à l'instant où Maxou a remis les pieds en sol québécois.

— Nooon, va-t'en pas ! Je vais te raconter.

Mon mari hésite avant de revenir sur ses pas. Il prend nos deux verres et me suggère d'aller au salon. Je le suis en apportant la boîte de chocolats… On ne sait jamais.

— Qu'est-ce que tu veux savoir au juste ? dis-je en m'assoyant à ses côtés sur le canapé en cuir.

— Est-ce que tu étais très amoureuse de lui ?

Sa question m'assomme. Je m'attendais plutôt à des interrogations d'ordre technique. Le nombre de mois qu'a duré notre relation, par exemple. Ou combien de fois par semaine on se voyait. Je lui aurais répondu aisément, mais là… Pourquoi veut-il connaître mes sentiments envers P-O ? Ça rime à quoi ?

— Euh… c'est de toi que j'ai toujours été très amoureuse, tu le sais bien.

Ma réponse le calme un peu. Je devrais en profiter pour lui proposer encore du chocolat. Je me penche vers la petite boîte pour choisir un morceau au citron confit. Je l'approche de la bouche de Maxou avec la ferme intention qu'il le dévore. Mais il écarte doucement ma main pour me poser une autre question.

— Et si je n'étais pas revenu vivre ici, tu le fréquenterais toujours ? Tu aurais des enfants avec lui ?

Pendant un bref instant, une image s'impose dans ma tête. Celle d'une photo de famille : P-O, un bébé, Mini-Charlotte et moi-même qui posons tout sourire pour la caméra. Oui, ç'a du sens…

— Je sais pas, Maxou. Peut-être, oui. Mais pourquoi tu me poses toutes ces questions-là ?

— Ça ne me plaît pas, cette histoire, Charlotte. Pas du tout.

— Qu'est-ce qui te plaît pas ?

— Que tu revoies ce mec.

— Bon, premièrement, je l'ai revu une seule fois. Et c'était dans un cadre professionnel. Deuxièmement, c'est toi que j'ai choisi, mon chéri. Personne d'autre.

— Oui, mais ces photos…

— C'est pour faire vendre le magazine, j'ai pas besoin de t'expliquer ça ?

— N'empêche… J'ai l'air de quoi, moi ? D'un con !

— Mais non…

— Si, si. Tu n'as pas pensé une seconde à mon image. Je suis chef d'entreprise, je te rappelle.

Je lève les yeux au ciel. Comme si je l'avais oublié ! Je ne le sais que trop bien, puisque je travaille *pour* lui. Et non *avec* lui, ce qui est une grande déception, autant professionnelle que personnelle.

Je pensais qu'en acceptant le poste de conseillère junior je deviendrais la véritable partenaire d'affaires de mon mari. Je me trompais. Je ne suis qu'une simple employée parmi tant d'autres, si ce n'est qu'il me laisse choisir mon horaire.

Mais pour être franche, je dois admettre que je suis aussi responsable de mon sort. J'ai demandé à Maxou d'arrêter de me donner des contrats importants le jour où j'ai compris que je ne serais jamais heureuse dans ce travail. Et que mon but était de retourner faire de la télé à temps plein le plus vite possible. D'ailleurs, je dois absolument relancer mes contacts et leur offrir mes services pour les nouveaux *shows* d'automne. Je ne peux pas me contenter de mon émission actuelle. Même bonifiée, elle est loin de m'occuper à temps plein.

— Excuse-moi, Maxou, j'ai pas voulu mal faire.

— Tu m'assures qu'il n'y a strictement plus rien entre toi et lui?

— Je te le jure. Sur la tête d'Adrien.

Un pincement au cœur, j'attends la réaction de Maxou. S'il fallait qu'il ne me croie pas, qu'il s'imagine que j'ai une liaison avec un autre homme et qu'il fasse la même chose de son côté… Je n'y survivrais pas.

Mon mari s'affaisse sur le canapé et s'apprête à dénouer sa mince cravate noire Philippe Dubuc. J'adore cet accessoire, surtout quand il le porte avec sa chemise blanche aux poignets mousquetaires, également dessinée par le designer québécois qu'il a finalement adopté.

— Laisse, dis-je en me penchant pour l'aider.

Profitant du fait qu'il semble dans de meilleures dispositions, je m'assois sur ses cuisses et je le regarde droit dans les yeux. J'y lis encore un peu de méfiance, mais je sens qu'il commence à me croire.

Tendrement, je fais courir mes doigts le long de son cou et je remonte le col de sa chemise. Je desserre ensuite sa cravate, que je fais glisser par-dessus sa tête pour l'envoyer au tapis. Tout en déboutonnant sa chemise, je caresse sa poitrine. Maxou m'arrête en posant sa main sur la mienne.

— Tu peux me faire une promesse, Charlotte?

— Oui, quoi?

— Je ne veux plus que tu le voies.

— Écoute, Maxou, ça peut arriver que je le croise.

— J'ai besoin que tu me le promettes.

L'insistance de mon mari me déstabilise. Pour une rare fois, je le sens plus vulnérable, moins sûr de lui, moins en contrôle. Ça me touche au plus profond de mon cœur. C'est lui, le Maxou que j'aime intensément. Celui qui a besoin de moi, comme moi de lui.

— Promis. Plus jamais.

Maxou soupire de soulagement. Il place sa main derrière ma nuque pour approcher mon visage du sien. Il m'embrasse dans le cou tout en glissant ses doigts dans ma chevelure pour me masser l'arrière de la tête. Puis, de sa voix sensuelle, il murmure à mon oreille des mots à faire rougir même la plus délurée des femmes.

Au moment où il descend la bretelle de mon soutien-gorge avec ses dents, je me dis que je n'ai besoin ni de chocolat ni d'une thérapie à la con avec Martine pour me sentir pleinement vivante dans les bras de mon mari.

15

« Elles attendent le prince charmant, ce concept publicitaire débile qui fabrique des déçues, des futures vieilles filles, des aigries en quête d'absolu, alors que seul un homme imparfait peut les rendre heureuses. »

FRÉDÉRIC BEIGBEDER, *L'amour dure trois ans.*

— Fait que, si je comprends bien, faut que tu te chicanes avec Max pour qu'il t'allume ?

— C'est pas ce que j'ai dit !

— Ç'a l'air de ça, si tu veux mon avis.

Je suis dans la voiture d'Ugo, en route vers l'Estrie, où mon ami a rendez-vous avec un éleveur d'autruches. J'ai décidé de l'accompagner pour pouvoir profiter d'un moment en tête à tête avec lui, d'autant plus qu'il fait un temps superbe en ce mardi de mai et que mon ami a accepté de baisser le toit de sa Volvo. Ô joie !

— C'est peut-être moi qui t'ai raconté ça tout croche.

— Non, non, c'était très clair. Vous vous êtes disputés, vous vous êtes réconciliés et, là, t'as eu envie de lui.

— Ben voyons ! Ç'a rien à voir.

— Moi, je pense que oui, au contraire. Que, dans le quotidien normal, t'as pas tant de désir pour lui.

Les propos d'Ugo sèment un doute dans mon esprit. Je regarde le paysage pour réfléchir. Est-ce qu'il y a du vrai dans ce que dit Ugo ? Est-ce que je dois vivre des montagnes russes avec Maxou pour avoir envie de faire l'amour avec lui ? Meuhhhh… C'est vraiment n'importe quoi.

— Tu sais pas de quoi tu parles !

— Ah non ? Pourquoi t'avais acheté plein de chocolat dans ce cas-là ?

— C'était… c'était juste pour faire un test.

— C'est toi qui le sais, chérie.

Si, la plupart du temps, j'aime qu'Ugo me laisse juge de mes comportements, aujourd'hui sa réponse m'énerve. Je veux y voir plus clair, et ses antennes me sont nécessaires. Je cesse de fixer le paysage pour poser à nouveau le regard sur mon ami.

— Tu penses vraiment qu'il y a un problème entre Max et moi ?

— C'est évident que tu t'ennuies, en tout cas.

— T'exagères.

— Ah oui ? P-O, Alexis…

— Lui, c'était une connerie, c'est tout. Et P-O, c'est normal qu'il vienne me chercher, c'est mon ex.

— Je te suis pas, Charlotte. Y a quelques jours à peine, t'admettais qu'avec Max c'était plutôt tiède. T'es même allée voir Martine pour ça. Puis là, parce que t'as eu une baise d'enfer avec lui… Pouf ! Tout a disparu.

— C'est quand même bon signe, non ?

— C'est pas un soir qui va effacer la morosité des derniers mois.

Je soupire devant la justesse des propos d'Ugo. Je ne peux pas prétendre que tout va parfaitement bien.

— Comment tu fais ? lui dis-je tendrement en passant ma main dans ses cheveux trop longs à mon goût, pour dégager son oreille.

— Quoi donc ?

— Comment tu fais pour être si lucide ?

— En ce qui te concerne ?
— Hum, hum.
— Je te connais depuis dix ans, Charlotte.
— Même moi, je me comprends pas toujours. Je me trouve pas mal compliquée.
— Pas tant que ça.
— Non ?
— Bon, un peu, mais c'est surtout ce que tu cherches qui est compliqué à avoir.
— Qu'est-ce que je cherche ?
— Le prince charmant.

J'éclate de rire devant l'image qui me vient en tête. Je m'imagine couchée sur un grand lit à baldaquin, une longue robe vert émeraude, avec une étole d'organza brodée de fines fleurs et un diadème en or. Je suis plongée dans un profond sommeil depuis cent ans, mais je parais aussi fraîche qu'une rose. Puis arrive un homme vêtu d'une veste satinée rouge et blanc, une épée à la main. Il m'embrasse délicatement sur la bouche et me délivre de mon mauvais sort.

— Ben voyons, Ugo. Tu penses vraiment que je suis une romantique finie ?
— Parce que tu l'es pas ?
— Un peu, comme toutes les filles.
— Un peu beaucoup, si tu veux mon avis.

Je prends un air faussement indigné et je fouille dans la boîte à lunch Spider-Man de mon fils, que j'ai remplie avant de partir. J'écarte le contenant de crudités et je m'empare du sac de croustilles aux lentilles au poivre concassé, que je déballe aussitôt.

— T'en veux ?
— Non, merci.

Je savoure ma collation en fermant les yeux pour mieux ressentir la douce sensation du vent chaud sur mon visage. Ugo me tire de ma béatitude en relançant le sujet de mes relations amoureuses.

— En fait, je pense que tu idéalises trop tes chums. Au début, en tout cas.

— Tu crois?

— Oui. Ensuite, quand tu découvres leurs défauts, quand ils cessent d'être le prince charmant dont tu rêves, quand la passion est moins là, t'es déçue.

Je réfléchis un instant aux hommes que j'ai fréquentés avant Maxou. Ceux qui sont restés assez longtemps dans ma vie pour qu'ils méritent qu'on s'y attarde. Jean-François, Étienne... Tous des gars qui m'ont laissée tomber, pas l'inverse. Ugo se trompe, c'est clair.

— Ça marche pas, ton affaire, Ugo. Tu sais bien que j'étais plutôt du genre à me faire larguer.

— Pas tout le temps. Comment il s'appelait, déjà, ton journaliste des nouvelles? Celui qui travaillait tôt le matin?

— Nicolas? Eille, ça fait longtemps...

— Au début, tu le trouvais telllllllement beau, t'arrêtais pas de le regarder à la télé, tu repassais même ses topos en boucle.

— Mets-en pas trop, quand même.

— Charlotte, tu te réveillais à 5 heures du matin pour le regarder en ondes.

— Bon, peut-être. Mais il était super sexy. Même avec des bottes de caoutchouc quand il couvrait des inondations.

— Et puis du jour au lendemain, tu t'es désintéressée de lui.

— C'est pas pareil. Il travaillait tout le temps et il se couchait à 8 h 30, même la fin de semaine.

— Et l'autre, là, celui qui habitait l'appart à côté? Charles quelque chose?

— Charles-Antoine? Naaaannn... Je l'ai jamais vraiment aimé.

— Pardon?

— Ben quoi, c'est vrai!

— Excuse-moi, chérie, mais tu lui aurais donné le bon Dieu sans confession.

— Je me rappelle pas.

— Ah non ? À t'entendre parler, y avait pas plus *hot* comme courtier hypothécaire.

— T'exagères.

— Pas du tout. T'achalais tout le monde pour qu'on achète des condos et qu'on lui confie notre hypothèque.

— Bon, bon…

— Et t'as déchanté quand la saison de hockey a recommencé et que tu t'es rendu compte qu'il aimait mieux regarder la *game* plutôt que d'aller au resto avec toi.

— Avoue que c'est pas ben le *fun*.

— Peut-être. Mais c'est pas la fin du monde non plus.

— Qu'est-ce que t'essaies de me dire, au juste ?

— Que l'amour, c'est pas un conte de fées. Et que ça se travaille.

Je soupire de découragement et je réfléchis quelques secondes avant de me ranger à l'avis de mon ami.

— T'as raison. Je vais retourner voir Martine. J'ai envie que ça marche longtemps avec Max.

— Ça coûte rien d'essayer, en tout cas.

— Rien ? Pas vraiment. C'est quand même cent vingt piasses de l'heure.

— Ohhhh, *chérante*, la Martine. T'es certaine que c'est la bonne personne ?

— J'ai confiance en elle, dis-je sur un ton qui indique que la conversation est terminée.

Nous poursuivons notre chemin paisiblement, sans ressentir le besoin de parler. J'attrape l'iPod de mon ami et je choisis une chanson tout à fait de circonstance pour cette journée ensoleillée.

Cause I remember every sunset
I remember every word you said
le soleil effleurait ta peau
on chante la-ta-ta-ta-ta

Je chante à tue-tête pour accompagner la voix chaude des gars de Simple Plan, pendant qu'Ugo suit le rythme de *Summer Paradise* en tapant sur son volant.

— Chante avec moi.

— Non, je fausse trop.

— On s'en fout. Moi aussi !

Je continue de m'époumoner même si Ugo me nargue en montant le volume pour enterrer ma voix.

Je rêve au sable et à la mer

J'ai tant besoin de toi à mes côtés

— Ah, c'est trop bon, cette toune-là ! Ça me donne juste le goût d'aller dans le Sud !

— Tu dis !

— Il me semble que je partirais demain.

Mes rares voyages, ces dernières années, étaient pratiquement tous à Paris. Obligations familiales. Un séjour auprès de ma belle-famille, ce n'est pas ce que je peux appeler des « vacances ». Ma belle-mère, la reine Victoria, me fait encore et toujours des misères. Je m'attendais pourtant à ce que sa nouvelle union avec un dénommé Hubert la rende plus souple, plus tolérante, moins fru. Mais non. Du moins, pas avec moi.

Récemment, ce sont mes capacités de mère qu'elle a remises en question. « Charlotte, vous avez choisi d'élever votre fils au Canada, alors qu'en France vous auriez eu accès à la meilleure éducation qui soit. Ne vous surprenez pas si Adrien-Florian devient un vulgaire mécanicien. »

EILLE ! Ta gueule !

Bien entendu, j'avais prononcé cette phrase dans ma tête. Mais je lui avais répondu sèchement que mon fils ferait des études supérieures et que le Québec n'avait rien d'une terre de demeurés. Elle le savait très bien puisqu'elle y était venue plusieurs fois, lui avais-je rappelé.

Quant à l'utilisation du deuxième prénom de mon fils, je l'avais laissée faire même si je trouve ça affreux. Mais comme c'est celui du père de mon mari et que la reine a insisté pour qu'Adrien le porte en sa mémoire, je me suis pliée de bonne grâce à sa demande. Victoria est toutefois la seule personne que j'autorise à utiliser les deux prénoms de mon fils. Ça suffit, les *rebaptisages* !

Ces voyages dans l'Hexagone m'ont aussi permis de revoir ma belle-fille, Alixe, que Maxou a eue de son premier mariage avec une Française. C'est une adolescente boudeuse qui a mis un frein à son projet de venir vivre avec nous au Québec le jour où son demi-frère est né. « Pas question de jouer la *babysitter* », avait-elle dit… pour mon plus grand soulagement.

I'll be there in a heartbeat

La chanson de Simple Plan s'éteint sur ces paroles que je trouve vraiment trop chou. *Je serai là sur un battement de cœur*… C'est tellement romantique.

Je soupire d'envie à l'idée d'un voyage d'amoureux sous le soleil, à flâner toute la journée au bord de la mer en buvant des margaritas, à rentrer à l'hôtel pour une sieste qui n'en est pas vraiment une, à danser toute la soirée, collés… À ne rien faire d'autre que de s'aimer.

Peut-être que je devrais en parler à Maxou bientôt. Ce serait certainement aussi utile qu'une thérapie de couple.

***

Mes pensées m'amènent vers ma carrière d'animatrice qui ne me satisfait pas pleinement. Il est temps de me faire de nouveaux contacts. Ce n'est pas enfermée dans ma cuisine ou dans mon bureau de relationniste que je vais trouver d'autres contrats à la télé.

Et si je fréquentais les lancements de livres, de disques ou de films ? On y rencontre des gens du milieu… Et puis ce serait joindre l'utile à l'agréable. Mais comment y être invitée, moi qui n'ai pas souvent mis les pieds dans ce genre de soirée ? Il est peut-être temps d'y remédier et d'être un peu plus *jet-setteuse* !

Voilà une excellente décision. Dès demain, je surveillerai l'agenda culturel du Grand Montréal. Et tant pis si je n'arrive pas à dénicher des invitations, je m'y rendrai en prétextant que je recrute des vedettes pour mon émission. On ne me refusera sans doute pas l'entrée.

Nous roulons à bonne vitesse, jusqu'à ce qu'Ugo soit forcé de freiner subitement pour éviter de provoquer un carambolage. Une longue file de voitures roule à pas de tortue devant nous.

— Pas encore de la construction ! lance mon ami.

Chaque printemps, c'est pareil. Dès qu'on prend la route, on reste immobilisés de longues minutes dans le trafic. Et ça se poursuit jusqu'à l'arrivée de la neige. Parfois, je me dis qu'il n'y a que deux saisons au Québec : l'hiver et celle des chantiers de construction...

— Eh merde ! J'espère que tu seras pas trop en retard.

Ugo hausse les épaules, habitué à ce genre d'inconvénient. Comme je le connais, il a certainement prévu le coup en partant plus tôt. Nous roulons à dix kilomètres à l'heure et j'en profite pour regarder les ouvriers qui étendent de l'asphalte sur la voie de gauche. Par cette magnifique journée, certains hommes ont retroussé les manches de leurs chandails et exposent fièrement leurs biceps musclés.

Je remarque un attroupement de casques orange, un peu en retrait. Les ouvriers sont réunis en cercle, autour de quelque chose ou quelqu'un que je ne distingue pas, mais qui pique ma curiosité.

— Bizarre... Ils doivent être en pause.

— Qui ? me demande Ugo.

— Les gars, là-bas.

De l'index, je désigne le groupe de travailleurs aux dossards éclatants. Ugo y jette un coup d'œil.

— Il y a une femme au milieu... blonde.

— Ahhhhhh. Me semblait aussi...

Satisfaite d'avoir trouvé une explication à ce rassemblement, je baisse les yeux sur mon iPhone et je consulte mon fil Twitter. Rien de bien palpitant jusqu'à ce que je tombe sur un message de Maxou. Mon mari annonce un partenariat entre sa firme et le plus important centre hospitalier de Montréal. Ohhhh… Belle prise, mon amour !

Les affaires de Lhermitte et Desforges Communication ne cessent d'exploser ces derniers mois. Je m'en réjouis, bien entendu, même si je sais que chaque nouveau contrat m'enlève encore plus de temps avec Maxou. Les cocktails, soirées-bénéfice, lancements de campagne de financement, etc. se multiplient au même rythme que les clients.

J'ai bien tenté de convaincre Maxou d'y envoyer sa partenaire, Christine Desforges, avec qui il a fondé son entreprise, mais il refuse. « Christine et moi, nous sommes complémentaires. Je représente la boîte auprès de nos clients, elle préfère rédiger les dossiers », s'est-il justifié.

J'ai trouvé ça d'un machisme fini, mais avant de me lancer dans un plaidoyer féministe, j'ai vérifié ce qu'il en était auprès de l'associée de mon mari.

Pour mon plus grand déplaisir, Christine m'a confirmé que ce partage des tâches entre elle et Maxou faisait parfaitement son affaire. Et qu'elle l'avait même exigé au moment de s'engager avec lui.

« Je l'ai tellement fait, Charlotte… Me promener de soirée en soirée, à serrer des mains, à sourire à tout le monde, à faire du *PR*. Aujourd'hui, je n'en ai plus envie, m'avait raconté la femme de cinquante-trois ans. Et puis Max aime ça. Il est comme un poisson dans l'eau. »

Oui, je le sais. Maxou *adoooooooore* tous les événements mondains. Je n'ai pas marié un homme de maison, ç'a toujours été clair pour moi, mais parfois je rêve d'un amoureux qui travaillerait de neuf à cinq et qui me cuisinerait une entrée d'aumônières à la fondue de poireaux et brie, un pigeonneau en crapaudine avec des chips d'hémérocalles et un pavlova aux petits fruits rouges… Bon, d'accord, mon menu est peut-être un peu trop ambitieux. Je serais prête à me sacrifier et à me contenter d'un macaroni à la viande gratiné si Maxou daignait mettre la main à la pâte de temps à autre.

— Euh… Charlotte ?

— Oui, dis-je sans quitter des yeux mon iPhone.

— Moi, à ta place, je regarderais ce qui se passe ici.

Mon ami m'indique de jeter un œil au chantier à sa gauche, et particulièrement au groupe qui a attiré mon attention il y a quelques minutes. Je sursaute. À un point tel que j'en laisse échapper mon téléphone entre la portière et mon siège.

— Veux-tu ben me dire ce qu'elle fait là ?

— Je sais pas, mais ils ont l'air d'avoir du *fun* pas à peu près.

— Range-toi, s'il te plaît. Faut que j'aille vérifier.

— Ben voyons, Charlotte, y a pas de place.

— Mais oui, va sur l'accotement.

Mon ami soupire de découragement, mais il m'obéit tandis que je récupère mon iPhone en exécutant des contorsions dignes du Cirque du Soleil. Au moment où j'ouvre la porte pour sortir de l'auto, Ugo me demande de me dépêcher.

— Inquiète-toi pas, je niaiserai pas ici longtemps.

Je me faufile entre les voitures qui peinent pour avancer et je traverse l'autoroute. Une forte odeur de bitume envahit mes narines, et le bruit sourd de la machinerie couvre le claquement de mes talons sur le sol. Je réalise que ma tenue n'est peut-être pas de circonstance pour affronter une gang de gars à l'allure un peu trop virile à mon goût. Si j'avais su, je n'aurais jamais étrenné ma nouvelle – et un peu trop courte – robe d'été bleu et brun à bretelles. Et c'est quoi l'idée d'avoir oublié mon boléro dans l'auto, aussi ?

J'avance malgré tout, bien décidée à en savoir plus. Plus je m'approche du groupe, plus les regards de certains ouvriers sont insistants. J'en entends même quelques-uns qui poussent l'audace jusqu'à me siffler… Pff, vous pouvez rêver tant que vous voulez… Je les ignore et je continue de marcher en direction de celle pour qui je suis ici. Je lui tape dans le dos.

— Maman, qu'est-ce que tu fais là ?

Ma mère se retourne et me dévisage, l'air complètement estomaqué.

— *Toi*, qu'est-ce que tu fais là ? Tu m'espionnes ?

— Franchement ! Je ferais jamais ça. Je passais par hasard, c'est tout.

Un des hommes, qui me scrute de haut en bas, intervient en faisant un signe de tête.

— Elle… Est-ce qu'elle fait partie du *deal* ? demande-t-il à maman, qui est tout à coup bien embarrassée.

— Quel *deal* ? dis-je.

— Je sais pas de quoi il parle, répond-elle.

L'ouvrier ricane méchamment en posant son coude sur un grand cône orange. Il sourit à pleines dents et, malgré son physique impressionnant, il ne dégage aucun charme.

— Me semble, oui…

L'homme, au début de la quarantaine, enfile une gorgée de Red Bull et se tourne ensuite vers moi.

— Ta mère veut nous emmener en voyage.

— Hein ?

— Yep ! Une semaine dans le Sud en échange de… tu vois.

Ce n'est pas vrai ! Elle est venue ici pour recruter un gigolo… Je ne la savais pas si désespérée. Maman baisse les yeux et s'attarde avec beaucoup trop d'attention sur ses pieds, comme s'ils étaient un objet de fascination du siècle dernier.

Je l'observe et je constate qu'elle non plus n'est pas vêtue pour visiter un chantier de construction. À commencer par ses sandales rouges à semelles compensées et son *jegging* beige, taille basse.

Le travailleur convoité rit de plus belle, tout comme ses collègues. Leur attitude méprisante m'irrite au plus haut point, bien qu'elle ne me surprenne pas du tout. Quel homme jugerait normal qu'une sexagénaire qui s'efforce de paraître quinze ans plus jeune se pointe sur un chantier pour trouver un partenaire de voyage?

— Maman, on va y aller, tu veux bien?

Ma mère reste stoïque quelques instants, avant de relever fièrement la tête et de me toiser.

— Charlotte, mêle-toi de tes affaires! Je suis assez grande pour savoir ce que je fais.

— Maman, s'il te plaît.

Au même moment, mon cellulaire émet un bip. Je consulte mon écran et j'y vois un message d'Ugo.

« T'arrives? »

Je me résigne à abandonner ma mère à son sort, non sans servir une mise en garde aux candidats potentiels.

— En tout cas, moi, à votre place, je la niaiserais pas trop. Vous savez pas de quoi elle est capable quand elle est fâchée…

Sur ces paroles qui, j'espère, auront un effet dissuasif sur les intentions malveillantes des ouvriers, je tourne les talons pour aller rejoindre Ugo. Il m'attend en lisant un texte sur son iPad. Aussitôt que je ferme la portière, j'exprime mon découragement.

— Veux-tu bien me dire ce que j'ai fait pour mériter une mère comme ça?

Ugo éclate de rire et range sa tablette pour me donner toute son attention, comme je crois qu'un ami doit le faire.

— Qu'est-ce qu'elle a fait, la belle Mado?

— T'en reviendras pas!

Je lui raconte la scène pathétique à laquelle je viens d'assister et dont j'ai même un peu honte. Ugo n'est pas scandalisé pour autant.

— Ça t'étonne? me demande-t-il en reprenant la route.

— Honnêtement, oui. Je pensais pas qu'elle était rendue aussi bas… C'est comme si elle payait un prostitué.

— Pas vraiment !

— C'est le même principe. Et t'as vu son look ? Elle s'habille comme une ado.

— Ça, c'est pas nouveau.

— Non, mais, là, on dirait que c'est pire. Elle a soixante-cinq ans, pas vingt !

J'examine ma propre tenue. Je suis assez satisfaite du choix de mes chaussures. Talons plats, couleur sobre et petite fleur discrète au bout : parfait pour une visite à la ferme. C'est pour la robe que j'éprouve maintenant des doutes. Est-ce qu'à mon âge je devrais porter une robe qui tombe à mi-cuisse ? Je tire sur le bas de mon vêtement pour dissimuler le plus de chair possible… Et si j'étais comme maman et que je ne m'en rendais pas compte ?

— Qu'est-ce que tu penses de ma robe ?

— Quelle robe ?

— La mienne, voyons !

Ugo pose ses yeux sur moi une nanoseconde pour ensuite me dire qu'il la trouve « ben correcte ».

— Regarde comme il faut ! Est-ce qu'elle est trop courte ?

Pour lui permettre d'avoir une meilleure vision d'ensemble, je retire mes souliers, j'allonge mes jambes et j'appuie mes pieds sur le tableau de bord. Le vent chatouille délicieusement mes cuisses, ce qui rend l'expérience encore plus agréable.

— Ah, Charlotte ! J'aime pas ça quand tu mets tes pieds là. Ça laisse des traces.

Mon ami et son obsession de la propreté… Non mais, on s'en fout ! Il y a plus important à l'heure actuelle. J'ai besoin de savoir si je m'habille comme une fille de vingt ans. *Now !*

— Dis-moi la vérité. Est-ce que c'est indécent ?

— Ta pose, oui !

— Ah, *come on* ! Je parle de la longueur de ma robe.

— C'est quoi, le problème, tout à coup ? Des robes comme ça, t'en as toujours porté.

— Ouin, mais là j'ai presque trente-huit ans. Peut-être que je devrais être plus discrète.

— Arrête ça ! Qu'est-ce qu'elle chantait, déjà, Uma Thurman dans *The Producers* ?

— *When you got it, flaunt it...*

— T'as ta réponse, chérie.

— Tu trouves que j'ai de belles jambes ?

— Comme si tu le savais pas...

Il est vrai que j'ai toujours été plutôt satisfaite de mes jambes. Même si, je dois l'avouer, je les aurais préférées plus longues. Mais c'est leur seul défaut. Jusqu'à présent, du moins...

— Ouin, mais je vieillis... Peut-être que j'ai de la cellulite ? Ou des varices ?

Je soulève ma robe tout en me tortillant, pour montrer le haut de ma cuisse à Ugo.

— Ugo, regarde !

— Charlotte, je conduis, là.

— Deux secondes, on mourra pas.

Mon ami pousse un soupir de découragement et me jette un regard furtif.

— Ben non, tout est beau. Est-ce que tu peux te rasseoir comme du monde, maintenant ? Je te signale que tu donnes un *show* aux autres automobilistes.

Je scrute les alentours d'un œil amusé et je constate que le conducteur d'une minifourgonnette qui roule à notre droite me détaille des pieds à la tête. Encore un qui semble n'avoir jamais vu une paire de jambes de toute sa vie... Je détourne le regard et demande à Ugo de ralentir et d'aller se ranger derrière lui. Une fois que c'est fait, je poursuis mon examen esthétique.

Je détache ma ceinture et je m'agenouille en me tournant vers le dossier, comme si je voulais attraper un objet sur le siège arrière.

— Veux-tu ben me dire ce que tu fais là ? s'impatiente Ugo.

Je ne réponds pas et je relève plutôt ma robe jusqu'à ma petite culotte, en désignant du doigt l'arrière de mes cuisses.

— Est-ce que j'en ai ici ?

— Charlotte, cal%$*& !

— Je veux juste savoir si j'ai de la cellulite. C'est pas compliqué, me semble ?

— C'est pas l'endroit. Ça non plus, c'est pas compliqué à comprendre, me semble !

Puisque mon ami ne veut pas m'aider, j'essaie de voir par moi-même si l'âge et surtout ma grossesse ont causé des ravages sur mon corps, mais je n'y arrive pas.

— Charlotte, tu te rassois tout de suite, sinon je te laisse au bord de la route, pis tu feras du pouce.

— Meuhhh… T'es même pas *game*.

Je regarde Ugo, un air de défi dans les yeux. Oups… Il paraît vraiment fâché. Peut-être que je devrais le prendre un tantinet au sérieux.

— Bon, OK, d'abord.

Je lui obéis en bougonnant, plus pour la forme qu'autre chose, et je pige dans mes provisions à la recherche d'un aliment sucré à me mettre sous la dent. Je choisis un macaron à la crème brûlée et j'en propose un autre à mon ami.

— Macaron lavande-bleuet, ça te va ?

— Hum, hum…

— Ouvre la bouche.

Ugo lève les yeux au ciel comme chaque fois que je le « prends pour Adrien », comme il dit. Ce avec quoi je ne suis pas d'accord du tout. Je n'infantilise pas mon ami, je m'amuse avec lui ou je crée un moment de tendresse entre nous.

— Allez…

Ugo m'obéit finalement et je lui engouffre le macaron tout entier dans la bouche. Il proteste du regard, mais, puisqu'il est bien élevé et qu'il ne parle pas la bouche pleine, il mange sa petite douceur. J'observe une fois de plus ses cheveux. En dix ans, c'est la première fois que mon ami néglige d'aller visiter son coiffeur. Il doit être dans le jus pas à peu près.

— Veux-tu que je nous prenne un rendez-vous au Salon ?

Ugo et moi fréquentons le même salon de coiffure depuis que nous nous connaissons. Quand c'est possible, j'aime bien y aller en même temps que lui. On se trouve ainsi à jaser à quatre, avec nos coiffeurs respectifs, dans une atmosphère sympathique en buvant des cappuccinos.

— Euh… Non, non, pas tout de suite.

— Ben là. Il est plus que temps. Et moi, faudrait que je fasse rafraîchir ma frange.

— Je vais m'en occuper, Charlotte. C'est beau.

J'ignore sa réponse et je sors mon iPhone pour consulter mon calendrier.

— La semaine prochaine, mercredi en fin de journée ? Qu'est-ce que t'en penses ?

— En fait, je voulais les laisser allonger un peu.

— Hein ? C'est quoi, l'idée ? T'es ben plus beau les cheveux courts.

— Je trouve pas, moi. En plus, ça ferait changement.

D'aussi loin que je me souvienne, Ugo a toujours eu une *clean cut* en prenant soin toutefois de laisser un peu plus de longueur à l'avant. Mais là… Les mèches qui tombent dans le cou, ce n'est vraiment pas son style habituel. Il y a anguille sous roche.

— C'est qui, le gars qui aime les cheveux longs ?

— Je vois pas de quoi tu parles.

— Bel essai, chéri.

— Je te jure, y a personne.

— Personne encore, tu veux dire…

Mon ami ne réagit pas et, moi, je comprends à l'instant d'où lui vient cette envie de changement. Une envie qui, je crois, cache aussi le désir d'avoir l'air plus jeune. De ne pas faire ses quarante ans…

— Ugo, tu *cruises* pas Enzo, toujours ?

— Ben non.

La réponse de mon ami est beaucoup trop précipitée pour être sincère.

— F$?%, Ugo ! C'est ton employé !

— Je le sais !

— Ça veut dire quoi ?

— Que je suis conscient que c'est délicat.

Depuis que je le connais, Ugo n'a jamais eu de relations intimes avec un salarié. Il croit dur comme fer qu'un patron qui couche avec son employé ne peut que causer des emmerdes à l'entreprise.

Il craint aussi que ça puisse le discréditer auprès de son équipe, lui qui a travaillé si fort pour se tailler une place dans ce milieu plutôt masculin. Pour se prémunir, il n'a embauché que des hétérosexuels… jusqu'à ce qu'Enzo lui apporte son CV.

— Cette idée, aussi, d'avoir engagé un gai.

— Je l'ai pas embauché pour ça. Il est très compétent.

— Ugo, t'as trop un gros *kick*. J'aime pas ça.

— Mais non. C'est vrai que je le trouve *cute*, mais pas plus.

— Eille ! Tu t'es pas vu, l'autre jour, à la boucherie ! Tu bavais carrément devant lui.

— C'est pas vrai. Notre relation est purement professionnelle.

— Pour le moment, oui. Mais avoue que tu rêves d'autre chose.

Ugo ne répond pas et emprunte maintenant la bretelle de la sortie. Nous sommes presque arrivés à destination et je n'ai surtout pas envie que notre discussion se termine en queue de poisson.

— Tu peux arrêter au dépanneur, s'il te plaît ? Je veux acheter une bouteille d'eau.

Mon ami s'exécute et stationne dans l'entrée d'une petite épicerie de campagne. Il éteint le moteur et récupère son iPad à sa droite.

— Vas-y, je t'attends, lance-t-il en allumant son appareil.

Je détache ma ceinture et, d'un mouvement sec, je lui arrache sa tablette des mains. Surpris, il me regarde d'un air mécontent.

— Là, Ugo, tu vas me dire la vérité.

— Ahhh, tu m'énerves quand tu prends un ton inquisiteur.

— Sérieusement, c'est quoi, tes sentiments envers Enzo ?

Mon ami détourne la tête et fixe une petite pancarte posée devant lui, sur un vieux congélateur : « Glace 2,99 $ le sac. » Son regard est perdu dans le néant et il a un léger sourire de ravissement. Il semble à des milliers de kilomètres.

— Ah non… C'est pas vrai ?

Ugo met quelques secondes avant de revenir dans le présent et de me répondre.

— Je pense bien, oui.

— T'es amoureux ?

Mon ami hoche la tête, en fixant maintenant le volant de sa voiture. Je soupire longuement.

— Ça peut pas marcher, Ugo, tu le sais bien.

— Je suis pas sûr de ça, Charlotte. Qu'est-ce qu'on en sait, au fond ?

La réponse de mon ami me jette à terre. Il vient de changer de discours radicalement.

— Hein ? Qu'est-ce que tu me racontes là ? On en a parlé mille fois, ça peut juste mal finir.

— Peut-être que je voyais ça pire que c'est. Pourquoi est-ce qu'un patron ne pourrait pas sortir avec un de ses employés si les deux sont d'accord, hein ?

— Je te suis plus du tout, là.

— Est-ce qu'il y a une règle écrite qui interdit ça ?

— C'est pas la question, Ugo. Toi-même, t'as toujours juré que tu le ferais jamais.

— Un gars peut changer d'idée, Charlotte.

— En plus, Enzo est beaucoup trop jeune.

— Je suis certain que tu dirais pas ça si c'était un gars qui voulait sortir avec une fille plus jeune, lance mon ami avec une pointe de colère dans la voix.

— Euh…

— Mais avec deux gars, tu penses mal tout de suite.

— Mais non !

— Oui. Et puis il est pas si jeune que ça !

— Ah non ? Il a quel âge ?

— Vingt-neuf ans.

— Vingt-neuf ans ? T'es sûr ? Y a l'air ben plus jeune ! D'après moi, il t'a pas dit la vérité.

— Je vois pas comment tu peux lui prêter de pareilles intentions ! Il est vraiment *cool*, ce gars-là.

— Ahh, fâche-toi pas. Je veux juste pas que tu te fasses mal et que t'aies des problèmes à la boucherie.

— J'en aurai pas, non plus.

— Ça, on le sait pas.

— Je pense que je suis assez établi maintenant. J'ai pas peur.

Les paroles de mon ami me font réfléchir. C'est vrai qu'Ugo a une très bonne réputation dans le milieu. Est-ce que fréquenter un employé de onze ans son cadet lui nuirait ? La réponse n'est pas si simple. Peut-être que je me fais des chimères pour rien… Mais au-delà de leur différence d'âge et de leur lien professionnel, une autre question se pose. Et elle est majeure.

— Et lui, il a des sentiments pour toi ?

— Je sais pas… Bon, tu vas chercher ta bouteille d'eau, qu'on avance ?

— Bof, je vais laisser faire, finalement. Je n'ai plus soif.

Pas dupe pour deux sous, Ugo me lance un air excédé. Avant de reprendre la route, il met la main sur mon bras et me regarde droit dans les yeux.

— Je veux pas que tu t'inquiètes pour moi, OK ? Je suis un grand garçon, je sais ce que je fais.

Je hoche la tête, même si je doute énormément de ce qu'il vient d'affirmer. J'ai beau essayer d'y croire, une histoire d'amour saine entre Ugo et Enzo m'apparaît invraisemblable.

En bouclant ma ceinture de sécurité, je songe que j'ai maintenant deux défis à relever si je veux aider mon ami. Je dois d'abord trouver un moyen pour qu'Enzo quitte la boucherie. En douceur, sans qu'Ugo sache quoi que ce soit de mon implication.

Ensuite, je pourrai mettre la seconde partie de mon plan à exécution. Celui de lui dénicher le meilleur chum du monde. Un homme taillé sur mesure pour lui : gentil, attentionné, sexy, autonome financièrement, idéalement entre trente-cinq et quarante-cinq ans et chef à ses heures. Il devra aussi aimer les enfants et avoir une tolérance infinie envers les amies d'Ugo.

Après tout, si cet homme devient le chum de mon meilleur ami, c'est normal qu'il me plaise à moi en premier. C'est l'évidence même, non ?

16

« Tu veux une thérapie de couple ?
Dans le Maine, en plus ?
— L'avion part demain. »
ARNOLD (TOMMY LEE JONES) et KAY (MERYL STREEP),
Tous les espoirs sont permis, 2012.

— Maximilien, si vous me disiez quel est votre idéal ?

— Mon idéal ?

— Oui. Le nombre idéal de fois que vous souhaiteriez faire l'amour par semaine.

Maxou et moi sommes assis dans le bureau de notre nouvelle psychothérapeute, Martine Lebœuf. Finalement, devrais-je dire. Convaincre mon mari n'a pas été de la tarte.

Tout d'abord, il a carrément refusé d'en entendre parler, affirmant qu'il n'y avait aucun problème entre nous. Il n'a pas fléchi non plus quand je lui ai dit que je voulais simplement qu'on trouve une façon de ne plus se laisser envahir par le quotidien. Et il a cédé quand j'ai ajouté que Martine était le genre de fille à avoir plus d'un tour dans son sac pour pimenter la vie sexuelle de n'importe qui. Sans doute plus intrigué qu'autre chose, Maxou s'est donc joint à moi pour notre première – et unique, a-t-il précisé – séance chez la psy.

— Je pense que quatre ou cinq fois, c'est une bonne moyenne.

Oups ! Un peu loin de la réalité. Si seulement c'était ça… comme à nos débuts. Mais maintenant, si on arrive à le faire trois fois par semaine, c'est un miracle. Notre « moyenne », comme il dit, se situe plutôt à deux séances de baise par semaine et trop souvent à la va-vite.

— Et toi, Charlotte ?

— Même chose.

— Je suis heureuse de voir que vous avez un objectif commun.

— Ouin, mais entre ce qu'on veut et ce qu'on peut… il y a une différence, non ? dis-je, pragmatique comme je le suis rarement.

— Ce n'est pas impossible, Charlotte, mais, pour y arriver, il faut vous redécouvrir, réapprendre à vous connaître avec des yeux nouveaux.

Oh, que je sens que Maxou ne va pas aimer ce qui va suivre. Quand il croise la jambe et se tourne de côté comme il vient de le faire, c'est qu'il n'est pas du tout réceptif.

— Martine, commence-t-il d'un ton cassant, je ne suis pas venu ici pour la psychanalyse de mon couple.

— Ah non ? Et vous êtes venu pourquoi, alors ?

— Pour faire plaisir à mon épouse.

— Donc, à votre avis, il n'existe aucun problème entre vous et Charlotte.

— À ce que je sache, non. J'ignore ce qu'on fait ici.

Maxou se tourne vers moi et m'interroge froidement du regard. Encore une fois, je me sens prise au piège. C'est clair qu'il ne peut pas comprendre le but de ma démarche, je ne peux pas tout lui raconter. Il n'en connaît pas les éléments déclencheurs, comme mon désir pour d'autres hommes, et il ne sait rien de mon dérapage new-yorkais. Normal qu'il soit confus.

— Charlotte, m'interpelle Martine en me regardant d'un ton insistant, tu veux bien éclairer ton mari ?

Quoi ? Elle veut que je lui révèle tout ? Ça va pas, la tête ? Je m'aperçois que j'ai commis toute une erreur de jugement en traînant Maxou ici. J'aurais bien dû me douter qu'il n'en sortirait rien de bon. Mais, pour l'instant, il faut que j'essaie de minimiser les conséquences de notre visite. Je fais donc du *damage control*, en adaptant légèrement la réalité.

— Mon chéri, on est ici pour avoir des trucs. Je cherche juste à être une meilleure amante. J'ai l'impression que je t'ai négligé depuis la naissance d'Adrien.

Maintenant que j'ai capté l'attention de mon mari en lui faisant croire que je consulte pour mieux le satisfaire, lui, je décide de beurrer épais.

— Je veux te surprendre, je veux pas que tu t'ennuies.

— Mais je ne m'emmerde pas !

— Peut-être pas encore, mais je préfère agir avant.

— Charlotte, tes intentions sont très louables. Mais si tu veux améliorer ta performance au lit, ce dont, soit dit en passant, tu n'as nullement besoin, je ne vois pas ce que, moi, je fais ici.

Moi non plus, ai-je envie de répondre. Je me tourne plutôt vers Martine, pour l'implorer de venir à mon secours, mais elle semble occupée. Avec des gestes méticuleux, elle repousse les cuticules des doigts de sa main droite, en utilisant les ongles de sa main gauche. Tandis que j'essaie d'accrocher son attention pour lui signifier mon exaspération, elle garde les yeux obstinément fixés sur ses mains.

Après d'interminables secondes, elle lève la tête et sourit.

— Voilà ce que je propose. Nous allons faire un seul petit exercice, qui va me permettre de vous situer en tant que couple.

— Quel genre d'exercice ? demande Maxou.

— Rien de bien compliqué, ne vous inquiétez pas.

Mon mari approuve de la tête avant de lui indiquer de continuer.

— Ensuite, Charlotte, je vais te demander de nous laisser, Maximilien et moi.

Hein ? Quoi ? Non, ce n'était pas prévu. Il n'en a jamais été question et ça m'insécurise beaucoup trop pour que j'accepte. Heureusement, Maxou est de mon avis.

— Je n'en vois pas la nécessité. C'est Charlotte qui devrait rester.

— Ben oui, vu que la thérapie est plus pour moi.

— Justement.

— Hein ? Je te suis pas, là, Martine.

— Charlotte, si je veux t'aider à surprendre ton mari, il faut que je le connaisse un peu mieux, tu es d'accord ?

— Euh…

— Je ne peux pas te conseiller adéquatement si je sais pas à quel genre d'homme mon expérience professionnelle servira.

— Il me semble que…

— Et comme mes clients bénéficient aussi de mon expérience personnelle, il est d'autant plus important que je les connaisse bien.

Son expérience personnelle ? Wô, wô, wô… Qu'est-ce qu'elle insinue là ? Mon regard outré n'échappe pas à mon ex-collègue, qui sent le besoin de me fournir des explications.

— Tu sais, Charlotte, je crois pas que la ligne entre la professionnelle et l'être humain que je suis est tracée au couteau. Pour moi, c'est faire l'autruche que de penser comme ça.

— Ah bon.

— C'est pour ça que je dis toujours à mes clients que j'utilise aussi ce que j'ai vécu pour les diriger. Et si tu veux mon avis, la seule différence entre les autres psys et moi, c'est que, moi, j'ai l'honnêteté de l'avouer.

— Vous marquez un point, Martine, intervient Maxou. Mais si vous voulez en savoir plus sur moi, pourquoi ne pas simplement interroger Charlotte ? C'est elle qui me connaît le mieux.

Quelle bonne idée, mon amour ! Nous dévisageons tous les deux Martine, qui prend un malin plaisir à nous faire languir.

— Sans vouloir vous offenser, mon cher Maximilien, et avec tout le respect que je vous dois, je ne suis pas convaincue qu'il en soit ainsi. Mais, bien entendu, ce n'est que mon humble avis…

Est-ce que j'ai bien entendu ? Mon ex-collègue qui se targue d'être humble, qui s'excuse à outrance, qui… *perle* ?

WTF ! Tout pour impressionner mon amoureux. Tu sauras, Martine Lebœuf, qu'il faut plus qu'un niveau de langage supérieur pour séduire Maximilien Lhermitte. Surtout que toi, quand tu parles à la française sur fond d'accent jeannois, c'est complètement ridicule. Tu perds ton temps…

— Et je respecte votre avis, chère Martine, répond mon mari, contre toute attente.

Je me tourne vers lui et je suis stupéfaite de lire de l'amusement sur son visage. Est-ce qu'il croit vraiment ce qu'il vient de dire ou bien il lui rit au nez sans qu'elle s'en aperçoive ? Je retiens la seconde option.

— Donc c'est réglé. On passe à l'exercice.

Je me renfonce dans mon siège, mécontente de la tournure des événements. Mais je ne peux que m'en prendre à moi-même, n'est-ce pas ? Ça m'apprendra à faire des plans de fous, aussi.

Je croyais pourtant bien faire en consultant mon ex-collègue. Comme le dit la maxime : *Better the devil you know than the devil you don't*… Eh bien, ma vieille, tu t'es solidement trompée cette fois-ci. Tu aurais dû aller voir une psy que tu ne connaissais pas. Elle n'aurait pas pu être plus diabolique que Martine.

— Je vous explique, poursuit-elle en nous tendant à chacun une feuille de papier, un crayon et des autocollants en forme de petites étoiles multicolores.

— On est de retour en classe? lance Maxou, sarcastique.

— Oui. Et je suis la méchante maîtresse qui vous donnera des coups de règle sur les fesses si vous n'obéissez pas, lui répond Martine du tac au tac.

Je n'aime pas du tout ses sous-entendus et je tente de le lui faire savoir, mais elle agit comme si elle ne me voyait pas. Ce qui augmente mon inquiétude d'un cran. Martine serait-elle capable de tout dévoiler à mon mari, juste pour semer la bisbille dans mon couple? Pour se rendre plus intéressante que moi? Non, quand même pas... Quoique je doive admettre que rien n'est à son épreuve. Je dois empêcher cet entretien entre elle et Maxou. À tout prix.

— L'exercice se nomme le jeu de la correspondance imagée suggestive.

— En clair, ça veut dire quoi? demandé-je, bien décidée à ne pas me laisser intimider par son stupide langage de psy.

— La patience n'est pas la plus grande vertu de votre femme, n'est-ce pas, mon cher Maximilien? susurre Martine avec un clin d'œil coquin.

— Vous avez raison, Martine.

Je foudroie mon mari du regard, tandis que mon ex-collègue bombe le torse d'arrogance.

— Mais c'est ce qui fait son charme, son intensité unique, complète-t-il.

Et vlan! Ma psy a beau avoir des seins trois fois plus imposants que les miens, ça ne lui donne pas l'avantage pour autant.

Surtout qu'on peut se poser de sérieuses questions sur l'authenticité de ladite poitrine. Je ne vois pas par quel miracle Martine aurait perdu autant de poids partout sauf à cet endroit stratégique. Ça ne prend pas la tête à Papineau pour comprendre qu'un chirurgien a donné un petit coup de pouce à la nature. Surtout que son décolleté laisse entrevoir des seins d'une fermeté peu commune pour une femme de son âge.

— Je vais répondre à ta question, Charlotte, et par le fait même te fournir quelques notions de base en psychologie, réplique-t-elle, de nouveau en mode attaque.

Je grogne intérieurement, mais je laisse passer et j'écoute Martine nous dire que, par ce jeu, elle pourra déterminer l'essence de notre couple. L'idée, c'est de répondre chacun de son côté aux questions qu'elle nous lira.

— Tu vas nous demander des informations sur l'autre? Quel mets il aime le plus, son sport préféré, des trucs comme ça?

— Non, Charlotte, ça c'est du déjà-vu. Moi, je travaille avec des méthodes plus créatives, qui me permettent de faire de l'interprétation.

Maxou me fixe, découragé. Puis son regard s'illumine.

— Ma chérie, tu n'as pas idée du nombre d'*air lousses* que je viens de gagner aujourd'hui.

Je ris jaune à la remarque de Maxou. Jamais, au grand jamais, je n'aurais dû commencer cette histoire de «permissions obtenues» entre nous. La première fois que j'ai réclamé des *air lousses*, c'est quand il m'a laissée seule avec sa mère tout un dimanche après-midi pour aller regarder le foot chez son ami Fabrice.

Je me suis servie de ces points bien mérités pour me faire dorloter dans un spa tout un week-end avec Marianne. Comprenant que ce principe pouvait s'appliquer aussi à lui, Maxou ne manque maintenant pas une occasion pour en accumuler de son côté.

— Alors, reprend Martine, ma première question est la suivante: si vous étiez un objet de Noël, que seriez-vous?

Le contraste entre le ton beaucoup trop sérieux de Martine et le ridicule de son propos me fait éclater d'un rire qui résonne dans toute la pièce.

— Putain… C'est quoi, cette foutue question?

— Maximilien, vous avez l'esprit ouvert, j'espère. Faites-moi confiance. Et toi, Charlotte, si tu connaissais un peu la science de la psychologie, tu saurais que les analogies sont très révélatrices.

— OK, un animal, un arbre, mais des objets de Noël? Je vois pas le rapport du tout.

— C'est parce que tu n'as pas de formation, comme moi. Allez-y, le temps file.

Je me plie de mauvaise grâce à l'exercice, tout comme Maxou, qui trouve aussi ça complètement farfelu. Mais bon, j'ai quand même payé pour cette séance, autant en profiter. Et puisque je veux éviter un tête-à-tête Maxou-Martine, je prends tout mon temps pour répondre. J'observe la page blanche de longues secondes, le crayon tournoyant entre mes doigts, en faisant semblant de réfléchir.

— Presse-toi un peu, Charlotte, tu dois donner la première idée qui te passe par la tête. C'est ça, le principe.

Je n'en reviens pas, du ton autoritaire qu'elle adopte quand elle me parle. Un ton dont je me méfie et qui m'incite justement à désobéir.

J'écris le mot « cadeau », puis j'ajoute: « emballé dans du papier argent avec une boucle bourgogne et doré ».

Martine me regarde, mécontente, tandis que Maxou attend qu'on passe à autre chose. Visiblement, il a écrit n'importe quoi pour se débarrasser. Martine nous pose six autres questions, entre autres quel poisson nous aimerions être. Pour terminer, elle nous prie de marquer d'une étoile rouge la question à laquelle nous avons eu le plus de facilité à répondre et d'une étoile bleue celle qui a exigé le plus d'introspection.

Hein ? Introspection à se demander lequel des ustensiles de cuisine nous ressemble le plus ? Non mais, je rêve ! C'est n'importe quoi ! J'ai l'impression de ne pas être dans la réalité. Je me crois presque dans un mauvais film de série B. Je secoue la tête.

Je savais que Martine n'était pas une psychothérapeute comme les autres, mais je ne la croyais pas aussi… Quel est le mot juste ? Ésotérique ? Saugrenue ? Incompétente ? Non… je dirais folle ! Voilà le bon mot.

Une folle qui gagne bien sa vie, comme en témoigne sa popularité. Une folle qui est assez futée pour paraître équilibrée à la télé et à la radio. À mon avis, ce sont ces personnes qui sont les plus dangereuses, les plus manipulatrices. Finissons-en avant qu'elle nous embobine, tous les deux.

Je colle mes étoiles au hasard et je remets ma feuille à Martine. Maxou fait de même.

— Excellent, nous dit-elle en rangeant les feuilles de côté. Je vous enverrai mon analyse par courriel.

— Ah bon ?

— Maintenant, Charlotte, si tu veux bien attendre ton mari à l'extérieur. Il nous reste une petite demi-heure pour faire le point ensemble.

— Oui, mais j'aurais aimé savoir pourquoi je veux être un jeu de Scrabble.

— Ah tiens, moi aussi j'ai cette réponse, m'informe Maxou.

— *Woooooow*, ça signifie sûrement qu'on est compatibles, mon amour, dis-je avec ironie.

Maxou s'apprête à me relancer quand Martine me désigne froidement la porte de son index.

— Mon amour, tu restes ? Vraiment ?

— Tu m'as demandé de participer, eh bien, je participe. Ce n'est pas ce que tu souhaitais ?

— Oui, oui, mais…

— Charlotte, s'interpose notre psy, on a assez perdu de temps.

Eh, que je n'aime pas ça ! Laisser mon mari entre les griffes de cette démone. Surtout qu'elle sait des choses que je n'aurais jamais dû lui confier. Maudit ego qui m'a encore joué des tours.

Je quitte à regret le bureau de mon ex-collègue et je me tiens derrière la porte, pour essayer de saisir des bribes de leur conversation. Rien à faire, la pièce est vraiment bien isolée.

Je me dirige vers la salle d'attente où j'empoigne une revue que je feuillette sans m'attarder au contenu. Mon esprit est ailleurs, totalement préoccupé par ce qui se passe entre Martine et Maxou. Et surtout par ce qu'elle peut bien lui raconter. Pour passer le temps, je consulte mes courriels sur mon téléphone intelligent. Et là, comme si la journée n'était pas assez chargée en émotions, je tombe sur un message qui finit de m'achever.

Chère Charlotte,

Alixe, Hubert et moi avons décidé de surprendre Maximilien en lui rendant visite cet été. Nous arriverons donc sur Montréal le 21 août pour un séjour de trois semaines. Nous désirons aussi voir les chutes du Niagara et nous souhaitons que Maximilien nous accompagne, puisqu'il en rêve depuis qu'il est tout petit.

Je vous prierais de garder le secret et de venir nous chercher à l'aéroport. L'atterrissage est prévu à 16 h 30. Je vous rappelle aussi que Hubert et moi préférons dormir dans des lits distincts, mais dans la même chambre.

Quant à Alixe, il serait important de lui réserver son espace, puisqu'elle a maintenant 16 ans et qu'elle a besoin de son intimité. Je suggère qu'elle s'installe dans la chambre d'Adrien-Florian.

Bien à vous,
Victoria

Ah, la chipie ! Elle a tout organisé sans m'en parler ! La reine qui débarque, bousculant du coup toute ma planification estivale. Elle n'a jamais pensé que je pouvais, moi aussi, avoir des projets de vacances. Comme faire un voyage dans le Grand Canyon en famille. Et c'est quoi, cette histoire de chutes Niagara ? Jamais Maxou n'a émis le désir de les voir autrement qu'en photo. Elle invente n'importe quoi !

Et mon fils, je suis censée le mettre où pendant que sa demi-sœur occupera sa chambre ? On sait bien, Adrien n'obtient pas la moitié de la considération que Victoria a pour Alixe. La raison en est fort simple : je ne suis pas française et je ne viens pas de la haute société. Elle estime donc qu'Adrien et moi n'appartenons pas à son monde. À la limite, nous sommes des bâtards… Encore aujourd'hui, ça m'enrage royalement. C'est une injustice totale. Surtout pour mon fils, qui est privé de grands-mamans aimantes et compréhensives. Parce que ce n'est pas non plus de mon côté qu'il va trouver ça !

J'ai parfois peur que mon garçon soit un peu isolé. Il a un seul grand-parent sur qui il peut compter, il n'a ni oncles, ni tantes, ni cousins, ni cousines, ni vrais frères ou sœurs… Et ce n'est pas au programme de lui en fabriquer un ou une.

Maxou a été très clair là-dessus et, de mon côté, j'avoue ne pas en avoir le courage. Pas pour l'instant, du moins. Pas avec un mari qui est toujours débordé par le travail et qui s'implique si peu. Ma tâche est déjà assez lourde.

Il y a aussi cette peur irraisonnée. Celle que je n'ai jamais révélée à personne. Je ne peux pas m'empêcher de penser que, si j'avais un deuxième garçon, je serais terriblement désappointée. Déjà que ç'a été un choc la première fois, je n'ose imaginer ma réaction si j'en avais un autre.

Avec Adrien, j'ai vite surmonté ma déception de ne pas avoir une fille – je l'ai tellement désiré, cet enfant –, mais avec un second les données ne seraient pas les mêmes. Et s'il fallait que, malgré moi, je communique mes sentiments à mon bébé, je m'en voudrais toute ma vie. Je préfère donc m'abstenir et essayer d'être la meilleure mère possible pour Adrien. Ce qui n'est pas une mince affaire, car les pires doutes m'assaillent en tout temps. Par chance, Marianne vient à mon secours régulièrement.

Je regarde à nouveau l'heure sur mon iPhone. Encore vingt minutes à attendre. Vingt longues minutes… Comment pourrais-je bien les occuper? Comment oublier mon angoisse? En salivant devant des recettes, bien sûr. Je parcours les applications cuisine de mon téléphone, à la recherche d'une idée de repas pour ce soir.

Vivaneau grillé à la grecque, avec une salade de tomates à l'origan… Bof! Jarrets de veau braisés au muscat… Non, trop hivernal. Tartare de saumon classique… Trop classique, justement. J'ai envie d'un truc plus créatif, d'une assiette ensoleillée, remplie de couleurs. Une belle salade, peut-être? Salade de quinoa… Non. Chèvre chaud et oignons caramélisés… Ouin, peut-être. Salade de pieuvres à la portugaise… Intéressant, mais je n'ai pas le temps de passer à la poissonnerie qui offre les meilleures en ville.

Je soupire d'exaspération. Ces temps-ci, rien ne me tente quand vient le moment de cuisiner. Je souffre de *burn-out* culinaire et j'ignore pourquoi!

En réalité, je crois que j'ai besoin de stimulation. Comme je suis la seule à faire la popote à la maison et que, la plupart du temps, je dois prévoir deux repas – un pour mon fils et un pour Maxou et moi –, je me retrouve en panne d'idées. Si je veux être honnête, les échanges culinaires comme ceux que j'avais avec P-O me manquent. Cruellement.

« Hein ? Tu mets une olive dans ta soupe à l'oignon gratinée ? lui avais-je demandé, stupéfaite en le voyant placer une olive reine dans le fond du bol, avant d'y verser la soupe fumante à la Guinness et de l'agrémenter de croûtons de ciabatta et de fromage Louis D'or.

— Oui, la chaleur va rehausser le goût de l'olive, tu vas voir. Fais juste attention pour pas t'étouffer avec le noyau, *honey*», m'avait-il répondu.

Et il avait raison. C'était délicieux et, en plus, ça donnait une petite touche originale à son entrée.

Ou bien cette fois où je trouvais que mes pâtes aux crevettes manquaient de *oumpf* et qu'il y avait ajouté un soupçon de piment Chimayo en poudre et du zeste de citron vert.

Ou encore ce dimanche après-midi que nous avions passé à ouvrir des huîtres et à tester de nouvelles recettes de mignonnettes pour ses restos. Le tout arrosé de deux bouteilles de prosecco. Mollusque et mousseux… Inutile de préciser que la journée s'était rapidement terminée au lit.

J'avoue que je m'ennuie de cette complicité culinaire. Je me sens un peu seule avec mes livres de recettes, si nombreux soient-ils. Ça explique pourquoi, ces jours-ci, j'ai tout juste assez d'entrain pour acheter des homards à la poissonnerie et ouvrir un contenant de roquette pour faire une salade d'accompagnement. Bon, d'accord, c'est la saison du homard et nous en raffolons tous les deux, mais de là à en manger quatre fois par semaine… Et, au même moment, je gave mon fils de Kraft Dinner et de pâté chinois acheté chez Ugo… Pas fort. Il faut que je me ressaisisse! Il en va du bien-être d'Adrien et de ma santé mentale. Cuisiner m'a toujours aidée à garder un certain équilibre dans ma vie et, comme il est évident que ma thérapie avec Martine se termine aujourd'hui, je dois retourner à mes chaudrons. *Presto!*

C'est décidé: ce soir, je prépare un bon souper que nous aimerons tous les trois. Ah oui? Et ça consiste en quoi, au juste? Eh, misère… Va pour le homard!

— Charlotte, tu viens?

Je sursaute quand Maxou arrive à mes côtés.

— Ah, t'es là? Ça s'est terminé plus tôt que prévu, dis-je en enfilant mes escarpins à talons carrés que j'avais retirés pour m'asseoir à l'indienne.

— J'en avais assez entendu! Allez, dépêche-toi, s'il te plaît, me presse mon mari d'un ton sec, ce qui m'inquiète encore plus.

De quoi, au juste, a-t-il assez entendu parler?

— Qu'est-ce que vous vous êtes dit?

— Je te raconterai, dit-il en s'éloignant vers la sortie.

Je ramasse mon sac à main en catastrophe et je le suis jusqu'à l'ascenseur.

— Avez-vous parlé de moi?

Question sous-entendue: est-ce qu'elle a trahi le secret professionnel en lui révélant ce qui s'est passé à New York?

— Oui.

— Ah bon. Et puis?

— On en discutera dans la voiture, d'accord?

— Euh… OK.

Une fois les portes de l'ascenseur refermées sur nous, j'observe Maxou pour essayer de deviner à quoi m'attendre. Il regarde les numéros des étages défiler un à un sur le tableau électronique et son visage est complètement fermé. Il n'a vraiment pas l'air content.

En silence, nous descendons jusqu'au niveau 1, où la BMW de Maxou est garée. Aussitôt que nous sortons du stationnement souterrain, je relance mon mari.

— Alors, qu'est-ce qui s'est passé avec Martine?

— Quelle perte de temps! Charlotte, tu aurais pu choisir quelqu'un de compétent, non?

Je pousse un soupir de soulagement. Si Maxou estime qu'il a perdu un peu de son précieux temps de chef d'entreprise, ça veut dire qu'il n'a rien appris sur moi. Fiou… Je respire mieux.

— Excuse-moi, mon chéri. Je pensais sincèrement qu'elle pouvait nous aider.

— Elle est folle, cette femme ! Complètement.

— Ben coudonc, qu'est-ce qu'elle a fait ?

Au lieu de me répondre, mon mari préfère s'en prendre au « taré » qui circule devant lui « à pas d'escargot ».

— Non mais, bouge ! Oh là là, il ne sait pas conduire, ce mec !

— Maxouuuuuu ?

— Attends, je le double.

Dans une manœuvre hasardeuse, à laquelle je suis désormais habituée et qui ne m'effraie plus, Maxou accélère, tout en traversant une ligne continue pour dépasser le véhicule qui le précède. Tout ça en plein centre-ville, au plus fort de l'heure de pointe.

— Elle m'a carrément fait des avances, reprend-il, une fois de retour dans sa voie.

— QUOI ! T'es pas sérieux ?

— Je t'assure. Elle a commencé par me livrer un petit discours sur les joies de l'infidélité et puis, ensuite, elle a détaché les boutons de son chemisier.

— Au complet ?

— Tout à fait !

— Ah, la taba%?*# !

— Et ce n'est pas tout.

— Comment ça, c'est pas tout ?

— Elle ne portait pas de soutien-gorge.

— Ben voyons donc !

— Hum, hum… Bon, on peut dire qu'elle est pas mal. Elle est plutôt bien foutue, tu vois.

— EILLE ! C'est même pas des vrais !

— Ah non ? Eh bien, on n'y voit que du feu.

— Ben coudonc, tu les as donc ben regardés longtemps.

— Mais non, quelques secondes à peine.

— Après ?

— Elle s'est reboutonnée tranquillement, en ne me quittant pas des yeux.

— Et toi, t'as fait quoi ?

— Comment, qu'est-ce que j'ai fait ? Rien du tout.

— Ben, tu l'as regardée.

— Ce n'est pas un drame, quand même.

— J'aime pas ça pareil ! Veux-tu ben me dire pourquoi t'as accepté de rester avec elle, aussi ?

— Mais parce que je me doutais bien qu'elle ferait un truc du genre. Je voulais voir jusqu'où elle était prête à aller pour me séduire.

— Dis donc plutôt que tu voulais voir ses seins !

— Mais ça n'a rien à voir ! Purée, qu'est-ce qu'il ne faut pas entendre…

— Ah non ? Fais-moi pas croire que tu voulais pas te rincer l'œil.

— Pantoutttte, comme tu dis !

Mon chum et sa façon plutôt savoureuse d'utiliser nos expressions québécoises… Je craque et il le sait très bien. D'ailleurs, j'aime nettement mieux quand il dit « tabernacle » que « purée », le patois français qu'il a récemment adopté. Purée de quoi ? De patates, de pois, de chou-fleur ? Pas très viril, tout ça.

— Pourquoi alors ? dis-je en me radoucissant.

— Je veux la dénoncer.

— La dénoncer ? À qui ?

— À son ordre professionnel ! Je trouve son comportement inadmissible.

— Elle a pas d'ordre professionnel. Martine, c'est une psychothérapeute, pas une psychologue.

— Et alors ? Elle doit bien faire partie d'une association quelconque.

— Peut-être, mais c'est beaucoup moins bien réglementé. Moi, à ta place, j'oublierais ça.

D'autant plus que je n'ai pas envie que Martine se serve de mes confidences pour se venger de la dénonciation de mon mari.

— Elle est trop dangereuse pour que j'oublie.

— Dangereuse? Je crois pas, non.

— Si. Je suis convaincu qu'elle utilise son pouvoir pour se taper des clients. Les mecs en tombent amoureux, et c'est là qu'elle s'en débarrasse comme de vieilles chaussettes.

— On le sait pas vraiment.

— Tous les signes sont là, Charlotte. Habituellement, je ne suis pas trop regardant sur qui couche avec qui, mais dans un cas comme celui-ci je sais le tort que ça peut causer.

— Ben, si les hommes sont consentants…

— Charlotte, allume! Ils sont en thérapie, donc dans une situation de vulnérabilité. Je sais de quoi je parle, c'est arrivé à un de mes potes.

— Ah bon? Je savais pas. Mais je suis pas certaine que Martine fasse ça avec tous ses clients. Je pense que t'exagères.

— J'exagère? Fouille dans la poche de mon veston et vérifie.

Je m'exécute et je découvre deux condoms.

— C'est quoi, ça?

— Ça, c'est ce qu'elle m'a donné avant de partir, en me disant que les prochains rendez-vous en tête à tête allaient être gratuits.

— Ah, la salope!

— Tu vois comment c'était planifié?

— Ouin.

— Content de voir que tu te ranges à mon avis, Charlotte! Tu me trouves le nom de son association, s'il te plaît?

— OK… dis-je sans enthousiasme.

— Merci.

— On arrête acheter du homard?

— Encore?

— Faut en profiter, Maxou, la saison est courte.

— D'accord.

Je garde le silence, essayant de réfléchir à la situation. Maxou a raison, notre devoir de citoyens est de faire en sorte que Martine cesse de nuire à ses clients. Mais comment la dénoncer sans en payer le prix ? Qui vais-je protéger ? Moi-même ou la population ? Un beau dilemme éthique en perspective.

Une chose est certaine : les thérapies, c'est fini pour moi. F-i-fi, n-i-ni ! Retour à la bonne vieille méthode : le soutien des amis.

Quelques minutes plus tard, au moment où la voiture s'arrête devant la poissonnerie, j'estime avoir assez réfléchi.

— Maxou, avec les trois clients qui se sont ajoutés cette semaine plus le dossier de l'hôpital, t'auras jamais le temps de rédiger une plainte, et tout, et tout… Tu veux que je m'en occupe ?

— Tu ferais ça pour moi ?

— Mais bien sûr, mon chéri. Je suis là pour t'appuyer, tu le sais bien.

Mon mari m'enveloppe d'un regard reconnaissant, et c'est le cœur léger que je sors du véhicule pour aller acheter les crustacés. Oui, je vais écrire la plainte, oui, il va la signer… Mais qui dit qu'ensuite elle se rendra à bon port ? Après tout, c'est si facile de perdre une lettre dans la poste. Surtout quand il n'y a pas de timbre et que l'adresse du destinataire n'existe pas.

17

« Je pourrais faire un bon végétarien
si l'on décrétait un jour que le bacon est un légume. »
LAWRENCE BLOCK, *Ils y passeront tous.*

— Une quoi ?

— Une disco-soupe !

C'est l'heure de l'apéro, que je suis venue prendre chez Marianne. Karen arrive dans la cuisine pour y déposer une boîte contenant douze conserves de tomates en dés, en tentant de m'expliquer à quoi elles serviront. Mais j'ignore de quoi elle parle.

— C'est quoi, au juste, une disco-soupe ?

— Tu connais pas ? Ça m'étonne.

Toujours aussi charmante, la blonde de ma meilleure amie. Ces derniers temps, dès que l'occasion de me lancer une pointe se présente, elle la saisit. Agaçant, à la fin…

— Et alors ? C'est un crime de pas tout connaître ? dis-je avec ironie.

Karen se radoucit aussitôt. Non pas à cause de mes paroles, mais parce que Marianne vient de nous jeter un regard d'exaspération. Mon amie n'aime pas la discorde et elle nous ramène à l'ordre régulièrement. Mais, entre Karen et moi, ce sera toujours un peu tendu, j'en ai bien peur.

— C'est un mouvement qui s'inscrit dans la lutte contre le gaspillage alimentaire.

— Chouette! Et qu'est-ce que vous faites, au juste?

— On se réunit pour cuisiner une soupe géante avec des légumes dont les épiceries ne veulent pas.

— Des légumes pourris? C'est pas hyper sécuritaire, il me semble.

— Mais non, Charlotte! Ils sont juste défraîchis ou pas assez beaux pour être vendus, mais ils sont encore comestibles.

— Ahhh, là, je comprends! Et pourquoi on appelle ça une disco-soupe?

— Parce qu'on s'amuse en même temps. On met de la musique, on danse, on prend une bière.

Une corvée de cuisine sous le signe du plaisir. Wow! C'est trop moi!

— Je veux y aller!

— Tout le monde est bienvenu. À condition qu'on donne un coup de main, m'informe Karen d'un air sceptique.

Ce qu'elle insinue me met hors de moi. Je dépose ma margarita sur le comptoir et je la regarde droit dans les yeux.

— Coudonc, Karen, ça fait assez longtemps que tu me connais pour savoir que je suis capable de m'activer dans une cuisine!

— Ah, j'en doute pas. Mais y a rien de *glamour* dans ce qu'on prépare.

— Je vois pas le problème. J'aime ça, cuisiner de la soupe aux légumes.

Bon, c'est vrai que je la préfère avec des légumes raffinés, tels du chou romanesco, des tamarillos ou des crosnes, mais je serais étonnée qu'on prépare ce repas pour le rapporter à la maison. Le partage, c'est le principe même d'une activité communautaire.

— On la donne à qui, ensuite?

— À des organismes qui nourrissent les défavorisés.

— Quoi que tu en penses, Karen, je trouve ça génial! Et j'ai envie de m'impliquer.

— *If you say so…*

— Toi, Marianne, tu y vas?

— Oui, oui, répond mon amie en fouillant dans le frigo pour en sortir des poivrons multicolores et un emballage qui contient un produit que je ne connais pas et dont la couleur brunâtre ne m'inspire pas confiance.

— Tu soupes avec nous, Charlotte? me demande-t-elle.

— Euh… dis-je en regardant ma montre. C'est juste que… y a Adrien, tu vois.

— Il est pas chez ta mère pour la soirée? Pour la nuit, même?

— Ben oui… Mais, avec elle, on sait jamais comment ça se passe. Faudrait d'ailleurs que je l'appelle pour vérifier si…

— Dis-le donc, Charlotte, que t'aimes pas ce qu'on mange, lance Karen d'un ton mécontent.

— C'est pas ça.

— Ben oui, c'est ça! Assume-toi au moins.

Marianne, qui avait jusque-là gardé les yeux fixés sur la nourriture, intervient:

— Arrête, Karen, s'il te plaît. Charlotte est pas obligée d'aimer le seitan.

— Je sais. Je veux juste qu'elle le dise!

J'avale le reste de ma délicieuse margarita avant de sauter dans l'arène avec la blonde de ma meilleure amie. Ce qui semble être notre activité favorite depuis qu'on se connaît.

— OK, OK, t'as raison, Karen. Je trippe pas vraiment sur le végé.

— Bon, tu vois, c'est pas si difficile de dire la vérité.

— Mais comme je suis une fille ouverte et que j'ai jamais mangé de seitan, je vais y goûter. Promis!

Tiens ! *In your face,* Karen Murphy ! Et puis, de toute façon, comme j'adore les poivrons multicolores, je pourrai me rabattre sur eux si jamais je n'aime pas le seitan.

S'avouant vaincue, Karen dispose trois assiettes sur la table de la salle à manger, avant de disparaître dans le bureau pour aller répondre à ses courriels. Enchantée de passer un moment seule avec ma copine, je dis à Karen de prendre son temps et que Marianne et moi allons nous occuper du repas. Aussitôt que Karen est hors de notre vue, je me tourne vers Marianne et lui fais un sourire complice.

— J'espère que t'as du bon vin.

— J'ai tout ce qu'il faut, inquiète-toi pas !

Marianne me tend un couteau et me demande de tailler les poivrons en brunoise pour en faire une salade qu'on agrémentera de feta, de menthe fraîche et d'une vinaigrette toute simple à l'huile d'olive et au citron. Intéressant.

Je me mets à la tâche pendant que Marianne prépare son sauté de seitan aux saveurs asiatiques. J'avoue que je ne suis pas convaincue que les deux plats s'harmoniseront bien… Mais bon, une promesse est une promesse.

— Tu m'as pas dit, Charlotte, si ta mère est finalement allée dans le Sud avec son gars de la construction.

— Ben oui. Elle vient juste de revenir.

— Ah ouin ? Et comment ça s'est passé ?

— Je sais pas. Je préfère ne pas le savoir.

— T'es pas curieuse ?

— Pas vraiment, non.

— Je te comprends, y a rien de trop glorieux là-dedans.

— Le mot est faible.

Quand je suis allée conduire Adrien chez maman tout à l'heure, j'ai bien remarqué son bronzage plutôt inhabituel et beaucoup trop prononcé pour la mi-juin. *Hello* cancer de la peau !

Je ne lui ai toutefois posé aucune question et j'ai préféré laisser mon fils s'interposer en réclamant à grands cris sa ferme Mega Bloks.

J'ignore pourquoi maman a voulu garder Adrien ce soir et cette nuit, j'ai même trouvé ça un peu suspect, mais, quand elle me l'a offert, j'ai tout de suite accepté. Maxou étant à Paris pour la semaine, une petite soirée à moi ne me fera pas de tort. Cet enfant a le don de m'épuiser, parfois.

— Donc, c'est fini entre elle et ton père?

— Tout ce que je sais, c'est que papa ne vit plus chez elle. Salama l'a hébergé quand elle était ici. Depuis qu'elle est partie, il a pris un petit appart meublé. Mais je pense qu'ils se voient de temps en temps.

— Pas simple, leur histoire.

— En tout cas, c'est très décevant. Même pas capables d'être fidèles à leur âge…

— T'aurais aimé ça, hein, qu'ils redeviennent un vrai couple?

En guise de réponse, je soupire en haussant les épaules. Marianne se concentre sur sa tâche et je l'observe trancher délicatement son morceau de seitan. Une fois de plus, je me demande pourquoi elle a adopté le régime de sa blonde, elle qui aimait tant les repas festifs autour d'une belle pièce de viande.

Au début de sa relation avec Karen, Marianne a pratiqué le flexitarisme, réduisant considérablement sa consommation de viande, ce à quoi j'ai totalement adhéré et qui a donc déteint sur mes propres habitudes alimentaires. Mais, depuis quelque temps, Marianne est devenue carrément végétarienne. Adieu veau, vache, cochon!

Mais c'est son choix et je dois le respecter. Sauf que… est-ce vraiment sa décision? Hum… pas certaine.

Le bruit des pas de Karen, qui revient dans la cuisine, me tire de ma réflexion. Elle a un air plutôt contrarié, ce qui inquiète Marianne.

— Qu'est-ce qui se passe, ma puce ?
— Faut que je retourne au bureau.
— Là, là ?
— Oui. Pas le choix.

Karen explique à sa blonde les raisons de son départ précipité, tandis que je me retiens pour ne pas sourire.

— On va te garder une assiette, si tu veux, dis-je en faisant semblant d'être désolée.

Mais Karen n'est pas crédule et me jette un regard peu convaincu.

— Bon courage, lance mon amie à son amoureuse.

Aussitôt que Marianne entend la porte d'entrée se refermer, elle dépose son couteau sur sa planche en bambou et avale d'un trait ce qui lui reste de margarita. Elle me regarde ensuite droit dans les yeux et me fait une proposition que je ne peux pas refuser.

— Ça te tente-tu d'aller chez Schwartz's ?

***

Attablée devant le meilleur smoked meat de Montréal, un *pickle* et des frites, j'écoute Marianne me raconter qu'au moins une fois par semaine elle triche et mange de la viande.

— Dans le dos de Karen ?
— Ben oui. Ce qu'on sait pas, ça fait pas mal.
— Ouin, mais…
— Regarde, Charlotte, c'est correct. J'achète la paix, tu comprends ?
— Pas sûre.
— Bon, on change de sujet. Comment va Ugo ? T'as eu de ses nouvelles dernièrement ?
— Ça fait un petit bout. Je sais pas s'il s'est passé quelque chose avec Enzo.

Quand j'ai raconté à Marianne qu'Ugo était amoureux d'un de ses employés et que j'ignorais si c'était réciproque, elle a partagé mes inquiétudes. Elle non plus ne prédit aucun avenir à cette hypothétique relation.

— Tu sais bien, Charlotte, que, s'il a couché avec lui, il te le dira pas.

— Probablement pas, non. Mais je peux le deviner, par contre.

— C'est vrai.

— Faut vraiment que je me mette à lui chercher un chum.

Marianne, qui, depuis le départ, n'est pas très à l'aise avec mon idée d'inscrire Ugo malgré lui sur un site de rencontres gai, ne relève pas ma remarque et déguste lentement son sandwich bien gras. Il y a un moment que je jongle avec cette possibilité, mais, le problème, c'est que je ne sais pas comment la réaliser.

Oui, je mets une photo d'Ugo et sa description sur un site de rencontres. Oui, je prends rendez-vous en son nom. Mais, après, je fais quoi? Je me pointe dans un café à la place de mon ami et j'explique ma démarche au gars? Il va déguerpir à cent milles à l'heure! Et s'il reste, comment une seule rencontre avec cet homme pourrait me prouver qu'il est *ze man* pour mon ami?

Pas évident… vraiment pas évident. L'idéal serait de pouvoir observer ces candidats en société, afin de me faire une véritable idée de leur potentiel. Mais pas question d'aller recruter dans un bar gai! J'ai la désagréable impression que tout est axé sur le sexe dans ces endroits… Pas si différents que dans les bars hétéros, pour être franche.

Et si je convoquais le peut-être-futur-chum-de-mon-meilleur-ami à un événement public? Puisque j'ai l'intention de fréquenter assidûment le gratin montréalais, je ferais d'une pierre deux coups, non? Nahhhh… À bien y penser, pas vraiment. Ces trucs sont la plupart du temps superficiels.

J'ai besoin d'un endroit où les gens sont authentiques, où il y a de vrais échanges, où tout le monde s'entraide… comme lors d'une disco-soupe. Mais oui !

— Marianne, est-ce que je peux amener des invités à la disco-soupe ?

— Tu connais le principe.

— Oui, oui, ils participeraient, eux aussi.

— Dans ce cas-là, je vois pas de problème. Qui viendrait avec toi ? Des collègues du bureau ?

— Euh…

Est-ce que je parle de mon plan à mon amie ou je le garde pour moi ? Ce serait plus sage d'attendre. C'est bien beau avoir un *flash*, mais il me faut penser logistique avant de passer à l'action.

— Oui, des collègues. Des gars surtout.

— Super !

Je me tourne vers ma gauche pour demander à mon voisin de table de me donner la moutarde. Ici, l'intimité n'a pas sa place. On mange collés contre de purs étrangers, ce qui rend l'expérience encore plus intéressante.

— J'espère qu'elle ne vous montera pas au nez, me taquine l'inconnu en déposant le condiment devant moi.

Je ne peux m'empêcher de pouffer de rire devant cette blague plutôt idiote, mais lancée sur un ton aussi charmeur. L'inconnu à ma gauche est français, comme en témoigne son accent. Par contre, bien difficile de dire s'il est en visite ou s'il habite ici. L'hiver, on peut facilement reconnaître les Français qui habitent Montréal à leur chaud manteau Canada Goose. Ils en portent tous un, même Maxou !

Canada Goose par-ci, Canada Goose par-là… De plus, bien souvent, ils le revêtent dès les premières fraîcheurs d'octobre, même si les manteaux sont conçus pour les froids extrêmes. Drôle à mourir !

Mon rire s'éteint aussi vite qu'il a éclaté. Je remercie l'inconnu, j'empoigne le contenant jaune légèrement graisseux et j'étale une bonne couche de moutarde sur mon pain. À pleines dents, je mords dans mon sandwich.

— On se connaît, non ? me demande mon voisin.

Eh merde ! Pas moyen de manger tranquille ! Cette technique de *cruise* est vieille comme le monde, monsieur l'inconnu. Je mastique mon délicieux smoked meat, tout en examinant le visage de l'homme assis à mes côtés. Il me semble familier, mais je serais bien en peine de dire qui il est. Je secoue la tête négativement, heureuse d'avoir la bouche pleine et de ne pouvoir fournir plus d'explications.

— Si, si, je vous connais.

L'étranger continue de m'observer tandis que je finis d'avaler ma trop grosse bouchée. Un peu gênant. Je me tourne vers Marianne pour l'interroger du regard. Elle hausse les épaules, n'en sachant pas plus que moi. Je bois une gorgée d'eau avant de tenter d'éclaircir la situation.

— Vous avez peut-être vu mon émission à la télé.

— Ah ben voilà !

Je souris poliment à mon interlocuteur avant de piger dans mes frites, quand il me relance.

— Vous avez travaillé avec mon patron.

— Votre patron ?

— Pierre-Olivier. Je suis serveur au Terminus. C'est là que je vous ai vue.

Le Terminus est l'un des deux restos branchés qui appartiennent à mon ex-collègue. Du temps où nous animions *Plaisirs épicés* ensemble, j'y allais assez régulièrement pour me faire gâter.

— Ah oui, oui, oui. Je m'en souviens, maintenant.

Ce n'est pas vrai, mais je ne crois pas qu'il soit nécessaire d'être bête.

— Vous ne venez plus souvent.

— C'est que j'ai été très occupée.

— Vraiment ?

Je ne relève pas le ton sceptique de mon interlocuteur. Que sait-il au juste de ma relation avec P-O ? Il doit bien être au courant que nous sortions ensemble, nous ne l'avons jamais caché. Et pourquoi ai-je l'impression qu'il me regarde avec un léger mépris dans les yeux ? Qu'est-ce que je lui ai fait ? Rien du tout.

Mal à l'aise, je détourne la tête, en espérant que l'employé de P-O comprendra mon message. Qu'il me fiche la paix, une fois pour toutes. Mais rien ne semble le décourager.

— Je peux vous assurer qu'il en a fallu, au *boss*, du temps pour se remettre de votre séparation.

— Je ne vois pas en quoi ça vous regarde, dis-je froidement.

— C'est qu'on en a tous souffert au boulot. Il était d'une humeur exécrable.

Une fois de plus, la culpabilité que j'éprouve envers P-O refait surface. J'en ai l'appétit coupé. Va-t-il enfin se taire ?

— Et ç'a duré des mois, poursuit le serveur. Vous n'avez pas idée à quel point il était imbuvable.

— Vous avez fini, là ? intervient Marianne. Vous voyez bien qu'elle ne veut pas en parler.

— Bon, bon, très bien. Mais on était tous bien contents qu'il ait rencontré quelqu'un.

J'ai soudainement l'impression qu'on vient de me scier les deux jambes. P-O amoureux d'une autre ? Pourquoi est-ce que ça me trouble à ce point ? Il en a bien le droit, je devrais même être heureuse pour lui. Alors d'où vient ce pincement au cœur ? Et ce besoin irrésistible de savoir qui est celle qui m'a remplacée ?

— Tant mieux… Est-ce que… est-ce que vous la connaissez ? C'est une collègue ?

— Tiens, vous êtes curieuse, maintenant.

— Je m'intéresse à son bonheur, c'est tout.

Marianne me lance un avertissement du regard, pour m'inciter à laisser tomber. Mais c'est plus fort que moi, je veux savoir.

— Non, elle n'est pas du milieu. Je crois qu'elle enseigne la Zumba ou un truc du genre.

Une danseuse de Zumba ? Quelle claque en pleine face ! Elle doit être *shapée* pas à peu près ! C'est quoi, maintenant, cette pointe de jalousie ? Et ces larmes que je retiens avec difficulté ? Ma réaction n'échappe pas à ma bonne amie, qui se fait un devoir d'interrompre la conversation.

— Merci pour l'information, mais si vous voulez bien, nous allons continuer notre repas tranquillement.

— Bon appétit, alors.

Je reprends mon sandwich, mais je le repose aussitôt. Je n'arrive pas à digérer ce que je viens d'apprendre. Et je ne comprends pas, non plus, pourquoi ça me met dans un tel état. À quoi je m'attendais, au juste ? À ce que P-O me pleure toute sa vie ?

Au fond, je savais bien qu'il n'en serait rien. Et maintenant que tout ça est concret, que je l'imagine dans les bras d'une autre ou en train de lui cuisiner un repas d'amoureux… On dirait que je ne l'accepte pas.

Marianne m'incite à manger, mais je sens qu'une bouchée de plus me ferait vomir. Je la regarde donc se presser à finir son sandwich et je lui en suis très reconnaissante. J'ai juste envie de quitter cet endroit au plus vite.

Celui qui a gâché mon repas se lève pour aller payer, en nous souhaitant une bonne soirée. Marianne lui répond, mais je n'en ai pas la force et je reste les yeux fixés sur mon assiette pleine. Aussitôt qu'il a disparu, je m'adresse à mon amie.

— Veux-tu bien me dire, Marianne, pourquoi ça vient me chercher autant ?

— Je pense que c'est assez clair, Charlotte.

— Quoi ? Que je suis une égoïste finie qui voudrait que son ex ne l'ait jamais remplacée ?

— Ben non, voyons ! Tu sais bien que c'est pas ça.

— C'est quoi, alors ? Maudit que je suis mal faite !

— Je crois que le beau P-O, tu l'as pas complètement oublié. C'est pour ça que ça te fait mal.

— Tu penses ?

— C'est évident. T'as jamais vraiment cessé de l'aimer.

— Oui, mais j'ai Maxou.

— Je sais bien, c'est complexe, ton affaire.

Je soupire de découragement. Tout serait tellement plus simple si j'étais comme Marianne. Pour elle, tout est clair. Karen est la femme de sa vie, et il n'y a qu'elle qui compte. Aucune ambiguïté.

— Une danseuse de Zumba, en plus. Ça écœure!

— Charlotte, franchement!

— Je me demande ça fait combien de temps qu'il est avec elle. C'est peut-être pas sérieux, non plus.

— Ça l'est peut-être aussi! lance Marianne d'un ton ferme.

— Elle a quel âge, tu penses?

— Charlotte, t'arrêtes tout de suite, OK? Ça sert absolument à rien.

— Ça va, j'ai compris. J'arrête de penser à lui.

— Sage décision.

— De toute façon, j'ai promis à Maxou que je le verrais plus.

— C'est une bonne chose. Tu sais ce qu'on dit: loin des yeux, loin du cœur.

— J'imagine, oui.

— Tu vas voir, tu vas finir par l'oublier. Suffit d'y mettre un peu de volonté.

— T'as raison, Marianne.

Pour bien appuyer mes propos, je secoue la tête et j'adopte un ton décisionnel.

— À partir de maintenant, Pierre-Olivier Gagnon aura beau sortir avec la fille la plus *hot* du Québec, je m'en contrefous royalement!

18

SympaUgo@gmail.com

« Pierre-Olivier Gagnon ET danseuse de Zumba »
Voilà ce que je viens de taper dans Google, mais qui ne donne aucun résultat concluant. Essayons autre chose.

« Chef cuisinier ET Zumba »

Rien d'intéressant non plus. Par le nom du resto de P-O, peut-être.

« Resto Le Terminus ET danseuse de Zumba »

Ahhhhh ! Toujours rien. Exaspérant à la fin ! J'ignore, en ce moment, si ma frustration est dirigée contre moi ou contre l'outil de recherche. Il y a deux heures à peine, je m'engageais à ne plus penser à mon ex-amoureux… Je me déprime, d'autant plus que je perds un temps précieux. J'ai pas mal mieux à faire sur le Net. Je dois mettre en branle mon plan pour *matcher* Ugo. La disco-soupe a lieu dans moins d'une semaine, je n'ai pas le loisir de flâner. Allez, Charlotte, jette P-O aux oubliettes et occupe-toi de ce qui compte vraiment : le bonheur de ton ami Ugo.

Sur la Toile, je choisis le site de rencontres gai qui m'apparaît le plus crédible. C'est purement intuitif, je n'ai aucune connaissance en la matière, mais il faut bien commencer quelque part. Et comme ce site est écrit en bon français, j'ai confiance. Je remplis ensuite la fiche de mon ami, que je surnomme SympaUgo.

« Orientation sexuelle. »

Non mais, c'est quoi, cette question ? On est sur un site gai ou pas ? Je ne vois pas du tout la nécessité d'apporter cette précision. À moins que... Ah oui, ça doit être pour ceux qui veulent indiquer qu'ils sont bisexuels. Ceux-là, ils vont passer leur tour avec Ugo, vous pouvez vous fier à moi. Dans le genre, il a déjà donné. Bon, reprenons.

Orientation sexuelle : homosexuel
Ville : Montréal
But sur le réseau : amour
Âge : 40 ans
Taille : 1,75 m
Poids : 77 kilos
Apparence physique : très, très bien
Couleur des yeux : brun intense
Couleur des cheveux : brun chocolat
Fumeur : jamais fumé de ma vie
État civil : célibataire
Nombre d'enfants : 0
Religion : athée
Ethnie : blanc
Scolarité : doctorat en littérature japonaise
Occupation : entrepreneur
Situation financière : excellente
Activités : le vélo, le cinéma, la bouffe, les cinq à sept, aller au resto, suivre des cours d'œnologie, de cuisine thaïlandaise, prendre soin de

mes amies de filles et jouer au papa avec leurs enfants.

Webcam : non

Signe du zodiaque : Verseau

Mon message : Je suis à la recherche d'une relation sérieuse avec un homme équilibré, qui saura m'accepter comme je suis et qui adoptera mes amies, lesquelles sont très importantes pour moi. J'aime les relations simples, basées sur le respect et le partage des valeurs. Ceux qui sont à la recherche d'aventures, prière de s'abstenir.

Voilà qui devrait attirer les bons candidats. J'avoue que je me suis fait plaisir dans la description des activités. J'ignore si Ugo souhaite réellement suivre des cours d'œnologie ou de cuisine thaïlandaise, mais ce serait chouette qu'il rencontre un gars avec ce genre d'intérêts.

Je relis tout une dernière fois et je termine l'inscription de SympaUgo. J'envoie la fiche et je me croise les doigts pour avoir des réponses positives le plus vite possible.

Je referme mon portable pour éviter de réentreprendre de folles recherches sur P-O et je me rends au salon pour finir le verre de rouge que je me suis servi après être allée chercher Adrien chez ma mère.

J'étais quelque peu furieuse quand maman m'a appelée, alors que je sortais de chez Schwartz's avec Marianne, pour me dire que « finalement, j'aimerais mieux que Louis ne dorme pas ici. J'ai fait ce que j'avais à faire avec lui ».

De un, l'heure du dodo était passée depuis longtemps et, avec la journée qui l'attend demain, ce n'est vraiment pas une bonne idée qu'il se couche aussi tard. Et de deux, c'est quoi, cette histoire de « faire ce qu'elle avait à faire avec lui » ? J'ai donc dû me rendre à Laval pour récupérer mon fils, qui dormait debout. Et je n'ai obtenu aucune réponse à mes questions quant à son affirmation étrange.

« Ce n'était qu'une façon de parler, Charlotte », a-t-elle tenté de me rassurer. Mais en vain. J'ai la déplaisante impression qu'elle a utilisé mon fils ce soir dans un but peut-être pas très louable. Mais comment le savoir ?

Je m'arrête devant la chambre d'Adrien et je constate avec bonheur qu'il dort comme un ange. Je m'approche pour l'observer et, un instant, je lui envie sa naïveté d'enfant. La vie semble tellement facile pour lui. Un camion de pompiers miniature, un popsicle aux cerises, l'amour de ses deux parents et le tour est joué. Pas de grands questionnements, pas de montagnes russes d'émotions, le moment présent et rien d'autre.

Je devrais prendre exemple sur lui et arrêter de m'inventer des chimères. La vie est bonne pour moi et il est temps que je le reconnaisse, que je m'assagisse et que je profite de ce que j'ai sans toujours chercher à obtenir ce que je ne possède pas. J'ai célébré mon trente-huitième anniversaire de naissance au début du mois : il est temps d'agir en conséquence et de faire une femme de moi.

Je caresse doucement la chevelure d'un beau châtain pâle de mon fils. Il a les mêmes cheveux bouclés que son père, le même sourire séducteur et le même nez fin et gracieux. Mais il a mes yeux, du même vert intense, avec des cils aussi longs que les miens, avec autant de profondeur. Cet enfant-là, je l'aime plus que tout au monde et jamais, au grand jamais, je ne voudrais lui faire de mal.

Je me penche pour l'embrasser sur la joue et lui murmurer :

— Tu vas voir, mon chou, à l'avenir, tu vas être fier de ta maman. Les folies, c'est fini. Je te le promets.

***

Le lendemain matin, mon premier réflexe est d'aller vérifier si j'ai reçu beaucoup de messages. En réalité, si SympaUgo a reçu beaucoup de messages.

Fébrile, j'accède au site de rencontres. Si je me fie aux habitudes de sommeil de mon fils, j'ai une bonne demi-heure avant qu'il se réveille et vienne mettre un terme à mon activité du moment. Aussitôt que j'ouvre le profil de SympaUgo, je pousse un cri de joie! Quarante-trois messages, rien de moins! Je savais bien que mon bel ami serait populaire.

Je fais tout d'abord défiler le nom des destinataires pour vérifier s'il y a des gars que je connais. Nonstop 22, Mystic 34, Tictac 28, Mike 71, Bob 42… Impossible d'identifier qui que ce soit avec ces pseudonymes à la con. Et c'est quoi, ce fichu numéro à côté de leur nom? Ah, je sais, ça doit être leur âge. Eh bien, Mike 71 et Nonstop 22, vous pouvez aller vous rhabiller!

Observons les photos, maintenant. Pas mal, le mec aux cheveux châtains avec une veste grise… Mais celle-ci a beaucoup trop de *zippers* sur le devant. Manque de goût flagrant. *Out*, Tictac 28. Un peu jeune de toute façon.

Bob 42 est *cute* à mort avec sa chemise à carreaux bleu et blanc. Sourire avenant, l'air propret, des yeux profonds qui semblent sincères… Allons lire son message.

« Salut! T'es *top* ou *bottom*? »

QUOI! Pas gêné, Bob 42! Crois-moi, tu n'auras aucune réponse de SympaUgo. Il a plus de classe que ça, lui. Et ce n'est certainement pas la première question qu'on pose à un autre homme. Je dirais même que, pour Ugo, tout ça est secondaire… Enfin, je n'en sais trop rien, mais je ne peux pas me résoudre à l'imaginer aussi cru dans ses relations.

Je continue d'analyser les photos des candidats… Décevant, très décevant, même. Plusieurs sont totalement dépourvus de charme, d'autres prennent des poses beaucoup trop évocatrices à mon goût, et certains habitent trop loin. La chasse ne s'annonce pas très bonne.

J'y reviendrai un peu plus tard. Mon fils m'appelle depuis sa chambre. J'ai l'intention de lui préparer un déjeuner de champion : pain doré, petits fruits frais et yogourt à la vanille.

C'est une journée importante pour nous. Nous allons passer une audition pour faire des pubs à la télé ou dans les magazines. Yéééé !

Après de longues recherches et des semaines d'attente, j'ai réussi à lui obtenir un rendez-vous dans la meilleure agence de *casting* pour enfants de Montréal. Déjà, je ne suis pas peu fière. Je sais très bien que cette boîte-là ne choisit que la crème de la crème. Reste maintenant à les impressionner lors de la séance photos.

Aussitôt que j'entre dans la chambre d'Adrien et que je le vois assis dans son lit, je comprends que les prochaines heures risquent d'être difficiles. Il est de mauvaise humeur, et ses yeux sont gonflés par le manque de sommeil. Ah non ! Surtout pas aujourd'hui.

— On va dormir encore un peu, mon chou, OK ?

Je l'encourage à s'étendre de nouveau, allant même jusqu'à m'allonger à ses côtés, mais Adrien ne veut rien savoir. Il gesticule sans arrêt, tout en pleurnichant. Rien pour améliorer son état. Peut-être qu'il vaut mieux se lever.

Je prends mon fils dans mes bras en lui parlant doucement pour le réconforter et nous descendons à la cuisine. Pauvre chou, il a l'air épuisé et, moi, je ne dispose que de deux heures pour lui redonner son entrain naturel. Commençons par le nourrir, ce sera déjà ça.

Je l'installe sur le divan du salon avec un petit livre musical, en espérant que les notes de piano et le confort de sa doudou l'inciteront au sommeil.

Mais je ne récolte pas l'effet escompté. Mon enfant lance son livre par terre et vient me rejoindre dans la cuisine, réclamant mes bras à grands cris. Je sens une profonde lassitude m'envahir, mais je me dépêche de le prendre, voulant éviter à tout prix une crise à une heure aussi matinale. Heureusement, Maxou n'est pas là pour insinuer que je me fais manipuler par mon fils. On sait bien. Lui, il le laisserait pleurer jusqu'à ce qu'Adrien s'étouffe avec sa peine ! Bon, j'exagère un peu… Mais pas beaucoup.

Le problème, c'est que, avec Adrien dans les bras, impossible de préparer le petit-déjeuner. C'est qu'il est lourd, mon petit garçon de bientôt deux ans ! Je m'assois donc avec lui et j'attends qu'il accepte que j'aille dans la cuisine.

Quelques minutes plus tard, je quitte le canapé, par bonheur sans cris de protestation de sa part. Je me rends à la salle de bain, où j'attrape deux tampons démaquillants, pour ensuite retourner à la cuisine. Je verse un peu de lait dans une soucoupe et j'y trempe les petites ouates.

Voilà ! Un masque maison pour réduire le gonflement des yeux. À défaut de tranches de concombre, ça devrait faire l'affaire. J'apporte le tout sur le canapé et je propose un nouveau jeu à Adrien.

— On va te cacher les yeux et je vais te préparer une surprise.

Je savais qu'avec le mot « surprise » je capterais son attention. Adrien se camoufle lui-même les yeux, en appuyant ses mains sur ses paupières. Nooooooon ! Pas comme ça !

J'enlève doucement ses petits doigts, je lui demande de fermer les yeux et j'y dépose les tampons. De grandes coulées blanches glissent sur ses joues, que je m'empresse d'essuyer avec la manche de mon peignoir en satin bordeaux.

— Non ! Froid.

— Deux secondes, mon chou, dis-je en maintenant les tampons sur ses yeux, avec une légère pression.

— NOOOOOON !

Découragée, j'abandonne la partie. Je capitule. On ira à l'audition les yeux gonflés, avec une humeur de chien. Advienne que pourra…

***

C'est en train de virer à la catastrophe. Je le savais ! Depuis que la séance est commencée, Adrien est un véritable petit monstre. Je regarde la scène, un peu à l'écart, et je crois que je n'ai jamais eu aussi honte de toute ma vie.

Le photographe a beau essayer de le faire sourire, Adrien lui tient tête et le bombarde de grimaces disgracieuses. Il est même allé jusqu'à faire le bacon, dans une colère qui dépasse tout entendement. D'ailleurs, le professionnel s'est lassé de tenter d'amuser mon petit bonhomme et il se contente de prendre des photos.

Je ne comprends pas pourquoi la directrice de *casting* ne met pas un terme à cette mascarade. Ça ne sert absolument à rien de continuer, Adrien refuse de se prêter au jeu.

Parce que je sais qu'il en est capable. Oh que oui ! Combien de fois l'ai-je vu se fendre d'un grand sourire alors qu'il me voyait surgir avec l'appareil photo ? Mon fils est très *camera conscious* et généralement doué pour nous charmer dès qu'on le filme ou le photographie. Là, il fait exprès de nous emmerder, j'en suis certaine.

— Excusez-moi, dis-je en m'avançant vers la directrice. Je pense qu'on va oublier ça.

— Attendez un instant, s'il vous plaît, répond-elle en se dirigeant vers mon fils, à qui elle tend un ourson en peluche.

Elle se penche ensuite pour lui murmurer quelque chose à l'oreille. Aussitôt, Adrien lance de toutes ses forces le petit animal au bout de ses bras.

— Bravo ! s'exclame la directrice en récupérant l'objet et en le redonnant à mon fils.

Je suis stupéfaite et je m'apprête à mettre mon *veto* quand elle demande à Adrien de s'exécuter une nouvelle fois ! Tout heureux, il ne se fait pas prier pour catapulter le pauvre ourson au fond de la pièce.

— C'est parfait ! Qu'est-ce que t'en penses, Matthew ?

— Il est excellent, répond le photographe avec un charmant accent anglais.

— Euh… je saisis pas très bien. Il a été épouvantable. D'ailleurs, toutes mes excuses, il a pas l'habitude d'être si turbulent.

— Madame Lavigne, j'ai un contrat en or pour Adrien.

— Ah oui ? dis-je, un peu inquiète de ce qu'elle compte nous offrir.

— Oui, c'est une campagne de publicité dans tout le Canada. Diffusée dans les deux langues, à la télé et sur le Web.

— Wow, dis-je, impressionnée. C'est pour qui ?

— Pour le gouvernement.

— Ah, encore mieux. Et c'est quoi, le sujet de la campagne ?

— Euh… c'est une campagne de sensibilisation.

— À quoi ?

— Aux problèmes de violence pathologique chez les petits garçons.

***

— Non mais, tu parles d'une malade, toi ! Voir si Adrien va personnifier un enfant violent dans tout le pays !

Après être sortie de l'agence de façon assez précipitée, je me suis arrêtée chez Marianne pour me défouler. Mon amie a eu la bonté de m'offrir un verre de rosé et de confier Adrien aux bons soins des jumelles pour que je puisse dépomper un peu.

J'ai rarement été aussi insultée de toute ma vie. Me faire dire que mon enfant, mon petit chéri, légèrement dissipé mais combien adorable, a ce qu'il faut pour jouer le rôle d'un garçon capable des pires monstruosités.

— J'ai l'air de quoi, là ? D'une mère qui a aucun contrôle sur son flo ?

— Mais non, réplique Marianne. C'est juste qu'ils l'ont trouvé… euh… intéressant ?

— Naturel ! C'est le mot qu'elle a employé. Eille !

— Charlotte, arrête de t'inquiéter. Adrien n'est pas violent, tu le sais bien.

— Ouin, t'as sûrement raison.

— D'après moi, il était tannant parce qu'il en a eu assez avec sa séance de photos d'hier.

— Hein ? Quelle séance ? De quoi tu parles ?

— Celle chez ta mère. T'as pas vu son Facebook ?

— Non. Pourquoi ?

— Madeleine vient de *poster* plein de photos d'elle et Adrien. Elle a dû les faire prendre hier, pendant qu'elle le gardait.

— Ah, c'était ça, son affaire ! Me semblait, aussi, qu'elle voulait pas seulement me donner un *break*.

Tout en se dirigeant vers son bureau, Marianne m'avise qu'elle revient dans trente secondes avec son portable. J'en profite pour fouiller dans le garde-manger afin de dénicher un petit truc à grignoter : des barres granola, du gruau, du lait de soja, des tisanes à la camomille, des noix du randonneur, du quinoa, des légumineuses sèches… Bref, rien de bien palpitant pour apaiser mes angoisses de mère. Je me rabats sur un sachet d'edamames grillés que je me permets d'entamer.

De retour avec son portable, Marianne ouvre son onglet Facebook et atteint le mur de Mado Champagne – Complet – Désolée. Pff, de la foutaise ! Il lui reste amplement d'espace pour accueillir de nouveaux amis, mais elle croit que ça la rend plus intéressante.

Ce qu'elle ne semble pas avoir compris, c'est qu'il est facile pour quiconque de s'apercevoir de son petit manège.

— Au moins, dis-je, je suis contente d'apprendre qu'elle est fière de son petit-fils, finalement. Si elle met des photos de lui sur Facebook…

— Ouin, mais attends de les voir, par contre.

— Bon, c'est quoi ? Elle l'appelle Louis, encore ?

— Pas juste ça.

Marianne pousse son ordinateur dans ma direction et je regarde les magnifiques photos d'Adrien. Photos qui, dès que maman y apparaît, manquent de spontanéité. Conséquence de son visage figé par le Botox.

— Wow ! T'as vu comment il est *cute* là-dessus ?

Je remarque que, pour l'occasion, mon fils porte des vêtements que je ne lui ai jamais vus. Un ensemble rouge pompier un peu trop voyant à mon goût.

— Un peu quétaine, ce qu'elle lui a acheté, hein, Marianne ?

— Ça va avec son *kit* à elle.

Ma mère porte une robe aussi rouge que l'ensemble de son petit-fils, dont le décolleté plongeant est peu approprié pour une photo de famille.

— Lis la vignette, m'ordonne Marianne.

« Voici Louis, le fils de mon amie Diane, qui est à peine plus jeune que moi. Je dois dire que j'aime beaucoup le garder et faire des casse-têtes avec lui. »

WTF ! Le fils d'une amie… Faire des casse-têtes… C'est totalement absurde ! Pendant une fraction de seconde, je me demande si je dois en rire ou en pleurer. Je prends finalement le parti de me moquer d'elle. Inutile de me lamenter, encore une fois, sur les incapacités de Mado à être une grand-mère, ni une mère, d'ailleurs. Et puis, honnêtement, ce n'est pas à son âge qu'elle va changer, n'est-ce pas ?

— Ç'a pas de bon sens, à quel point elle se ridiculise.

— C'est ta mère… Tu t'imaginais quoi ? T'as lu son commentaire plus bas ?

— Non. Attends un peu… Ah, le voilà !

« Chers amis Facebook (ici, je m'adresse à la gent masculine), si vous avez des enfants, cela ne me dérange pas le moins du monde. Comme vous pouvez le constater, je suis une femme très ouverte aux familles recomposées. Mado xx »

— Pouaaaaaaahhhh !

— Je pense que la *cougar* est de retour…

— Ç'a l'air !

Marianne et moi continuons de nous esclaffer de longues secondes, aussi dépassées l'une que l'autre par la situation dérisoire.

— La *cougar* mérite une petite leçon, dis-je, soudainement animée d'une envie de vengeance.

Je sors mon iPhone pour utiliser mon propre outil Facebook. J'atteins la page de maman et j'y inscris un nouveau commentaire, directement sous le sien.

« Je suis la fille de Mado. Désolée de vous décevoir, mais ce garçon est le mien et non celui d'une prétendue Diane. Mado est sa grand-mère et je trouve qu'à 65 ans elle fait une très belle mamie. Pas vous ? »

— Tiens, Madeleine Champagne ! T'es démasquée, maintenant !

Je montre mon message à Marianne, qui me félicite en ajoutant que c'est tout ce que ma mère mérite.

— N'empêche qu'elle est de plus en plus pathétique, dis-je avec un brin de tristesse.

— On y peut rien, Charlotte. C'est son choix.

— T'as raison. Elle s'en fait pas pour moi. Je vois pas pourquoi je me préoccuperais de son bonheur.

Sur ces paroles que j'espère convaincantes, je récupère Adrien-Louis-Florian et je retourne à la maison, où ma nouvelle tâche d'entremetteuse m'attend.

***

Je consulte à nouveau le site de SympaUgo et, aussitôt, un grand sourire illumine mon visage. Mon ami a cent deux nouveaux messages. Youhou ! La perle rare se cache parmi ces hommes. Je le sais, je le sens. Reste seulement à la trouver.

19

« Bachiiiiiiiir ! »
Les élèves de la classe de Bachir Lazhar qui crient le prénom de leur prof lors de la session photo, dans *Monsieur Lazhar*, 2011.

— Les céleris, faut les couper un peu plus gros. Attends, je vais te montrer.

Je fais signe au jeune bénévole de me laisser sa place et de me donner son couteau. J'entreprends de lui enseigner l'art de trancher des légumes.

La disco-soupe bat son plein depuis une bonne demi-heure. Il règne une ambiance électrisante dans le petit resto bienfaiteur que les propriétaires nous ont prêté pour l'occasion. C'est un événement vraiment, mais vraiment chouette.

Karen et Marianne s'occupent de concocter un bouillon de poulet maison, pendant qu'une dizaine d'autres bénévoles s'affairent à différentes tâches. À la préparation de la soupe aux légumes se sont ajoutées celles de pains maison, d'une potée de lentilles aux légumes verts et de carrés aux dattes. Tout ça grâce à Karen qui a sollicité des dons auprès de quelques commerces du secteur.

Faute de place en cuisine pour tout le monde, plusieurs volontaires se sont installés aux tables de l'établissement, puisque, de toute façon, celui-ci est fermé. Tout en cuisinant, on chante et on danse au rythme de la musique de P!nk.

Mon rôle, c'est de superviser le tout. C'est la tâche que je me suis octroyée, étant donné que j'ai un double mandat aujourd'hui. Oui, participer à ce repas collectif, mais aussi recevoir des chums potentiels pour Ugo.

J'ai finalement retenu trois noms parmi les cent deux messages de l'autre jour. Thomas, Bachir et Pierre-Étienne. Trois candidats au profil idéal. J'ai suffisamment clavardé avec eux ces derniers jours pour savoir qu'ils sont tous parfaits.

Je les ai convoqués au resto, leur laissant croire que SympaUgo voulait prendre un café avec eux.

Dès leur arrivée, j'ai l'intention de leur dire que leur *date* est en retard en raison d'un malheureux contretemps, mais qu'ils peuvent l'attendre tout en se rendant utiles. Et c'est là que je pourrai les questionner discrètement, en plus de les regarder à l'œuvre dans une cuisine.

J'ai prévu quelques épreuves culinaires, afin de mesurer leur degré de débrouillardise, de tester leur créativité et d'observer leurs habiletés manuelles. Ce qui devrait me permettre, entre autres, d'avoir une idée de leur personnalité sexuelle.

Je suis toutefois un peu inquiète de la réaction de Karen quand elle se rendra compte que j'ai ajouté de nouveaux plats au menu, qui ne cadrent peut-être pas vraiment avec sa vision d'un repas communautaire.

Après avoir identifié le gagnant, j'ai l'intention de le garder sur place et de renvoyer les deux autres. Ensuite, j'appellerai Ugo, prétextant une urgence nationale pour qu'il vienne me rejoindre ici. Bon, ce n'est pas un plan infaillible, alors je dois éviter à tout prix que les trois gars découvrent qu'ils ont tous un rendez-vous avec le même homme, mais c'est le mieux que j'ai pu trouver.

Ce qui m'ennuie un peu, c'est que je n'aurai pas tellement le choix de tout dire à mon ami quand il débarquera à la disco-soupe. Je croise les doigts pour qu'il ne me saute pas à la gorge et qu'il comprenne que je ne lui veux que du bien.

Tout en coupant le céleri en biseau, je guette la porte d'entrée du resto avec beaucoup de frénésie. J'ai hâte de voir en chair et en os les candidats retenus et, surtout, de découvrir s'ils sont aussi beaux en personne.

Tout à l'heure, j'ai retiré à la dérobée la pancarte « Fermé » et déverrouillé la porte. Maintenant, j'espère que personne ne s'en apercevra.

— Voilà, mon cher, dis-je au jeune apprenti, à qui je remets le couteau.

Je vais faire un tour du côté de Karen et Marianne, qui semblent avoir un plaisir fou à remuer le bouillon dans l'immense chaudron, en exécutant quelques pas de danse. Elles boivent la même bouteille de Messagère bien froide, cadeau de la microbrasserie qui commandite l'événement. Pour ma part, j'ai préféré apporter ma bouteille de rouge.

— C'est super, hein ? Vous êtes contentes, les filles ?

— C'est vraiment *top*, approuve Karen.

— Et tes collègues, demande Marianne, ils arrivent bientôt ?

— Oui, oui, d'une minute à l'autre. Ah tiens, en voici un, justement, dis-je en apercevant Pierre-Étienne pousser la porte.

Je me précipite vers lui, tout en essayant de calmer ma nervosité. Les prochaines secondes seront cruciales. Je dois le convaincre de rester et, si je me fie à son air incrédule depuis qu'il a découvert que le resto est envahi par de joyeux lurons en fête, tout m'indique que la tâche ne sera pas facile.

— Je peux t'aider?

— Euh, je pense que je suis pas au bon endroit.

Pierre-Étienne retourne sur ses pas, mais je ne me décourage pas.

— Si tu cherches Ugo, il sera là dans quelques minutes.

L'homme, qui a des yeux aussi magnifiques que ce à quoi je m'attendais, me dévisage d'un air étonné.

— Tu le connais?

— C'est mon meilleur ami. Il m'a dit qu'il avait rendez-vous avec un homme charmant, et il avait bien raison.

Le compliment ne fait ni chaud ni froid à Pierre-Étienne. Allez, invente un truc, Charlotte! Faut le retenir! Coûte que coûte. Peut-être qu'il n'a pas aimé que je sois au courant de leur rendez-vous, essayons de le rassurer.

— Ugo me dit tout, mais je suis comme une tombe, je parle jamais de rien. T'inquiète pas.

Ouf! Pas certaine que c'était la bonne chose à dire, finalement. Pierre-Étienne est de plus en plus méfiant. Je doute que ma stratégie soit efficace.

— Ben, tu diras à ton Ugo que, s'il veut qu'on se rencontre, il a juste à me donner rendez-vous dans un café normal. Pas dans un cirque.

Sur ces paroles prononcées avec un léger mépris, Pierre-Étienne me tourne le dos et disparaît dans la faune du boulevard Saint-Laurent.

Merde! Merde! Merde! Je m'apprête à essayer de le rattraper quand je me heurte à un autre homme qui entre dans l'établissement. Bachir.

— Ahhhh… Désolée, monsieur.

Bachir est mon préféré jusqu'à présent. Il est algérien, comme le personnage du film *Monsieur Lazhar*, et semble aussi doux et gentil. De grands yeux marron, la peau du visage incroyablement lisse, un port de tête bien fier… Ce physiothérapeute de quarante et un ans a vécu des épreuves. Je l'aime déjà.

Tout en lui exprime la résilience et le goût de vivre à fond. J'ai toujours eu beaucoup d'admiration pour les gens qui quittent leur pays pour recommencer ailleurs. Surtout que, moi, j'ai été incapable de le faire en France. Bachir m'a confié – en fait, il l'a confié à SympaUgo – qu'il a déserté l'Algérie il y a plus de vingt ans maintenant et qu'il n'a aucune religion, ce qui facilite vraiment les choses, à mon avis, Ugo étant athée tout comme moi.

— C'est moi qui te demande pardon.

Oh my God! La voix de cet homme est trop parfaite ! Un brin suave, posée et avec un très léger accent à vous jeter par terre. Tout ça sans compter son sourire, son odeur envoûtante, qui ressemble à *Acqua di Parma*, sa chemise blanche sous sa veste noire, son jeans ajusté et ses tennis Paul Smith. Bref, il serait le beau-frère idéal. Je. Le. Veux.

— Je peux t'aider ?

— C'est animé ici.

— Oui, on est en pleine disco-soupe.

— Ah bon ? Je connais le phénomène français, et je suis heureux de constater que ça existe ici aussi.

Trop, trop parfait, je le répète. En plus, un physio dans la famille, ce serait drôlement pratique.

— Veux-tu te joindre à nous ?

— C'est que… J'ai rendez-vous avec quelqu'un, mais je dois avoir la mauvaise adresse.

— Avec Ugo, peut-être ?

— Oui, exactement.

Pas de faux-fuyant, pas d'ambiguïté, le regard bien franc. C'est décidé, cet homme, je l'aime d'amour. Il n'a même plus besoin d'exécuter les prouesses culinaires que j'ai prévues, ni de répondre à mon fameux questionnaire. Il m'a gagnée. Point final.

— Ugo sera ici dans quelques minutes. Il m'a demandé de te prévenir. Je suis sa meilleure amie, Charlotte.

— Bachir.

Oui, je sais. Je sais trop bien. J'ai adoré, mon cher Bachir, quand tu m'as parlé de toi sans retenue dans nos échanges, ou plutôt dans tes échanges avec SympaUgo. J'ai aimé te lire me raconter ton arrivée, seul, en terre québécoise, à tout juste vingt ans. J'ai été touchée quand tu m'as confié t'être senti tout de suite chez toi à Montréal. Une ville qui te ressemble.

Je t'ai répondu que la ville te ressemble parce que tu l'as faite tienne, comme en témoigne ce poème écrit par l'homme politique Gérald Godin, une dizaine d'années avant que tu quittes l'Algérie pour le Québec.

Sept heures et demie du matin métro de Montréal
c'est plein d'immigrants
ça se lève de bonne heure
ce monde-là

le vieux cœur de la ville
battrait-il donc encore
grâce à eux

Et tu m'as complètement conquise en m'avouant que, *Tango de Montréal*, tu le connaissais bien avant qu'il se retrouve écrit en grosses lettres sur le mur extérieur du métro Mont-Royal. Il t'a tenu compagnie l'hiver de ton immigration, tout comme les œuvres de plusieurs dramaturges québécois que tu t'es fait un devoir de découvrir.

Oui, Bachir, je sais bien la belle âme que tu es. Je sais aussi que tu es l'âme sœur d'Ugo.

— En attendant, Bachir, veux-tu t'asseoir avec moi pour prendre un verre de vin ? Ugo devrait pas tarder.

— Volontiers, Charlotte.

Je l'invite à s'asseoir à une table un peu en retrait. J'examine sa démarche assurée et je ne doute pas un seul instant que cet homme a un corps d'enfer sous sa tenue juste assez sexy.

Au passage, j'attrape ma bouteille de rouge et deux verres. Je lance ensuite un regard furtif vers la cuisine et j'aperçois Marianne qui m'indique de les rejoindre. Je fais toutefois comme si je n'avais pas saisi le message et je prends place à table, après que Bachir a tiré ma chaise. Galant en plus! Encore mieux.

Je crois que je vais tout de suite aller appeler Ugo pour qu'il vienne nous retrouver, tant pis pour l'autre candidat, Thomas. Après tout, pourquoi courir deux lièvres à la fois? Celui que j'ai devant moi est totalement satisfaisant.

— Ugo a pas pu faire autrement, il était très mal à l'aise d'être en retard et c'est pourquoi il m'a demandé de m'occuper de toi.

— J'avoue que je ne m'attendais pas à ça, dit-il en regardant autour de lui. Ugo ne m'avait pas prévenu qu'on allait se voir dans une disco-soupe.

— Honn, ça t'embête?

— Non, non, c'est simplement un peu surprenant. Pour une première rencontre, tu vois.

— Oui, j'avoue que ça peut paraître bizarre, mais Ugo a un grand cœur.

Bachir sourit et m'offre de servir le vin. Je le regarde s'exécuter et je suis comblée quand je constate que ses mouvements sont précis sans être saccadés, que ses mains agrippent agilement et fermement la bouteille et qu'il ne remplit pas nos verres à ras bord comme quelqu'un qui ne connaît pas l'étiquette.

— Et toi, Charlotte, qu'est-ce que tu fais dans la vie?

Attentionné en plus. Décidément, il a tout pour lui. J'explique à Bachir que je suis animatrice à la télé et que je travaille aussi avec mon mari dans sa firme de relations publiques.

Ensuite, j'explore d'un coup d'œil les environs, pour m'assurer que je n'attire l'attention de personne avec mon invité surprise. Tout le monde semble s'amuser et ne pas se soucier de nous. La musique étourdissante et la bière locale qui coule à flots les rendent tous heureux, et ils ont bien d'autres choses à faire que de venir m'enquiquiner.

— T'as des enfants?

Voilà un autre bon point pour lui. Un homme qui veut savoir si je suis maman s'intéresse forcément aux enfants.

— Un garçon de vingt-deux mois.

— Tu me montres une photo?

OK, je rêve. Pincez-moi, quelqu'un! Bachir n'existe pas vraiment, il est le fruit de mon imagination, il n'est pas réellement devant moi, ce possible-futur-beau-frère-plus-que-parfait.

Je cligne des yeux pour être certaine de ne pas me réveiller dans mon lit et je constate que tout ça n'est pas un rêve. Au moment où je plonge la main dans mon cabas, à la recherche de mon iPhone contenant quelques centaines de photos de mon fils, j'aperçois la porte du resto s'ouvrir.

L'homme qui pénètre à l'intérieur de l'établissement est, lui aussi, magnifique. Complètement différent, mais tout aussi attirant. Les cheveux fins, châtain doré, les yeux d'un bleu perçant, un sourire à faire pâlir d'envie n'importe qui, et le corps athlétique d'un gars qui s'entraîne pour le marathon de Montréal, comme il est écrit dans sa fiche de présentation. Thomas, le candidat numéro deux.

Mais j'ai déjà Bachir. Je suis convaincue que ça va cliquer entre lui et Ugo. Je n'ai qu'à ignorer Thomas. Il va déambuler dans le resto, s'apercevoir qu'Ugo n'est pas là, l'attendre quelques minutes et quitter l'endroit, peut-être un peu furieux, mais bon, ça fait partie du risque des rencontres sur Internet.

Je dois admettre qu'il a un sacré look, toutefois. Encore un autre point pour lui, c'est que, tout comme Ugo, il est en affaires. Propriétaire d'une boutique spécialisée en matériel informatique à Saint-Sauveur. Bon, c'est un peu loin, mais il habite Montréal, alors je ne vois pas où est le problème. D'autant plus qu'en tant que proprio il doit pouvoir faire bénéficier ses amis de rabais intéressants sur sa marchandise, n'est-ce pas ? Je suis d'ailleurs mûre pour un nouvel iPad.

Tout compte fait, il est préférable de ne pas le rejeter du revers de la main. Je m'excuse auprès de Bachir et je me dirige vers Thomas. Heureusement, Bachir tourne le dos à la porte et ne peut nous voir.

Je déballe les mêmes salades à Thomas sur le prétendu retard d'Ugo. Je lui livre également mon petit baratin de présentation et il accepte de rester quelques minutes.

Je suis sur le point de l'inviter à s'asseoir quand je me rends compte de la stupidité de mon plan. Comment vais-je m'occuper des deux hommes à la fois, sans qu'ils entrent en contact l'un avec l'autre ? IM-POS-SI-BLE. Il me faut une alliée au plus sacrant.

— Tu veux que je te fasse visiter le resto, en attendant ?

— Pourquoi pas ?

Thomas semble un peu plus estomaqué que Bachir de découvrir qu'une fête se déroule à l'endroit où Ugo l'a invité, mais je ne le sens pas réticent pour autant. Je me félicite d'avoir choisi deux gars ouverts d'esprit.

Je me rends directement à la cuisine, évitant ainsi de passer près de la table où Bachir déguste son vin. Je prie pour qu'il ne se lasse pas et patiente une ou deux minutes.

J'aperçois Marianne – ma future alliée qui ne le sait pas encore – à l'évier, en train de rincer les lentilles du Puy qui serviront à la potée.

— Thomas, je te présente mon amie Marianne.

— Bonjour, Thomas, lance-t-elle avec sa chaleur habituelle. Tu m'excuseras, j'ai les mains mouillées.

Contre toute attente, Thomas, du haut de son mètre quatre-vingt-deux – décidément pratiques, les fiches de présentation –, se penche pour lui faire la bise. Il récidive ensuite avec moi, désolé de ne pas l'avoir déjà fait. Wow! Trop charmant. Je sens que le choix va être difficile.

— T'es un collègue de Charlotte, Thomas?

— Euh… non. J'ai un rendez-vous.

— Un rendez-vous? Avec qui?

J'interviens pour minimiser les imbroglios.

— Thomas attend Ugo. Il devrait arriver d'une minute à l'autre.

Marianne me lance un regard sceptique et ne comprend pas du tout l'information que j'essaie de lui transmettre par mon langage non verbal. C'est-à-dire: ne pose pas de questions.

— Charlotte, tu sais bien qu'Ugo vient pas ici aujourd'hui.

— Ben oui, il vient. Il est juste en retard. D'ailleurs, peut-être que Thomas pourrait te donner un coup de main en attendant?

Dis oui! Dis oui! Dis oui! Mon amie interroge Thomas du regard et je sens déjà une complicité se former entre eux. Cette fameuse connivence que j'ai souvent observée chez les gais.

— Si t'as un tablier de trop, je suis preneur.

— Bien sûr!

Yé! C'est réglé! Je retourne auprès de Bachir, pendant que Marianne noue un beau tablier rouge et noir autour de la taille de son nouveau sous-chef, le rendant ainsi complètement irrésistible. J'ai toujours aimé les mecs en tablier.

— Bachir, je suis vraiment désolée.

— Aucun problème. Tu pourrais me donner le numéro d'Ugo, s'il te plaît?

— Tu veux l'appeler?

— Oui, je veux savoir dans combien de temps il sera ici.

— Ça fait vraiment pas longtemps que je lui ai parlé. Il va être ici bientôt.

Bachir regarde sa montre à nouveau, montrant un léger signe d'impatience. De mon côté, je me dis que je devais avoir bu beaucoup trop de vin quand j'ai élaboré ma stratégie. Elle n'est pas au point du tout, et je ne vois pas comment je vais m'en sortir.

Jamais je ne pourrai vérifier comment mes deux candidats se débrouillent pour décortiquer un homard sans aucun outil, ouvrir une douzaine de petites huîtres Kumamoto au goût de beurre délicieux, monter une mayonnaise au safran, lever des filets de daurade, etc. Non pas que le futur chum d'Ugo doive savoir faire tout ça d'une main de maître, mais on peut en apprendre beaucoup sur une personne en l'observant travailler en cuisine. Eh bien là, c'est raté.

La bonne nouvelle, par contre, c'est que Karen ne pourra pas me reprocher de contaminer sa disco-soupe avec des produits de luxe… La glacière bien remplie que j'ai apportée retournera intacte à la maison.

— Ça fait combien de temps que t'es physiothérapeute ?

— C'est Ugo qui t'a dit que j'exerçais cette profession ?

— Ben non.

Bachir lève un sourcil en ma direction. Oups, je viens de gaffer. La nervosité commence à avoir le dessus sur ma concentration.

— Euh, oui, oui, je veux dire. Excuse-moi, je suis dans la lune. D'ailleurs, il trouve que c'est génial comme travail. Zen et tout.

— Ça l'est.

Un silence un peu gêné s'installe entre nous. Je crois que Bachir commence à sentir que la situation n'est pas normale. Je jette un coup d'œil en cuisine, où Thomas s'est très bien intégré au groupe. Une bête sociale, cet homme. Je suis trop loin pour entendre ce qu'il dit, mais, visiblement, il amuse toute la compagnie avec ses propos. Si je pouvais m'approcher un peu…

— Bachir, tu veux que j'aille te chercher un petit truc à grignoter, peut-être ?

— Non, je crois que je vais plutôt y aller, Charlotte. Tu diras à Ugo que je suis passé.

Non, non, il faut que je le retienne encore un peu. Le voilà qui se lève. Allez, Charlotte, trouve n'importe quoi !

— Et si je l'appelais une dernière fois, hein ?

L'incarnation de mes rêves semble hésiter un moment, puis il sort son téléphone de la poche de son veston.

— Je vais le faire. C'est quoi son numéro ?

Tel est pris qui croyait prendre, hein, ma vieille ? Plus moyen de reculer maintenant. Je regarde à gauche, puis à droite, comme si un miracle pouvait me tirer de ce faux pas.

— Bachir ? C'est bien toi ?

Je tourne les yeux du côté de la voix masculine que je viens d'entendre, en priant très fort pour que ce ne soit pas celle que je pense. Malheureusement, c'est elle.

— Hé, Thomas ! Comment vas-tu ? répond Bachir.

Les deux hommes se serrent la main et se font l'accolade de longues secondes. Quoi ? Les deux candidats de SympaUgo se connaissent ! Ils paraissent même... amis ! Non mais, quelle malchance !

— Qu'est-ce que tu fais ici ? demande Bachir à Thomas. Tu participes à la disco-soupe ?

— Pas vraiment, non. Je suis encore actif, tu vois.

Actif ? Qu'est-ce qu'il veut dire, au juste ? J'interviens.

— Vous vous connaissez depuis longtemps ?

— Ça fait quelques mois, lance Thomas avec un clin d'œil à Bachir.

— Ouais, Thomas et moi, on s'est fréquentés un peu après s'être rencontrés sur le réseau, mais bon, on voulait pas les mêmes trucs. Sauf qu'on est restés en bons termes.

— Sur le réseau, hein ? dis-je en me retenant à deux mains pour ne pas m'étrangler moi-même.

Os&?% de niaiseuse ! C'est clair qu'il y avait des chances que mes candidats ne soient pas des étrangers l'un pour l'autre. Ils sont inscrits au même site de rencontres !

— Thomas, tu viens de dire que t'étais encore actif, relance Bachir. Est-ce que je comprends que t'es ici pour rencontrer quelqu'un ?

— Ouais, mais il est pas là.

Tout se déroule de mieux en mieux. À la perfection, même. Décidément, Charlotte, tu vas battre tous les records de la fois où t'as eu l'air le plus fou. Enfin, presque.

— Il s'appelle comment, le gars que tu attends ? demande Bachir.

— Ugo. Pourquoi ?

Bachir soupire de découragement avant de répondre.

— Parce que à moi aussi il a donné rendez-vous.

Le silence s'installe quelques instants et je sens mon visage devenir écarlate. Je veux rentrer six pieds sous terre, disparaître de l'Univers. Je fixe mon verre de vin, n'osant plus bouger ni respirer.

Quand ils vont réaliser que je suis l'entremetteuse, ils vont penser que je suis une folle finie, une dangereuse illuminée, une détraquée mentale. Je n'ose pas lever les yeux de peur de les voir me dévisager comme si j'étais une sorcière.

— Encore un qui s'amuse à nous faire perdre notre temps ! lance Thomas, exaspéré.

— En tout cas, lui, il s'est surpassé. Nous convoquer en même temps, en pleine disco-soupe ! Quel imbécile !

— On en aura vu de toutes les couleurs, hein ?

— Yep ! Mais lui, je comprends pas c'est quoi, son intérêt.

Prenant mon courage à deux mains, je me lève, je les regarde dans les yeux à tour de rôle et je m'assume.

— Ugo a rien à voir là-dedans. C'est moi qui ai tout organisé.

— Hein ? Je te suis pas, là. Explique-moi, ordonne Bachir.

— Qu'est-ce que tu veux dire, exactement ? Qu'Ugo ne voulait pas nous rencontrer ? me demande Thomas.

Je prends une grande respiration et je plonge.

— Non. Qu'Ugo ne s'est jamais inscrit à ce site de rencontres.

Abasourdi, Bachir se rassoit lourdement, tandis que Thomas semble figé par ma réponse. J'ajoute que c'est moi qui l'ai fait à sa place.

— Tu veux dire que... c'est toi qui as *chatté* avec moi toute la semaine ? me demande le beau marathonien, un brin d'irritation dans la voix.

— Euh... oui. Mais Ugo, c'est comme mon frère. C'est un peu comme si c'était lui qui clavardait avec toi.

— Arrête, tu te cales !

Bachir lance un regard à Thomas, lui faisant signe de se radoucir un peu. Mais Thomas s'en fout carrément et poursuit sur le même ton.

— C'est quoi, son problème, à Ugo ? Il est pas capable de s'occuper de ses affaires lui-même ?

— Ben non, Thomas. Il est pas au courant de mon initiative ! Je te le jure !

— Et tu comptais faire quoi ? Nous le présenter aux deux ?

— J'avais pas vraiment de plan. Regarde, je sais, c'est *fucké*, mais j'avais pas de mauvaises intentions, OK ?

— Peut-être. Mais moi, ça m'intéresse pas. Je débarque !

C'est sur ses paroles que Thomas, le bel athlète de trente-huit ans, passionné de course à pied et de cuisine japonaise, tourne les talons et rend son tablier.

J'encaisse le coup avec tristesse, et je me laisse tomber sur ma chaise en me disant que j'ai bien mérité les remontrances de Thomas. À mes côtés, Bachir rassemble en silence ses objets personnels sur la table. Il me regarde et je lis dans ses yeux toute la déception du monde.

— C'est dommage. Je l'aimais bien, Ugo… ou plutôt ce que je croyais être Ugo.

J'éprouve une énorme culpabilité. Je ne m'étais pas rendu compte qu'en me faisant passer pour Ugo je jouais avec les sentiments d'autrui. Le pire, c'est que Bachir et lui auraient formé un couple formidable, j'en suis convaincue. Mais pourquoi baisserais-je les bras comme ça, à la première embûche ? Tout n'est peut-être pas perdu.

— Reste, s'il te plaît, Bachir. J'ai quelque chose à te proposer.

— On va oublier, ça, Charlotte. C'est trop mal parti, cette histoire-là.

— Je suis certaine qu'Ugo te plairait beaucoup. C'est vraiment un gars extraordinaire.

Même si je sens qu'il aimerait en savoir plus, Bachir hésite à me faire confiance. Je dois lui prouver ma bonne volonté.

— Ugo, c'est la perle rare que tu cherches depuis longtemps. Je le sais, je le connais comme si je l'avais tricoté. Laisse-moi te parler de lui un peu. Après, tu décideras, OK ?

C'est avec un immense soulagement que je vois Bachir hocher la tête. Je me lance alors dans une longue tirade, vantant les mille et une qualités de mon ami, mais ne cachant pas ses quelques rares défauts : sa trop grande bonté, son incapacité à dire non et son obsession du ménage. À l'évocation de ce dernier trait de caractère, je vois un sourire furtif se former sur les lèvres de Bachir.

— Non, non, mais c'est pas drôle, là. Il ne tolère aucune traînerie chez lui. J'aime mieux t'aviser tout de suite.

— Ça me dérange pas, je suis pareil.

— Non ? Ahhhhhh, vous êtes trop faits pour être ensemble !

Mon exclamation de joie met Bachir légèrement mal à l'aise. Il jette un coup d'œil autour de lui pour s'assurer qu'on ne nous regarde pas de travers.

— Lui non plus, il aime pas quand je parle trop fort en public. J'en reviens pas comment vous avez des points en commun. Faut que tu le rencontres.

— J'aimerais ça, Charlotte. T'as raison, je pense qu'on pourrait bien s'entendre, mais là, on va jouer franc jeu, d'accord ?

— Oui, oui, promis.

— Y a quelque chose qui me tracasse, je t'avoue.

— C'est quoi ? Hésite pas, je vais répondre à toutes tes questions.

— Ton ami Ugo, est-ce que tu le laisses respirer un peu ?

***

— Marianne, s'il te plaît, va lui expliquer que je suis pas si envahissante que ça. Il me croit pas.

— Tu veux que je lui mente ?

— Ben non, dis-lui la vérité. Je suis pas toujours dans les pattes d'Ugo, quand même ! Tu le sais !

La dernière question de Bachir m'a laissé un goût amer. Et si cet homme magnifique refusait de rencontrer Ugo juste parce qu'il a peur de moi ? Je m'en voudrais le restant de mes jours.

J'ai donc essayé de le rassurer en lui disant que j'avais ma propre vie, mais quand j'ai constaté qu'il subsistait toujours un doute dans son esprit, je me suis ruée en cuisine pour solliciter l'aide de mon amie.

Je l'ai ensuite traînée aux toilettes pour fuir les oreilles indiscrètes. Je lui ai décrit le contexte, en lui expliquant mes tractations de la journée, mais elle m'a tout de suite coupé la parole. Marianne avait compris mon petit manège en jasant avec Thomas.

— Charlotte, j'ai pas envie de m'en mêler.

— Regarde, Marianne, c'est le beau-frère parfait. Toi aussi, tu vas tomber en amour avec lui.

— Ben oui, mais c'est à Ugo de se trouver un chum. Pas à toi, ni à moi.

— C'est ça ! Pis à soixante ans, il va encore être célibataire ! Toi, t'es casée ; moi, je suis casée ; il reste juste lui.

— Toi, t'es casée ? Pour de bon ? lance-t-elle, ironique.

— Change pas de sujet. Allez, viens t'asseoir deux secondes avec nous.

— T'es *gossante* des fois, siffle Marianne.

— Regarde, je sens que c'est le bon.

— Vraiment ? me demande mon amie, maintenant moins sur ses gardes.

— Je te le jure. En plus, il est physiothérapeute.

— Je vois pas le rapport.

— T'as pas des problèmes de dos, toi ?

Marianne lève les yeux au ciel, dans un geste hyper sexy qui exprime à la fois son exaspération et son amusement.

— T'es belle quand tu prends cet air-là, Marianne. Tu devrais le faire plus souvent.

— OK, assez, les leçons de charme. Allons le rencontrer, ton dieu.

— Merciiiiiii ! dis-je en l'embrassant sur la joue.

Nous sortons des toilettes sous le regard soupçonneux de Karen. Pour m'amuser un peu à ses dépens, j'enlace Marianne tout en ne quittant pas sa blonde des yeux. Je glisse ensuite la main sur sa fesse droite, que je tapote comme si elle m'appartenait, et je fais un clin d'œil à Karen.

— Niaiseuse ! s'exclame mon amie en riant.

Elle ne manque toutefois pas d'enlever prestement ma main, sachant très bien que ça peut déplaire à sa blonde. J'éclate de rire et je ne me laisse pas démonter par Karen, qui me regarde l'air de dire : « Quel âge as-tu, Charlotte Lavigne ? » Ce à quoi je répondrais : « Un an de plus que toi, mais dans mon cœur je suis beaucoup plus jeune. »

Nous rejoignons Bachir et, une fois les présentations faites, Marianne m'informe que je peux aller participer à la corvée et ainsi récupérer un peu du retard que j'ai accumulé. En clair : déguerpis, Charlotte !

— Va voir Karen, elle va te montrer ce que tu peux faire.

— Comme tu veux, dis-je à regret en m'éloignant.

Possiblement par vengeance, Karen m'affecte à la pire des tâches : plongeuse. Récurer des chaudrons de quinze litres juste avec du savon liquide bio qui ne mousse pas du tout, ce n'est pas de la tarte. Surtout quand les lentilles ont collé au fond. Mais bon, je suis une fille d'équipe, non ?

J'emploie toute mon énergie à accomplir ma besogne, en regardant distraitement du côté de Bachir et Marianne. La rigolade semble être au rendez-vous. J'ai la désagréable impression qu'ils se paient ma tête et je voudrais être un petit oiseau pour suivre leur conversation.

Une fois mon nettoyage de casseroles terminé, je m'apprête à m'attaquer aux louches quand Karen m'interpelle.

— Tu veux prendre une pause pour goûter à la soupe, Charlotte ? me propose-t-elle avec une gentillesse peu commune.

Je la regarde tout d'abord avec méfiance, mais son air engageant me fait baisser la garde. Karen n'est pas un monstre, quand même, elle ne cherche certainement pas à m'empoisonner.

J'accepte volontiers le petit bol de soupe bien fumant qu'elle me tend et je vais m'asseoir à une table avec les autres bénévoles, qui profitent aussi d'un moment de répit. L'un d'eux m'offre une bière, que je prends parce que je ne veux pas être snob et que je veux faire partie de la gang. Je n'ai jamais aimé la bière et je ne l'aimerai jamais.

La journée de labeur s'achève, et tout le monde paraît heureux du résultat. L'odeur du pain frais qui cuit ajoute à la satisfaction du devoir accompli. Enfin, pour ceux qui ont accompli leur devoir aujourd'hui. Le mien n'est pas encore terminé et, pour l'instant, sa réussite est entre les mains de ma meilleure amie.

Je goûte la soupe aux légumes, dont la recette a été improvisée par Karen, et je suis agréablement surprise. Avec son bouillon aromatisé au fenouil, sa variété impressionnante de légumes, son orge consistante et ses tomates pleines de soleil, elle est vraiment délicieuse.

— *Well done, Karen. This is really good!*

La blonde de Marianne me gratifie de son plus beau sourire. Quand je lui parle dans sa langue maternelle, Karen comprend que je suis sincère. Et je sens qu'elle m'en est reconnaissante. C'est une chic fille, au fond. Je dois absolument cesser de toujours me méfier de ceux qui entrent dans la vie de mes amis. C'est un peu maladif, mon affaire. J'ai la fâcheuse habitude de penser que personne ne sera assez bien pour Marianne et Ugo.

Si Bachir gagne le cœur d'Ugo, je promets solennellement d'accepter tous ses défauts. De toute façon, il ne semble pas en avoir beaucoup, alors ça devrait être facile. Et Karen, je vais aussi faire un effort pour mieux l'apprécier. Si mon amie d'enfance est heureuse avec cette fille, alors je le serai aussi!

— Charlotte? m'apostrophe soudainement Marianne, que je n'avais pas vue s'approcher.

— Oui?

— Tu viens nous rejoindre?

— Avec plaisir.

Je me lève pour suivre Marianne jusqu'à la table où Bachir déguste aussi un bol de soupe qu'on vient de lui apporter. Je prends place et j'attends la suite des choses.

— On a parlé, Bachir et moi, et on en est venus à la conclusion que ce serait vraiment chouette qu'il rencontre Ugo.

— Yé !

Je savais bien que mon amie réussirait à faire comprendre à Bachir que je ne suis pas si *control freak* avec Ugo. Ce qui ne m'empêche toutefois pas de vouloir m'impliquer pour leur première rencontre. Vraie, cette fois-ci.

— J'ai une idée. Je pourrais faire un souper à la maison et prétendre que j'ai rencontré Bachir par hasard. Je pourrais dire que je l'ai connu ici, à la disco-soupe. Ce qui est vrai, finalement.

— Non, non, non.

— Pourquoi ?

Marianne s'apprête à répondre quand Bachir lui indique qu'il va le faire. Auparavant, il termine sa soupe et s'essuie délicatement le coin des lèvres avec sa serviette de table en papier écolo.

— Moi, Charlotte, je suis pas du genre à cacher des choses, à mentir…

— Ben, c'est pas vraiment mentir, dis-je, légèrement piquée. C'est juste… pas tout lui dire.

— Je pense, au contraire, qu'on devrait tout lui dire.

— Tout ?

— Tout. Ton inscription au site de rencontres, le fait que je pensais clavarder avec lui, notre rendez-vous ici, comment j'ai découvert le pot aux roses et puis mon désir de le connaître.

— C'est nécessaire ?

— Oui. Je ne veux pas de zone grise.

— Très bien, dis-je en comprenant qu'on ne me laisse pas le choix.

Maintenant que j'ai tout raconté à Bachir et que Marianne l'a mis dans le coup, j'espérais bien ne pas avoir à faire la même chose avec Ugo. Mais puisqu'il le faut…

— Quand est-ce que tu veux le rencontrer ?

— Tu crois qu'il est libre, là, maintenant ?

Je jette un regard surpris à Bachir. Pressé, le monsieur.

— La vie est courte, Charlotte. Et puis ce serait plate que je me sois mis beau pour rien. Le coiffeur, l'esthéticienne, c'est pas donné, hein ? lance-t-il sur le ton de la confidence.

J'éclate de rire, tout comme Marianne. Bachir a un charme bon enfant à faire craquer n'importe qui. J'adore son authenticité.

— En théorie, il est libre, je m'en étais assurée. Je l'appelle.

Tout en cherchant mon iPhone au fond de mon sac, je me demande quels soins Bachir a pu recevoir chez son esthéticienne. Épilation ? Exfoliation ? Masque pour le visage ? Quoi qu'il en soit, ça prouve qu'il a pris son rendez-vous avec Ugo au sérieux. Et ça me plaît.

— Pour éviter les malaises, suggère Bachir, je vais te laisser seule avec lui, le temps que tu lui expliques la situation. Et s'il est d'accord pour me rencontrer, tu me texteras, je serai pas loin.

— Super !

Je dépose mon téléphone sur la petite table et je me rends compte que j'ai reçu un texto de... mon meilleur ami.

« Je suis sur la montagne en vélo. Vais passer vous voir. »

— Hooon, il m'a écrit, j'avais pas vu.

— Qui, Ugo ? m'interroge Marianne, inquiète.

— Oui. Merde, il s'en vient !

— Hein ? Tout de suite ?

— Je pense bien, oui, dis-je d'un ton de plus en plus angoissé.

— Ah non ! Qu'est-ce qu'on fait ?

— Les filles, arrêtez de paniquer. Dans deux secondes, je suis parti. On s'en tient à notre plan, c'est tout.

Que je l'aime, cet homme ! Comme Ugo, il semble avoir le don de dédramatiser les situations et de trouver des solutions à tous les problèmes. Qu'il va être agréable de le côtoyer régulièrement... Enfin, si j'arrive à faire avaler ma grosse couleuvre à Ugo. Parce que je suis convaincue que, si je les amène à se rencontrer, ce sera le coup de foudre.

Bachir se lève et s'éloigne d'un pas rapide vers la porte quand je réalise soudainement que je n'ai aucun moyen de le joindre.

— Attends ! J'ai pas ton numéro de cell !

Oups ! Trop tard. Au même moment, Ugo entre dans l'établissement. Dans un geste très sexy, il enlève son casque de vélo et ébouriffe ses beaux cheveux brun foncé, avant de s'enfiler une bonne rasade d'eau derrière la cravate. Il ne manquerait plus qu'il s'asperge le visage d'eau fraîche en secouant sensuellement la tête au ralenti pour compléter la scène torride. Mais bon, faut pas trop en demander, hein ?

À quelques mètres devant lui, Bachir est figé sur place. Il me tourne le dos et je ne peux pas voir son visage, mais je parierais cent piasses qu'il est totalement subjugué. Je m'apprête à me lever quand Marianne pose la main sur la mienne.

— Laisse-les faire.

— Ouin, mais j'ai promis.

— Attends de voir ce qui va se passer.

— OK.

Ugo jette un regard autour de lui et aperçoit Bachir, qui semble toujours dans un état d'enivrement. Les yeux de mon ami s'illuminent et il salue le bel Algérien d'un petit air gêné. Puis il nous regarde et je lui fais signe de venir nous rejoindre.

Quand il passe devant Bachir, il ne peut pas résister à l'envie de le détailler à nouveau et je sens bien que mon nouvel ami lui rend la pareille.

— T'as vu, Marianne ? Ça va marcher, je le sens. *Yes, yes, yes.*

Ugo, tout en se dirigeant vers nous, se retourne une dernière fois pour admirer Bachir, qui, lui, marche vers la porte. Il la franchit, mais je sais très bien qu'il ne disparaîtra pas très loin.

— C'est qui, ce gars-là ? demande Ugo en déposant son casque de vélo sur la table.

— Il est *hot*, hein ? lui dis-je.

— Trop ! Vous le connaissez ?

— Oui.

— C'est qui ?

— Ton futur chum.

***

— T'aurais pu m'avertir ! Cal%?&#@, Charlotte !

Je viens de tout raconter à Ugo, et sa réaction n'est pas du tout celle à laquelle je m'attendais. Il semble se ficher complètement que je l'aie inscrit à un site de rencontres et que j'aie clavardé avec des mecs en son nom.

Tout ce qui le préoccupe, à l'heure actuelle, c'est la première impression qu'il a pu faire à Bachir, alors qu'il était « tout décoiffé, en cuissard de vélo et avec une odeur de *swing* par-dessus le marché » !

— Si j'avais su, ajoute-t-il, j'aurais jamais monté le mont Royal trois fois de suite !

Marianne et moi, on n'en revient tout simplement pas. La situation est si drôle que j'ai envie de continuer à le faire *freaker* encore un peu plus.

— C'est vrai, j'aurais dû te le dire. D'autant plus que, lui, il est allé chez le coiffeur ET chez l'esthéticienne.

— T'es pas sérieuse ?

J'éclate de rire devant son air paniqué.

— Ben voyons, Ugo. Qu'est-ce qui te prend ? Bachir, il est déjà conquis, je te l'ai dit.

— Charlotte a raison, tu t'en fais vraiment pour rien.

— Bon, il est où, là ?

— Je sais pas trop. Dehors, j'imagine.

— Envoie-lui un texto, dis-lui qu'on va se voir plus tard. Pour l'apéro, tiens.

— Je peux pas. J'ai pas son numéro de cell.

— Va le lui dire dehors, dans ce cas-là. Et rapporte-moi son numéro.

— OK. Où et à quelle heure ? Moi, je suis libre jusque vers 19 heures. Toi, Marianne ?

— J'ai pas de plan, moi.

— Non, non, les filles, vous comprenez pas. Il est pas question que vous soyez là.

— Ben là ! C'est pas juste !

— Quoi ? Qu'est-ce que t'as dit ? me demande Ugo sur un ton autoritaire.

— J'ai tout organisé, puis tu vas me faire manquer le meilleur !

— Charlotte, je pense que t'en as assez fait, là. T'es chanceuse que je revienne pas sur ton usurpation d'identité…

— Bon, les gros mots.

— En revanche, tu vas me laisser gérer le reste à ma manière. Et tu vas enlever mon nom du site de rencontres tout de suite.

— Je pense qu'on ferait mieux d'attendre un peu. Tout à coup que ça fonctionne pas avec Bachir, tu vas être content d'avoir d'autres candidats.

— Tout de suite, j'ai dit !

— OK, OK ! J'ai compris.

Je me lève pour aller aviser Bachir du dénouement de la situation, mais je pose une dernière condition à mon ami.

— Demain matin, tu m'appelles et tu me racontes tout.

— Promis, chérie.

Rassurée, je tourne les talons et je sors sur le boulevard Saint-Laurent à la recherche de celui qui, je l'espère, sera mon beau-frère pendant de longues années. De très longues années.

20

« Dites pas qu'il n'existe pas
Maxou, il est bien à moi
Il m'aime
Il habite à l'est d'Éden
Il sait bien que je l'aime
Max !
Maxou, Maxou, Maxou, Maxou ! »
VANESSA PARADIS, *Maxou*, 1988.

— Qu'est-ce que c'est ?

— Ceviche de flétan sur guacamole à l'aneth et concassé de tomates jaunes.

Je salive devant la petite verrine que m'offre le serveur. Mais le problème, lors d'un cocktail dînatoire, c'est qu'on manque de mains pour tout faire : boire un verre, manger une bouchée et serrer des mains. Et comme le but de ma présence ici est de faire des rencontres professionnelles, je refuse la verrine.

Je viens d'assister avec Maxou à la première du film qui, selon les critiques, sera le succès de l'été. Comme promis, je suis plus présente dans les événements mondains, à la recherche de nouveaux contrats en télévision.

— Le film t'a plu, mon chéri ?

— C'est une blague ? Un navet, ce truc.

— Je trouve pas, moi. C'était drôle.

— D'un ennui mortel.

— Ah, que t'es difficile !

— Et c'est pour ça que tu m'aimes, lance Maxou en s'approchant pour m'embrasser tendrement sur la joue.

Les manifestations amoureuses en public n'ont jamais été le fort de mon mari. Sauf ces derniers temps. Je sens chez lui un regain d'attention à mon égard, ce qui est loin de me déplaire.

— Alors, qui connais-tu ici ? demande Maxou avant de prendre une gorgée de son Manhattan.

Pour ma part, j'ai choisi un mojito pour tromper la chaleur de ce début de juillet. Depuis quelques jours, la canicule s'abat sur la métropole.

— Là-bas, je vois d'anciens collègues de la télé.

— Tu veux aller les saluer ?

— OK.

En fait, ça ne me tente pas du tout. Ce sont de vagues connaissances du temps où je travaillais comme recherchiste sur l'émission *Totalement Roxanne*, mais je ne peux pas rester plantée là comme un poteau à attendre que quelqu'un vienne vers nous.

J'ai emmené Maxou en lui disant que je cherchais à bonifier notre vie sociale. Je n'ai pas osé lui avouer que mon but est plutôt de me trouver du travail dans le domaine que j'aime.

J'espère aussi tomber sur mon journaliste à potins préféré, Paul-André, et le convaincre de prendre une belle photo de moi et mon mari. Ça ne peut pas nuire à nos affaires.

Maxou et moi sommes dans ce qu'on pourrait appeler « une bonne passe ». Je dois admettre que depuis notre « visite » chez Martine mon mari redouble de gentillesse à mon égard, comme s'il avait compris que j'avais besoin qu'on se rapproche.

Un soir, il m'apporte des fleurs ; un midi, on sort dîner dans un bon resto ; un samedi matin, il m'offre de s'occuper de la lessive. Au lit, les choses ont évolué.

Il est plus attentif à mes désirs et il fait preuve de créativité en me proposant d'essayer de nouveaux trucs.

Maxou a aussi renoué avec le compliment. Non pas qu'il ne m'en faisait plus du tout, mais c'était plus rare. Maintenant, pas une journée ne passe sans que j'entende quelque chose comme : « T'es vachement bien foutue dans cette robe… Tes nouvelles chaussures me donnent vraiment envie de baiser… Tes cheveux relevés en chignon, j'adore ! »

Le seul hic, c'est le temps. Celui que nous avons trop peu. Mais bon, on ne peut pas tout avoir, n'est-ce pas ?

Et puis, autre chose géniale : Maxou semble avoir complètement oublié ses intentions de dénoncer Martine auprès de son association. Pratique, parfois, d'avoir un mari très occupé.

En marchant sans entrain vers le groupe que j'ai reconnu, je cherche des échappatoires à droite et à gauche. Puis j'aperçois plus loin mon *ami* Paul-André et son fidèle photographe. Exactement ce qu'il me fallait.

— Viens, je vais te présenter le journaliste du *Cinq jours*, dis-je à Maxou en bifurquant vers la gauche.

— Très bien, toujours utile de connaître ceux qui font dans la presse *pipole*.

— *People*, mon chéri. Pas *pipole*.

— C'est ce que je dis. *Pipole*.

Je lève les yeux au ciel, exaspérée. Mon chum est IN-CA-PA-BLE de prononcer les mots anglais comme il se doit. Ça ne sert à rien d'insister.

— Paul-André, quel plaisir !

— Ma pitoune, *quessé* tu fais là ? C'est rare que je te voie dans le jet-set !

— T'es mieux de t'habituer. Ça fait partie de mes nouvelles résolutions, dis-je en l'embrassant sur les deux joues.

— Ben content ! Ça va faire d'autre monde à regarder. C'est tout le temps les mêmes maudites faces plates !

— Bah, t'exagères ! Paul-André, tu connais pas mon mari, hein ?

— Ben non, mais j'en ai entendu parler, par exemple. Le beau Maxou.

Maxou fronce les sourcils quand Paul-André l'appelle par son surnom. Pourtant, j'essaie de faire très attention à ne pas utiliser ce diminutif en public afin de me plier à une demande expresse de mon mari. J'ai dû m'échapper en lui racontant nos déboires amoureux, ce dont, j'espère, il ne fera pas mention. Avec lui, on ne sait jamais...

— Maximilien Lhermitte, se présente mon mari en tendant la main au journaliste.

Paul-André, qui tient d'une main une minibrochette de poulet satay et de l'autre ce qui ressemble à un gin tonic, tente de se dépêtrer de sa fâcheuse situation. Il regarde à droite et à gauche pour trouver un endroit où déposer son verre, en vain. En désespoir de cause, il glisse la minibrochette entre ses dents, renversant du coup de la sauce aux arachides sur sa veste blanche à rayures bleues, qui devait être très à la mode il y a dix ans. Marrant !

C'est exactement pour cela que je m'oblige à passer mon tour quand vient le service des amuse-gueule. Ou bien je m'assure d'avoir une table à proximité, ainsi que des serviettes de papier à ma disposition.

Paul-André serre la main à mon mari, qui tente de réprimer un léger air de dégoût, sans doute attribuable aux doigts crasseux du journaliste. Heureusement, le potineur ne se rend compte de rien.

— C'est donc toi, le grand amour de Charlotte ? Son fameux Français ?

— Eh oui !

— Ouin, intéressant, lance Paul-André en détaillant Maxou des pieds à la tête sans aucune gêne. Et toi, Charlotte, tu perds encore ton temps à faire des relations publiques ?

— Euh, j'appellerais pas ça perdre mon temps.

Je jette un coup d'œil inquiet du côté de Maxou, qui s'apprête à renchérir quand Paul-André lui coupe la parole.

— Une bonne intervieweuse comme toi, ça s'enferme pas dans un bureau pour conseiller des clients sur la cravate qu'ils vont porter en conférence de presse.

— Si vous voulez mon avis, Paul-André, les relations publiques, c'est beaucoup plus que ça, précise Maxou.

— Ah, sûrement, mais Charlotte est plus à sa place dans un studio de télé.

— Moi aussi, j'aime mieux faire de la télé. J'ai mon émission qui reprend en septembre, mais ça m'occupe pas à temps plein.

— Tu cherches autre chose, donc ?

— Oui, pour compléter. Des petits contrats, des chroniques, n'importe quoi.

— Hum, laisse-moi voir. Y a quelque chose qui s'en vient et qui pourrait être ben bon pour toi.

— Hein ? C'est quoi ? Une nouvelle émission ? Quotidienne ? Hebdo ? Sur quelle chaîne ?

Je suis tout à coup super excitée et, juste à la pensée d'un nouveau défi professionnel, je sens des ailes me pousser dans le dos. J'ai tellement hâte de renouer avec mon vrai métier.

— Je peux pas t'en dire plus, ma pitoune.

— S'il te plaît, s'il te plaît, s'il te plaît.

Je joins les mains en prière et j'implore Paul-André du regard, en faisant une moue d'enfant. Maxou, qui déteste de genre d'effusion en public, soupire d'exaspération.

— Non, tu le sauras plus tard. En attendant, mononcle ici va te donner un p'tit coup de main.

Le journaliste interpelle son photographe, qui semble plus occupé à séduire une jeune comédienne dont j'oublie le nom qu'à faire son travail.

— Eille, chose, si je te dérange pas trop, y aurait un petit portrait à faire *icitte* !

— OK, OK, répond le photographe, non sans avoir indiqué à sa conquête qu'il n'en avait pas pour longtemps.

— Tu vois notre Charlotte ? Elle est avec son Maxou. Ça va faire une belle photo, hein ?

— Yep !

— Paul-André, juste une petite chose avant, si vous permettez, dit Maxou d'un ton un peu trop pompeux pour plaire au journaliste.

— Ouin, quoi ?

— Je préférerais que vous n'employiez pas le surnom que me donne Charlotte dans votre texte. C'est plutôt intime, vous voyez.

— Ouin, ouin, on verra.

— J'insiste.

Ah non, Maxou ! Ne gâche pas tout. Je la veux, cette photo ! Oublie tes principes pour une fois.

L'air surpris et légèrement impressionné, Paul-André se tourne vers moi.

— Eh ben, ma pitoune, il sait ce qu'il veut, ton homme.

— Ah ça, oui. T'as pas idée à quel point.

Je fais un petit clin d'œil au journaliste, le laissant imaginer ce qu'il veut. Et surtout, j'espère ainsi détourner son attention et lui faire oublier la froideur de mon mari. Il y a longtemps que j'ai compris que je devais traiter Paul-André comme une diva.

— Bon, on va lui pardonner cette fois-ci, déclare le potineur comme s'il me faisait une immense faveur.

— Merci, mon chou !

— Je comprends que ma demande est acceptée ? intervient Maxou.

— On va dire, oui. Mais c'est juste parce que je te trouve *cute*.

Et mon mari se prête au jeu comme lui seul sait le faire. Il offre à Paul-André son plus beau sourire, lui laissant miroiter quelque chose qui, je le sais, n'arrivera jamais. Manipulateur, va !

Paul-André n'y voit que du feu et tombe littéralement sous le charme de mon mari. Je suis toujours un peu étonnée de constater jusqu'où Maxou est prêt à aller, juste pour le plaisir de mettre quelqu'un à sa main. Pour lui, la séduction n'a ni frontières, ni âge, ni sexe. Et je sais qu'il s'en sert comme d'une arme redoutable. En affaires comme dans la vie privée. Peut-être que je devrais m'en inquiéter.

— Alors, on la prend, cette photo ? demande Maxou, ce qui tire Paul-André de sa rêverie.

Le journaliste nous dirige un peu plus loin, devant l'affiche du film. Je me place légèrement de biais, comme le photographe me le suggère, tandis que Maxou m'enlace de son bras gauche. D'aussi loin que je me souvienne, nous avons toujours fait un beau couple sur photo. J'espère que ce sera le cas aujourd'hui.

Je me concentre sur l'objectif, essayant d'oublier les gens qui m'entourent. Le photographe nous demande ensuite d'inverser nos positions et, au moment où je m'exécute et parcours la foule des yeux, je sens mon corps se tendre comme une corde de violon. Qu'est-ce qu'il fait ici, lui ?

J'ai volontairement choisi de ne pas participer à des lancements de disque pour ne pas tomber sur lui. Je ne croyais jamais le voir à une première de film. Eh merde ! Prends sur toi, Charlotte, et fais comme s'il n'était pas là. Le mieux sera de déguerpir tout de suite après la prise de photos. Ni vu ni connu.

— Regarde là-bas, Charlotte. C'est notre ancien client, Alexis Cadieux. On ira le saluer après les photos, d'ac ?

Non, non, non et non ! Pas du tout envie de me retrouver dans le même espace que le chanteur. Encore moins si mon mari m'accompagne.

— T'as perdu ton sourire, ma pitoune ? m'interroge Paul-André.

— Non, non, ça va.

Je m'efforce de terminer l'exercice dans l'allégresse. Tout en me prêtant au jeu, je cherche une façon d'éviter la rencontre avec Alexis. Simple comme tout, je n'ai qu'à prétexter un mal de ventre soudain pour quitter l'endroit à toute vitesse. Et si Maxou tient absolument à dire bonjour à notre ancien client, il ira seul et je l'attendrai dans l'auto. Bien à l'abri.

Hum, ce n'est peut-être pas une bonne idée… Et si Alexis se mettait en tête de tout déballer à mon mari… Je ne peux pas courir le risque de les laisser ensemble. C'est décidé, Maxou devra m'accompagner jusqu'à la sortie. À la limite, je prétendrai que mes maux de ventre sont tellement puissants qu'ils m'empêchent de marcher normalement.

Ce qui me désole, par contre, c'est que j'aurai bien du mal à convaincre Maxou que je suis assez en forme pour me rendre au resto portugais où nous avons une réservation pour quatre. Je ne peux pas croire que, à cause de cet imbécile d'Alexis, je vais devoir annuler mon premier souper de couples avec Ugo et Bachir ! Ah, que la vie est compliquée parfois !

Surtout qu'Ugo me manque terriblement ces jours-ci. Depuis sa première soirée en tête à tête avec Bachir, il ne le quitte plus d'une semelle. C'est à peine si je l'ai vu deux fois.

Ça m'attriste un peu, mais je me console en songeant que j'ai rarement vu mon ami aussi heureux. Comme je l'avais prévu, ç'a été un coup de foudre entre les deux hommes. Maintenant, je croise les doigts pour que ça dure. Mais mon intuition me dit que cette fois-ci est la bonne.

Ugo avait besoin d'un tel homme dans sa vie. Un gars mature, équilibré, bien dans sa peau. Pas d'un enfant égocentrique comme l'a été Justin, son dernier vrai chum. Ni d'un bisexuel globe-trotter fuyant sa véritable nature, du nom de Boris. Ni d'un banlieusard surnommé « monsieur centre d'achat », qui lui consacrait dix minutes entre la partie de soccer de son plus grand et le cours de piano de son deuxième. Et surtout pas d'un jeune employé comme Enzo, de qui il a cru être amoureux.

Quand Ugo m'a raconté ce qu'il avait appris au sujet d'Enzo, je me suis dit que l'être humain n'avait pas fini de me décevoir. Tout d'abord, Enzo n'a pas vingt-neuf ans, mais bien vingt-cinq, comme je l'avais deviné. Ensuite, il n'est pas gai du tout !

Il a simplement joué le jeu avec Ugo, pensant ainsi qu'il serait plus facile d'obtenir l'emploi. C'est l'aide-boucher de mon ami qui a découvert le pot aux roses et l'en a informé. Tout ça s'est heureusement passé avant qu'Ugo fasse des avances plus claires à son nouvel employé.

Le *gaydar* en général si fiable de mon ami lui a fait défaut dans le cas du jeune Chilien au corps de danseur de ballet. Ugo a aussi admis qu'il avait nettement manqué de jugement et qu'il aurait commis une belle bêtise s'il n'avait pas connu la véritable orientation sexuelle d'Enzo. Bref, il était temps qu'il trouve chaussure à son pied.

— Merci, ma pitoune ; merci, Maxou. Les photos vont être dans l'édition de jeudi, nous informe Paul-André dès que son collègue lui indique d'un signe de tête qu'il a du bon matériel.

Celui qui voudrait bien être le nouvel ami de Maxou m'embrasse sur les joues en jurant de me tenir au courant de ce qui pourrait être mon nouveau défi professionnel. Yahou !

Il serre ensuite la main de mon mari, en la retenant un peu plus longtemps que l'exigent les convenances, puis il nous quitte pour aller interviewer l'une des vedettes du film, un jeune acteur à la carrière prometteuse.

Voilà le moment de mettre mon plan à exécution. Frappe fort, Charlotte ! Je fais semblant de ressentir une crampe au ventre et, pour un effet plus dramatique, je me plie en deux en grimaçant.

— Ça va, ma chérie ?

— Mal au ventre.

Pour rendre le tout encore plus crédible, je prends une grande respiration même si je n'en ai pas du tout besoin. Je me relève ensuite lentement, aidée de mon mari, qui me tient par le bras droit. Ce faisant, j'aperçois les jambes d'un homme et je comprends qu'Alexis Cadieux n'a pas attendu que nous allions le saluer. Il est venu de lui-même, ce qui n'est vraiment pas de bon augure.

La panique me fige sur place et je m'arrête juste au moment où mon regard se trouve… sur l'entrejambe d'Alexis. Encore ! Non mais c'est une malédiction, cette histoire entre moi et cette partie du corps du chanteur.

— Charlotte, qu'est-ce qui se passe ? s'inquiète Maxou.

À nouveau, je prends une grande respiration, mais celle-ci est vraiment nécessaire et a pour but de me calmer. L'idée d'une conversation à trois me fait si peur qu'elle me paralyse.

Je me redresse enfin et je me tourne vers mon mari, évitant le regard d'Alexis.

— C'est rien, mon chéri. Une petite crampe.

— Tu veux qu'on fasse venir une ambulance ? demande Alexis en guise d'introduction.

— Ben voyons ! Je suis correcte, on en fera pas un drame.

Mon ton un peu sec n'échappe pas à Maxou, qui me regarde d'un air réprobateur, avant de s'adresser au beau chanteur.

— Alexis, comment allez-vous ? dit-il en lui serrant la main.

— Très bien. En pleine forme.

— Et votre carrière, ça roule, dites donc ! À quand la France ?

— J'y travaille.

Blablabla… Voir mon mari donner autant d'attention à un gars avec qui je l'ai presque trompé me fait me sentir encore plus coupable. Je détourne le regard et j'en profite pour faire signe à un serveur de s'approcher. J'attrape un verre d'eau minérale au citron sur son plateau et je le remercie brièvement, ne voulant pas perdre un mot de la conversation.

— Vous savez que je pourrais vous aider, Alexis. Je fais beaucoup de *business* à Paris.

PAS QUESTION!

— Pourquoi pas? Toujours bon d'avoir des gens qui connaissent la *game* là-bas. Merci, Max.

— N'importe quand. Vous me faites signe.

— Et toi, Charlotte, comment ça va? s'enquiert le chanteur faussement intéressé.

— Très bien, merci, dis-je.

Pour éviter de poursuivre la discussion, je bois mon eau à l'aide de ma paille, que je tiens entre le pouce et l'index, comme si je sirotais le cocktail du siècle.

— Toujours spécialiste des jobs pas finies?

La question malicieuse d'Alexis me prend par surprise, à un point tel que je m'étouffe avec ma boisson. Je tousse, recrachant ainsi de l'eau sur mes bras et sur ma petite robe cocktail noire que je porte pour la première fois.

Alexis me tend une serviette de papier, que j'attrape à contrecœur. En croisant son regard, j'ai tout juste le temps d'y apercevoir une lueur de victoire. J'essuie rapidement mes bras avec une seule envie: me retrouver loin, très loin d'ici.

— Je pense que je me sens vraiment pas bien. On va y aller, OK? dis-je en pressant le bras de Maxou.

— Bien sûr. Si vous voulez bien nous excuser, Alexis. Mais on garde le contact, d'accord?

— Très bien, Max, merci encore. Charlotte, prends soin de toi. Peut-être que t'as des problèmes de digestion. Tu devrais être prudente avec ce que tu mets dans ta bouche.

Je ne peux m'empêcher de lancer un regard furieux à Alexis, ce qui n'échappe pas à Maxou. En silence et d'un pas rapide, je me dirige vers la sortie. Je sens bien que mon mari, à mes côtés, se pose des questions.

Une fois à l'extérieur, je m'appuie un instant contre le mur et je ferme les yeux pour respirer un peu d'air frais. J'agis comme si je voulais reprendre mes esprits, mais dans les faits je réfléchis à cent milles à l'heure. Je tente de trouver une explication logique aux propos d'Alexis à fournir à Maxou.

— Charlotte, tu m'inquiètes.

— Ça va.

— Tu n'es pas enceinte, toujours ?

Pendant une fraction de seconde, j'ai envie de profiter de l'angoisse que je sens chez mon mari pour faire diversion. Mais comme notre passé est déjà assez trouble en ce qui concerne les fausses histoires de grossesse, c'est une mauvaise idée.

— Mais non, je t'assure.

— Ouf ! Tu m'as foutu une de ces trouilles ! Mais… t'es certaine, là ?

— Ben voyons, Maxou. J'ai pas du tout les symptômes d'une femme enceinte.

— Tant mieux… Viens, on rentre.

— Non. On va manger avec Ugo, comme prévu.

— Je ne crois pas que ce soit raisonnable, Charlotte.

— Je suis correcte, je te dis !

— D'accord… Pas de souci, on y va.

Nous marchons en silence pour rejoindre la voiture. La mousseline de ma robe me colle à la peau, et ce n'est pas seulement parce qu'elle est encore imbibée d'eau minérale. L'épisode Alexis m'a donné des chaleurs, et je sens la sueur perler dans mon cou, ce qui indique que j'ai eu encore plus peur que je ne le pensais. Heureusement, le danger semble écarté.

— Tu veux bien m'expliquer ce qu'Alexis Cadieux a voulu dire tout à l'heure ?

Retour du système d'alarme dans tout mon corps ! Fais gaffe, Charlotte !

— Bof, c'est un artiste. Faut pas essayer de le comprendre.

Quel cliché ! Je me fais honte. Mais c'est tout ce que j'ai trouvé à dire en une nanoseconde.

— Tu sais, quand il a dit que tu étais spécialiste des jobs pas finies ?

— Aucune idée.

— T'es certaine, Charlotte, que tu ne me caches rien ?

— Pourquoi je te cacherais quelque chose ?

— Je ne sais pas, mais j'ai perçu beaucoup de tension entre vous.

— Mais non, tu imagines n'importe quoi.

Sans crier gare, Maxou fait un demi-tour et se place devant moi, pour me bloquer le passage. Je sens l'angoisse monter d'un cran dans tout mon corps et je baisse les yeux au sol. Mon mari prend mon menton entre sa main gauche pour me forcer à le regarder.

— Je pense qu'il n'a tout simplement pas apprécié la façon dont tu t'es occupée de son dossier.

— Peut-être, dis-je, soulagée qu'il parle boulot.

Si Maxou s'en tient à des considérations professionnelles, je suis sauvée. Mais s'il me questionne sur des aspects personnels de ma relation avec le beau chanteur, je suis foutue. Il va lire dans mes pensées.

— Charlotte, es-tu heureuse à la boîte ?

— Ça va.

— Tu sais ce que je crois ?

Sa main quitte son menton et s'égare quelques secondes sur ma gorge, puis se pose sur mon épaule.

— Non, dis-je, toujours sur mes gardes.

— Tu n'as pas besoin de travailler avec moi.

— Faut que je gagne ma vie, Maxou.

— Tu as ton émission. Et puis je peux assurer pour nous trois, tu le sais bien.

— J'aime pas ça, vivre à tes crochets.

— Charlotte, si tu quittes la boîte, tu vas avoir plus de temps pour chercher des contrats dans ton domaine. Et tu vas trouver, j'en suis convaincu.

— Vu comme ça.

— C'est une bonne idée, non? Tu te concentres sur ce que tu aimes. Et moi, j'ai une femme épanouie.

L'idée de ne plus avoir à me rendre au bureau le matin pour faire semblant que je capote sur la nouvelle boisson énergisante d'un client ou prendre le téléphone afin de convaincre un journaliste d'écrire un article sur une compagnie aérienne « innovatrice et unique » me délivre d'un immense poids.

— Merci, Maxou. T'es un amour.

Je saute au cou de mon mari pour l'embrasser, et c'est main dans la main que nous nous rendons à la voiture. La vie est belle et elle fait bien les choses.

— Je savais que ça te ferait plaisir. Je suis désolé de ne pas y avoir pensé avant.

— C'était à moi de t'en parler, aussi.

— Et puis ça va te permettre de prendre du temps pour toi, cet été. Va au spa, à la plage, à la montagne. Amuse-toi.

— Oui, mais j'aimerais qu'on fasse des trucs ensemble, aussi.

— Hum, hum. En *aoûte*, comme prévu.

En *aoûte*, comme tu dis, mon cher mari, ce n'est malheureusement pas à deux que nous allons prendre des vacances, ni même à trois, avec notre fils adoré, mais bien à six. Avec ta mère, ta fille et ton beau-père. L'horreur!

***

Oh my God qu'ils sont mignons, tous les deux! Complètement amoureux, le regard perdu dans celui de l'autre, la main de l'un qui cherche celle de l'autre, le sourire béat de celui qui écoute l'autre... Ah, les balbutiements de l'amour, c'est extraordinaire! Un peu plus et je serais jalouse du nouveau couple formé par Ugo et Bachir.

Ils sont si attendrissants que ça me donne envie de me coller contre Maxou. Ou même de m'asseoir sur ses genoux et de le *frencher* longuement. Mais comme nous sommes au resto, je me contente de lui caresser la main, parfois la cuisse ou même le creux de la taille. Tout ça en savourant ma morue charbonnière servie sur une compote de tomates et olives noires.

Plus je découvre Bachir, plus je l'aime. Non seulement il est beau comme un dieu, mais il a de l'esprit, de l'humour et de la culture. Et le plus important, c'est qu'il regarde Ugo comme si celui-ci était la huitième merveille du monde.

Ce qui est encore plus essentiel, c'est que mon ami le contemple avec la même admiration. Ça me prouve que leur relation est égalitaire, qu'ils s'aiment avec la même force, la même passion, le même respect. Et c'est la première fois que ça arrive à Ugo depuis que je le connais. C'est fantastique, et je flotte comme si c'était moi qui venais tout juste de tomber en amour.

Maxou semble aussi beaucoup apprécier le nouveau venu, et je profite d'une conversation animée entre Bachir et lui pour me mettre à jour avec Ugo.

— C'est toujours l'amour fou, à ce que je vois?

Mon ami me répond en hochant la tête, les yeux fixés sur son chum.

— Si tu savais comme je suis contente.

— Et moi donc.

— Ugo, ça te dérangerait de me regarder quand je te parle?

— Excuse-moi, chérie, dit-il en se tournant à regret vers moi.

— Comme ça, vous vous entendez super bien?

— Sur toute la ligne. J'ai jamais vécu ça.

— Vous êtes vraiment compatibles sur tout?

— C'est ce que je viens de te dire.

— Ahhh.

— C'est quoi, ce ahhh-là?

— Rien, rien.

— Charlotte, qu'est-ce qu'il y a ?

— Bah, c'est juste une petite question que je me posais.

— Vas-y.

Je m'étire par-dessus mon assiette et je fais signe à Ugo de s'approcher lui aussi. Je baisse le ton pour ne pas être entendue de Maxou et de Bachir, qui, heureusement, sont absorbés par leur discussion sur la place des ressortissants algériens en France.

— Quand j'ai fait mes recherches pour te trouver un chum, y a un gars qui a posé une question d'ordre sexuel... plutôt directe, tu vois.

Ugo pouffe de rire et se renverse sur son siège, en me faisant un signe de négation de la tête.

— *No way* que je vais te parler de ça !

— Non, je veux pas savoir dans ton cas. Pour qui tu me prends ?

— Pour Charlotte Lavigne.

— Pff... N'importe quoi.

— Quoi alors ?

De l'index, je l'invite à s'approcher à nouveau. Il s'exécute même si je le sens réticent. Pratique d'avoir un copain éperdument amoureux : il est plus détendu, donc plus disposé à écouter mes folies et à satisfaire ma curiosité.

— En fait, je me demandais si, pour qu'un couple fonctionne, l'un devait nécessairement être *top* et l'autre *bottom*, dis-je tout bas.

— C'est pas une nécessité absolue, mais ça aide.

— Parce que ça doit pas être évident de trouver quelqu'un qui te plaît et, en plus, qui *fitte*.

— C'est pas plus compliqué que chez les hétéros.

— Ben voyons ! C'est sûr que c'est plus compliqué ! Moi, j'ai jamais posé ce genre de question à un gars.

— Non, mais faut que tu sois compatible sexuellement quand même.

— Ouin, mais c'est pas pareil.

— Hé ! Oh ! On vous dérange, peut-être ? lance Maxou en se tournant vers nous.

— Ouiiiii, tu nous déranges, mon chéri !

Malgré mon ton de plaisanterie, j'espère que mon mari comprendra que j'ai envie d'avoir encore quelques minutes avec Ugo.

— D'accord, je te fous la paix, mais donne-moi un bisou avant.

Agréablement surprise, je pose mes lèvres sur sa joue, je murmure des mots doux à son oreille et je termine en l'embrassant dans le cou. Au moment où je m'apprête à me tourner vers Ugo, Maxou s'adresse à Bachir en nous désignant, Ugo et moi, du menton.

— J'espère que tu n'es pas jaloux. Parce que, ces deux-là, ils sont inséparables.

— Oui, je l'ai vite compris. Mais ça ne me gêne pas. J'aime beaucoup Charlotte. D'ailleurs, comment ne pas aimer une fille comme elle ?

Ohhhh... Quelle belle déclaration ! J'en suis tout émue et je sens mes joues rougir de plaisir.

— T'es donc ben fin ! Arrête, tu vas me faire pleurer.

— Il a raison, ma chérie. Tu es adorable, je ne te le dis pas assez souvent.

Et voilà Maxou qui se met de la partie, aussitôt suivi d'Ugo.

— La plus adorable des filles que je connaisse !

— Bon, ça y est, je craque, dis-je en essuyant une larme.

Une larme de bonheur pour un moment tout simplement parfait. Une fois l'émotion passée, je redirige mon attention vers Ugo.

— En tout cas, tu pourras pas dire que je t'ai pas trouvé le jackpot !

— Je dis pas le contraire. D'ailleurs, je l'ai pas fait encore, mais je voulais te remercier, Charlotte. Sincèrement.

— Ben voyons...

— Non, écoute, j'étais au neutre, j'avais perdu toutes mes illusions et je manquais de *guts* pour aller de l'avant. Mais toi, tu y as cru.

— J'y ai toujours cru et j'ai jamais compris pourquoi tu semblais avoir abandonné.

— Parce que j'avais eu trop de déceptions.

— Je sais.

Un doux moment de silence complice s'installe entre nous et je tends l'oreille pour saisir des bribes de la conversation entre Maxou et Bachir. Ils échangent maintenant sur le vin portugais qu'on nous a servi et, comme toujours, mon mari estime que les vins de son pays sont plus riches, plus complexes, plus aromatiques… Bref, qu'ils sont meilleurs. On peut sortir un Maxou de la France, mais on ne sort pas la France du Maxou, n'est-ce pas ?

— Ça fait longtemps que j'ai pas vu ton chum d'aussi bonne humeur, commente tout à coup Ugo.

— Oui, il est vraiment en forme ces temps-ci.

— Ç'a l'air de bien aller, vous deux.

— Plus que jamais. Il est tellement fin avec moi. C'est le Maxou du début.

Pour prouver à mon ami que mon mari fait attention à moi, je l'informe de mes nouveaux développements professionnels, à savoir mon départ de chez Lhermitte et Desforges Communication. Effectif dès demain.

— Bonne décision !

C'est au tour d'Ugo de me faire signe de m'approcher. Après s'être assuré que Maxou est occupé ailleurs, il me parle à l'oreille.

— Comme ça, c'est fini, tes envies de… tu sais ?

— Totalement.

— *Good !* Très fier de toi !

Sur ces paroles encourageantes, je lève mon verre de vin et je propose un toast à la tablée.

— À l'amour, le vrai, l'unique. Celui qui dure toute la vie !

Je cogne tout d'abord ma coupe contre celle de mes amis, en m'extasiant encore une fois sur leur passion naissante. Je me tourne ensuite vers l'homme qui, il y a bientôt trois ans, n'a pas hésité à quitter son pays pour revenir vers moi. L'homme qui a accepté d'avoir un enfant pour ne pas me perdre. Le seul homme avec qui j'ai envie de partager le reste de mes jours.

— Je t'aime, Maxou.

— Moi aussi, ma chérie. Moi aussi.

21

« Le lieutenant Beaucage m'informe qu'il y a une alarme générale au 1502, Mont-Royal Est. 10-4. »
CLAUDE POIRIER.

De retour à la maison quelques heures plus tard, le sommeil tarde à venir. Est-ce qu'on peut souffrir d'insomnie parce qu'on est trop heureuse ? Trop comblée ? J'ai l'impression que c'est ce qui m'arrive. J'ai même envie de cuisiner à nouveau et je ne cesse de faire défiler dans ma tête nombre de menus auxquels je vais m'attaquer dès demain.

Même la visite de Victoria et ses comparses m'effraie moins. Cette nuit, avec Maxou qui dort à mes côtés, je me sens en sécurité, comme si plus rien de négatif ne pouvait m'arriver. Je vois l'avenir d'un bon œil et je fais confiance à la vie.

— Ouaaaaaaah ! Ouaaaaaaah !

Je sursaute en entendant les pleurs de mon fils. Pas encore un cauchemar ? Pauvre petit amour. Je m'empresse de me lever pour aller le rassurer et je trouve son lit en pagaille, signe d'une nuit agitée.

— Ça va, mon chou, ça va.

Je le berce en essayant de le rendormir, mais je sens bien qu'Adrien aura besoin d'un peu plus que mes paroles réconfortantes pour y arriver. Un lait chaud me semble une bonne solution.

Je descends, mon fils dans les bras, tout emmitouflé dans sa doudou. Je le dépose sur le canapé et je vais à la cuisine lui préparer son somnifère naturel.

Le petit verre de lait chaud à la main, je retourne auprès de lui. Blotti entre mes bras, il boit tranquillement et je le sens se détendre. Quelques minutes plus tard, il s'endort contre moi.

Je n'ose plus bouger, de peur de le réveiller, et j'ouvre le téléviseur, en coupant le son, pour me désennuyer. Je zappe, à la recherche d'un truc divertissant. Je passe très vite sur la chaîne Achats, connaissant trop bien ma propension à me procurer des objets complètement inutiles juste pour passer le temps. Tu t'assagis, Charlotte.

Je m'arrête sur la chaîne de nouvelles continues. Des images d'incendie défilent à l'écran. D'énormes flammes s'élèvent d'un édifice. Je lis la vignette au bas de l'écran.

« En direct : Incendie majeur sur le Plateau-Mont-Royal. Trois commerces touchés. »

Hein ? Un feu sur le Plateau ? Tout près d'ici, donc. C'est où, exactement ? La vignette disparaît pour être remplacée par une autre.

« Le resto du célèbre chef et deux autres commerces sont la proie des flammes depuis plus d'une heure. »

QUOI ? Quel célèbre chef ? Quel resto ? Je sens la peur me nouer le ventre. Pas Le Terminus, pas le resto de P-O… *Pleaaaaase !*

Les impressionnantes images du brasier font place à celles d'un politicien qui répond, tout sourire, aux questions des journalistes lors d'un point de presse tenu plus tôt dans la journée.

— Qu'est-ce que tu fais là, toi ? *Envoye*, reviens au feu !

J'entends mon fils grogner dans son sommeil. Malgré mon énervement total, je réussis à le glisser doucement un peu plus loin sur le canapé. Je m'éloigne sur le bout des pieds pour aller prendre mon iPhone dans mon sac à main, près de l'entrée.

Aussitôt fait, je m'empresse d'ouvrir mon application de nouvelles. Je cherche fébrilement de l'information sur l'incendie en cours, en tentant de me raisonner. Combien y a-t-il de restos sur le Plateau ? Des centaines. Et des chefs célèbres ? Pas des centaines, mais sans doute quelques dizaines. Faudrait vraiment être malchanceux pour que ça tombe sur P-O.

Je trouve finalement ce que je recherche : « Les pompiers de Montréal combattent un feu qui ravage le resto du chef Pierre-Olivier Gagnon. »

Non ! Ce n'est pas vrai ! Pas le fruit de tant d'années de labeur qui s'envole en fumée le temps de le dire. Quelle tragédie ! P-O doit être complètement démoli.

Je continue de parcourir l'article, espérant lire une réaction de sa part. Rien. Aucune trace du chef-propriétaire dans le texte.

Peut-être qu'il apparaît sur la vidéo de l'événement ? C'est clair qu'il doit être sur les lieux, je ne vois pas comment il en serait autrement. Je visionne les images en priant pour y voir mon ancien amoureux. Rien là non plus ! Mais où se cache-t-il donc ?

Je ferme mon application pour ouvrir un autre site de nouvelles. Peut-être que j'y trouverai plus d'informations. Le fait divers est en page d'accueil. On y aperçoit une autre photo des flammes menaçantes, ainsi que la citation d'un pompier.

« Pour l'instant, nous ignorons encore s'il y avait des gens à l'intérieur du bâtiment au moment de l'explosion », a déclaré le lieutenant Beaucage, du Service des incendies de Montréal.

Oh my God ! Oh my God ! Oh my fuc%$& God !* Pas P-O dans les décombres ! Ce n'est pas possible, c'est un mauvais rêve, une cruelle plaisanterie, un poisson d'avril neuf mois d'avance.

La peur qui me nouait le ventre me paralyse maintenant tout entière. J'ai envie de crier, de hurler et de tout casser dans la maison. J'essaie de me calmer en prenant une grande respiration, mais rien n'y fait. J'ai une crise d'angoisse comme j'en ai rarement eu.

Mon cœur bat si fort que je l'entends résonner dans toute ma poitrine, j'ai l'impression d'étouffer, de manquer d'air. Je tremble et je dois m'appuyer contre le mur pour ne pas m'effondrer au sol.

Ressaisis-toi, Charlotte ! P-O ne gît pas nécessairement dans les débris de son restaurant, il est peut-être chez lui, le cœur trop brisé pour se rendre sur place. Ou en vacances à l'extérieur. Ou tout simplement sur les lieux de l'incendie, mais dans l'auto-patrouille des policiers, en train d'être interrogé. Il existe mille explications logiques pour justifier le fait qu'il n'est pas cité dans les articles et qu'il est absent des photos et vidéos. Pourquoi penser au pire ?

Parce que le pire demeure une hypothèse. Et que cette hypothèse est très crédible. Nous sommes mercredi soir. Et les mercredis soir, P-O fait toujours la fermeture de son resto. C'est sa soirée préférée pour travailler, il adore la clientèle du milieu de semaine.

Je me hâte de composer le numéro du cellulaire de P-O, en priant de toutes mes forces pour qu'il réponde à la première sonnerie. Mais c'est plutôt sa boîte vocale qui m'accueille. Je raccroche et mon cœur s'affole de plus belle.

Il n'y a maintenant plus qu'un moyen de connaître la vérité, c'est de me rendre sur place. Je jette un coup d'œil à Adrien, enveloppé dans sa doudou confortable, sur le canapé. Il semble s'être rendormi pour de bon. Je décide de le laisser là, plutôt que de courir le risque de le réveiller en le remontant dans son lit.

Je m'apprête à aller dans ma chambre pour enfiler un t-shirt et un pantalon quand les paroles de Maxou me reviennent en tête. « Je ne veux plus que tu le voies. J'ai besoin que tu me le promettes. »

Tout compte fait, il serait préférable de ne pas déranger Maxou dans son sommeil. Malgré la chaleur, je revêts plutôt mon imper rouge accroché dans le hall, par-dessus ma nuisette en soie rose. D'un geste malhabile, je boutonne le bas du manteau et j'attache la ceinture.

J'examine ensuite les mules d'intérieur que je porte aux pieds. Noires, en satin, avec un petit talon et des froufrous. Pas l'idéal pour se rendre sur les lieux d'un sinistre, j'en conviens. Mais qui va se soucier de mon apparence, hein ? Les gens sur place auront bien d'autres chats à fouetter, et tout ça va passer inaperçu.

J'ouvre la porte et je réalise que, par le fait même, je trahis la confiance de mon mari, qui a été, ce soir, le plus adorable des amoureux. Une légère culpabilité m'envahit, vite effacée par mon inquiétude grandissante. Après tout, ce n'est pas comme si j'allais à un rendez-vous galant. Je vais m'assurer que mon ancien amoureux est bel et bien en vie. C'est ce qu'on peut appeler une urgence de la plus haute importance.

Je sors dans la nuit chaude et humide. Je monte à bord de ma petite voiture et je démarre lentement pour n'alerter personne. Le voisinage est tranquille, et je ne peux pas croire qu'à quelques rues d'ici un drame est en train de se jouer.

À trente-huit ans, je n'ai jamais été touchée par la mort d'un proche. Je ne connais pas le deuil et je souhaite ardemment qu'il en soit ainsi pendant de très longues années encore.

Sur l'avenue du Mont-Royal, un barrage policier bloque le passage aux véhicules et c'est donc à pied que je franchis les derniers mètres pour arriver au resto de P-O. Sur les lieux, c'est le chaos total. Masques respiratoires bien en place, quelques dizaines de pompiers arrosent les flammes, transportent leurs lourds tuyaux d'un endroit à l'autre à toute vitesse et commencent même à déployer leur échelle aérienne. J'ai rarement vu un incendie d'une telle ampleur.

Non seulement le feu a détruit le resto de P-O, mais il a aussi ravagé la petite boutique de lingerie voisine, ainsi que la plus belle librairie du quartier. Quelle tristesse…

Le bruit assourdissant des camions de pompiers ajoute à l'aspect dramatique de la scène, tout comme les gyrophares des véhicules d'urgence, dont les lumières rouge et bleu illuminent le ciel. La fumée dense me prend à la gorge et j'éprouve une sensation de brûlure jusque dans les poumons.

Je me fraie un passage entre les nombreux curieux qui regardent la scène, l'air désolé. Je scrute les environs, toujours à la recherche de P-O, en vain. Les gens que je croise me sont tous inconnus.

Malgré la chaleur de la nuit, accentuée par les flammes brûlantes, je frissonne et je resserre mon imper sur ma poitrine. J'aperçois deux ambulances et je vais voir de plus près. Je ne serais pas étonnée que P-O s'y trouve, soigné pour un choc nerveux. Mon Dieu, faites qu'il soit là…

J'avance plus près de la scène jusqu'à ce que je sois arrêtée par le fameux ruban jaune des policiers. Celui qui détermine le périmètre de sécurité. Je m'adresse à un patrouilleur qui monte la garde.

— Pardon, monsieur l'agent, est-ce que je peux passer ?

— Êtes-vous la propriétaire d'un des commerces ?

— Euh…

Bien tentant de répondre « oui ». Un petit mensonge anodin n'a jamais tué personne. Et n'a jamais freiné mes ardeurs. Mais là, il s'agit quand même de mentir à un policier… Un peu trop imprudent, je crois.

— Non, mais je cherche mon ami, le proprio du resto. Peut-être qu'il est avec les ambulanciers là-bas. Je veux juste aller voir et revenir.

— Écoutez, madame, je ne peux pas vous laisser passer.

— Je vous en prie, c'est important.

Le policier me détaille des pieds à la tête, puis lève un sourcil interrogateur devant mon manteau entrouvert et mes pantoufles à froufrous.

— S'cusez-moi, j'ai pas eu le temps de m'habiller. Je vous en supplie, monsieur l'agent, c'est une question de vie ou de mort.

Le patrouilleur ne semble pas du tout impressionné. Il reste intraitable et me somme d'aller voir son commandant si je désire plus d'informations. Comble de l'impolitesse, il me signifie que la conversation est terminée en me tournant le dos. Eh merde ! Je n'ai surtout pas le temps de négocier avec un autre agent. Si c'est comme ça, je n'aurai pas d'autre choix que de défier la loi.

Je m'éloigne du policier avec la ferme intention de me glisser sous le ruban jaune dès que je serai hors de sa vue. Une fois dans le périmètre, je m'organiserai bien pour passer inaperçue. Ce n'est pas comme s'il n'y avait que des secouristes. Plusieurs civils gravitent autour des pompiers.

Je m'installe entre un monsieur d'un certain âge, qui observe tristement la scène, et un groupe de jeunes ados, qui filment l'incendie avec leurs cellulaires et publient la vidéo sur Facebook.

Tout en regardant autour de moi, je soulève délicatement la petite bande de plastique jaune. Personne ne me prête attention. Parfait, c'est le bon moment. Je jette un dernier coup d'œil avant de m'introduire sur le site, puis mon cœur bondit.

P-O. En chair et en os. Quelle délivrance ! Toute ma peur s'évanouit. Je suis tellement soulagée que j'en ai les larmes aux yeux. Il n'est pas enseveli sous une tonne de débris, le visage défiguré par l'explosion, le corps brûlé au troisième degré. Non, il est là. Vivant et sans blessures apparentes. Merci, mon Dieu !

P-O est trop loin pour que je puisse distinguer les traits de son visage, je ne sais donc pas ce qu'il ressent. Il est occupé à discuter avec un policier qui prend des notes. Je le vois passer la main dans ses cheveux et je peux imaginer tout son découragement. Pauvre P-O.

Maintenant que je suis rassurée, il serait plus sage de retourner à la maison. Mieux vaut éviter que mon fils et mon mari se réveillent et s'aperçoivent de mon absence. D'un autre point de vue, P-O a besoin de réconfort. Il est là, entouré de secouristes, mais sans personne à qui confier sa peine, son inquiétude, son désarroi. En tant qu'amie, je dois lui offrir une épaule sur laquelle pleurer. Surtout qu'il semble très seul. Elle est où, sa danseuse de Zumba, hein ? Quelle mauvaise copine !

Je m'apprête à me glisser sous le ruban jaune quand une femme passe en flèche devant moi, se dirigeant tout droit vers P-O. Mon ami l'aperçoit et court à sa rencontre. Ils se jettent dans les bras l'un de l'autre… Je crois bien qu'elle est là, finalement, la danseuse de Zumba. Malgré moi, je ressens une pointe de déception que j'essaie de chasser en me disant qu'au moins il a quelqu'un pour le soutenir dans l'épreuve.

J'observe la scène quelques instants. P-O a le visage enfoui dans l'épaule de sa compagne, qui me tourne le dos. Une petite brunette qui porte des vêtements de plein air et des chaussures de sport. Pas du tout ce que j'avais imaginé. Étrange comme j'ai l'impression de connaître cette fille. Où l'ai-je vue, donc ?

P-O se dégage lentement de son étreinte quand ses yeux croisent les miens. J'y lis un grand étonnement. Ne me sentant maintenant plus du tout à ma place, je le salue brièvement de la main et je tourne les talons sans attendre sa réponse.

— Excusez-moi, dis-je aux gens qui me bloquent le passage.

Sans se presser, quelques citoyens s'écartent et je me fraie un chemin dans la foule. Soudainement, j'entends une voix féminine derrière moi.

— Charlotte?

Je connais cette voix, mais je ne parviens pas à l'identifier. Je me retourne et j'aperçois P-O qui se dirige vers moi en compagnie de celle que je croyais être sa copine, mais qui est plutôt... sa jeune sœur, Sarah-Jeanne.

Je reviens au bord de la petite bande qui délimite le périmètre. J'adresse un sourire poli à Sarah-Jeanne, essayant de masquer ma surprise et ma malsaine satisfaction qu'elle ne soit pas la danseuse de Zumba. Je me tourne ensuite vers P-O, qui a l'air complètement abattu.

Ses grands yeux brun noisette sont rougis par les larmes qu'il a dû verser un peu plus tôt et ses épaules sont lourdes de désespoir.

— P-O, je suis tellement, tellement désolée.

— Merci d'être venue, articule-t-il péniblement.

Devant l'énorme tristesse de mon ami, je n'ai qu'une envie: le serrer très fort dans mes bras pour le consoler. Mais j'ignore si je dois le faire. Nos relations n'ont pas été faciles depuis notre rupture et je ne sais plus sur quel pied danser.

Je m'approche de P-O. Seul le ruban de plastique jaune nous sépare. Timidement, je pose ma main sur son biceps, en guise de soutien.

— Ça va aller, tu vas voir.

P-O hoche la tête, mais il ne semble pas convaincu du tout. Voir mon ancien amoureux aussi malheureux me bouleverse à un point tel que je sens que je vais éclater en sanglots. D'autant plus que j'ai eu si peur de ne jamais le revoir. Je renifle et je me concentre pour contrôler mes émotions.

Sois forte, Charlotte, P-O a besoin de toi, de tes encouragements, de ton appui. Pas de ta peine, de tes craintes exagérées ni de ton hystérie. Je caresse son bras, en lui parlant doucement.

— Est-ce qu'il y avait du monde à l'intérieur?

— Pas dans le resto, non, je suis sorti le dernier. Ç'a explosé dix secondes après.

Je reçois cette information avec la même violence que si je venais de me faire percuter par un camion-remorque. Dix secondes... Dix petites secondes de plus et il était mort. Je vacille sous le choc et je sens maintenant les larmes couler sur mes joues.

Contre toute attente, P-O me plaque contre lui. Je glisse mes mains dans son dos et je le serre de longues secondes.

— Tu te rends compte, Charlotte? J'aurais pu mourir.

Je berce mon ami, en essayant de le rassurer du mieux que je peux.

— Oui, je sais... J'ai eu peur, moi aussi.

— Ç'a sauté tellement fort. J'aurais eu aucune chance. Ma fille se serait retrouvée orpheline. Juste à y penser...

— Chut, chut, chut.

J'essaie d'apaiser mon ancien amoureux en caressant ses cheveux. À ma gauche, j'aperçois Sarah-Jeanne qui nous regarde d'un air mécontent. Ne comprenant pas trop pourquoi, je détourne la tête pour donner toute mon attention à P-O.

— Puis ma cave à vins... Je venais tout juste de recevoir plein d'importations privées.

— C'est juste du vin. L'essentiel, c'est que tu sois en vie.

Nous restons quelques instants collés l'un contre l'autre, sans éprouver le besoin de parler. Je sens P-O se détendre peu à peu dans mes bras, puis tout doucement il s'écarte.

— Faut que j'y aille. J'ai pas fini avec les policiers.

— Bonne chance. Tu me donnes des nouvelles?

— Hum, hum... Sarah, tu viens?

— Je vais aller te rejoindre, OK?

— OK.

Je lance un dernier regard d'encouragement à mon ami, qui tourne les talons pour se rendre auprès des enquêteurs. Alors qu'il passe devant l'espace réservé aux médias, je vois les flashs des photographes de presse crépiter et les lumières des caméras de télévision s'allumer.

— Monsieur Gagnon, savez-vous ce qui a causé l'explosion ? l'interroge un jeune reporter.

— On nous a dit que vous veniez de quitter le resto, c'est vrai ? Pouvez-vous nous raconter ce que vous avez vu ? demande une de ses collègues.

P-O ignore les questions des reporters et poursuit son chemin jusqu'aux policiers, qui l'attendent près de l'unité d'urgence des pompiers. Je réalise que je viens de l'échapper belle. S'il avait fallu que des médias captent notre accolade et que les images se retrouvent en ondes… et que Maxou les voie. Je ne peux pas imaginer comment je me serais sortie du pétrin cette fois-ci…

— Charlotte ?

En entendant mon nom, je sursaute. J'avais oublié que la sœur de P-O était toujours à mes côtés. Je me tourne vers elle et je constate qu'elle est encore dans de mauvaises dispositions.

— Oui, Sarah ?

— À quoi tu joues ?

— Hein ? Qu'est-ce que tu veux dire ?

— Pourquoi t'es venue ici ? En pleine nuit ?

— Ben voyons, c'est évident. Pour apporter mon soutien à P-O.

— C'est pas une bonne idée.

— Pourquoi ? Je comprends pas. P-O, c'est mon ami. J'ai le droit de venir l'encourager. Il a besoin de moi.

— S'il y a une chose dont P-O n'a pas besoin, c'est bien de toi !

L'agressivité dont fait preuve mon ex-belle-sœur me déconcerte et me met hors de moi. Elle qui a toujours été si douce et gentille à mon égard.

— Qu'est-ce qui te prend, Sarah ? Tu m'aimais bien, dans le temps.

— Justement, c'était dans le temps. Avant que tu lui brises le cœur.

— Ç'a pas été difficile seulement pour lui, tu sauras ! Et puis c'est du passé. Maintenant, on est amis.

— Regarde, Charlotte. Ça fait presque trois ans qu'il essaie de t'oublier mais qu'il y arrive pas.

Je reste sceptique devant l'affirmation de Sarah-Jeanne, qui habite Rimouski et qui vient visiter son frère quelques fois par année.

— Comment tu peux dire ça ? Tu le vois pas souvent, à ce que je sache.

— Non, mais je viens assez régulièrement à Montréal pour savoir qu'il pense encore à toi. Beaucoup trop, d'ailleurs.

— Je pense que t'exagères. Il a quand même une nouvelle blonde.

— Qui ça ?

— Ben, la danseuse de Zumba.

— Ah, ç'a pas marché longtemps, cette histoire-là.

— Ah non ?

— Non, c'était pas sérieux.

— Ah bon, je savais pas.

— Toi, t'es toujours mariée ?

— Oui, oui.

— T'as pas l'intention de quitter ton mari ?

— Ben... non, pas vraiment. J'ai une famille, tu sais.

Sarah pousse un long soupir que j'ai de la difficulté à interpréter. Découragement ? Exaspération ? Je ne saurais le dire. Quand elle reprend la parole, son ton est un peu plus doux.

— Charlotte, je vais te demander quelque chose de super important.

— Vas-y.

— P-O, tu veux son bonheur, hein ?

— Tu parles d'une question ! C'est certain que je veux qu'il soit heureux.

— Alors le mieux, pour lui, ce serait que tu disparaisses de sa vie.

— Ben là…

— Complètement.

— Sarah, voyons…

— Je suis sérieuse, Charlotte. Tant que tu vas être là, il va s'imaginer des affaires.

— Ben non, il sait qu'on est juste des amis. C'est correct pour les deux.

— Charlotte, écoute quand je te parle !

Sarah-Jeanne vient de hausser le ton, ce qui me déstabilise à nouveau. Je remarque que les gens nous observent d'un drôle d'air. Qu'ils sont mal élevés ! Prêter l'oreille aux conversations des autres, quel manque de savoir-vivre ! Je fusille du regard mes voisins, qui comprennent qu'ils devraient s'intéresser au feu plutôt qu'à nous.

— OK, je t'écoute.

— P-O, il ne se contentera jamais d'être seulement ton ami. Il veut plus, t'es capable de comprendre ça ?

Je hoche la tête, prenant de plus en plus conscience que Sarah-Jeanne a raison.

— Donc tu vas faire ce que t'as à faire ?

C'est à regret et le cœur gros que je cesse de jouer à l'égoïste et que je me range à l'avis de mon ex-belle-sœur.

— OK, Sarah, je le verrai plus. Je te le promets.

— Plus jamais ?

— Plus jamais.

Sur ces paroles qui me donnent envie de pleurer, je tourne les talons pour rentrer à la maison. En marchant vers ma voiture, je réalise que, depuis les derniers mois, Sarah-Jeanne est la deuxième personne à m'avoir suppliée de ne plus revoir P-O. Il y a eu Maxou, tout d'abord. J'y vois là un signe.

Pour le bien de tout le monde, je dois fermer définitivement la porte sur cet épisode de ma vie. Ne plus chercher à renouer avec mon ancien amoureux. Oublier que Pierre-Olivier Gagnon existe. En fait, je dois vivre comme s'il n'avait jamais existé.

22

> « Toi t'es O.K. pi en bonne santé
> Moé chu raqué mal emmanché
> Sais tu pourquoi ben moé je le sais
> T'as pas de belle-mère pi moé j'en ai
> Cauchemar mauvais sort »
>
> ROBERT CHARLEBOIS, *Cauchemar.*

Paris – Air France – Vol 342 – Planifié à 16 h 32 – Arrivée à 16 h 28

Je regarde avec découragement le tableau d'affichage de l'aéroport Montréal-Trudeau, où je me trouve depuis une quinzaine de minutes. L'avion qui transporte ma belle-famille vient tout juste d'atterrir sur la piste. Il ne s'est pas écrasé dans l'océan comme je l'espérais... Bon, pas tout à fait, je ne souhaite quand même pas la mort de centaines de passagers, mais j'aurais été heureuse d'apprendre que l'appareil est tombé en panne et qu'il a dû se poser d'urgence sur une petite île au milieu de l'Atlantique, d'où il ne pourrait repartir avant quelques semaines... Arrête d'imaginer des scénarios, Charlotte. Alixe, Victoria et Hubert seront bel et bien devant toi dans quelques minutes.

Cette visite ne me plaît guère, mais je me suis promis de faire des efforts. Surtout envers Alixe. Les dernières fois que nous nous sommes vues à Paris, j'ai senti une grande tristesse chez la fille de mon mari. Maxou a mis ça sur le compte de l'adolescence, mais, de mon côté, je crois qu'Alixe souffre de l'absence de son père. Je vais donc essayer qu'ils se rapprochent au cours des prochaines semaines.

Avec Victoria, j'ai jeté l'éponge. Cette femme ne m'aimera jamais et c'est réciproque. Je serai polie, mais sans plus. Et avec le très réservé Hubert, ma relation est plutôt neutre.

Quand ma belle-mère m'a annoncé leur venue, j'ai pensé qu'il allait être difficile de garder le secret comme elle me l'avait demandé. Comment allais-je expliquer à mon mari que je n'avais plus envie de faire le voyage dont nous avions parlé ? Que je préférais jouir des vacances au jour le jour, en prévoyant de petites escapades à la dernière minute ?

Je m'attendais à ce que Maxou ne soit pas d'accord avec mes plans, qu'il insiste pour prendre des vacances à l'étranger. Mais non. Il a simplement dit qu'il s'adapterait à mes désirs. Il m'a aussi informée qu'il ne pouvait pas fermer le bureau deux semaines, comme chaque été. Il devra donc travailler ici et là pendant notre congé. Ça m'a rendue un peu triste, mais ce n'est pas comme si je n'y étais pas habituée, hein ? Et puis j'ai moi-même quelques tournages en studio pour mon émission hebdo, qui sera de retour en ondes à la fin de septembre.

Je ne sais pas trop non plus si cette visite va réellement faire plaisir à Maxou. Il sera heureux de revoir sa fille, cela va de soi, mais sa mère, je n'en suis pas du tout certaine. Même si, depuis qu'elle fréquente Hubert, Victoria a cessé de placer Maxou au centre de son univers, elle s'applique tout de même à diriger sa vie. Notre vie, en réalité.

Quand elle se trouve à cinq mille kilomètres, la situation est plutôt gérable. Mais maintenant que nous allons cohabiter dans un espace de quatre cents mètres carrés pendant trois semaines, j'ai peur de perdre patience.

Je secoue la tête pour chasser mes appréhensions et je sors mon iPhone pour me changer les idées. J'en profite pour me mettre au parfum de l'actualité quotidienne. Depuis que j'ai quitté Lhermitte et Desforges Communication il y a plus d'un mois, j'ai beaucoup réfléchi à la carrière que je voulais avoir.

J'en ai conclu que, ce que j'aime par-dessus tout, c'est réaliser des interviews. Je ne me lasse pas d'écouter les gens me raconter leurs histoires, me décrire leurs états d'âme, me confier leurs secrets. Et puis il y a ce moment unique, ce tournant d'une entrevue, où tu sens que la personne te fait désormais confiance et qu'elle accepte de t'ouvrir son cœur. Je n'ai pas une tonne d'années d'expérience en la matière, mais je sais que je suis une bonne intervieweuse. On me l'a dit et j'y crois sincèrement.

Pour me donner toutes les chances possibles de décrocher d'autres contrats pour faire des entrevues à la télé, j'ai décidé d'élargir mes horizons. Je lis donc les nouvelles assidûment tous les jours. Et j'assimile le tout beaucoup plus facilement que je l'appréhendais. Même que, bientôt, je ne craindrai plus les conversations sur l'actualité internationale.

Je parcours les grands titres sur le site de mon quotidien préféré. Le mois d'août est plutôt tranquille côté informations, et j'ai l'impression que les journalistes étirent la sauce avec les mêmes histoires. C'est le cas de l'incendie au resto de P-O. Depuis le drame, il ne se passe pratiquement pas une journée sans que les médias nous informent des détails sur l'éventuelle reconstruction du Terminus.

Je dois avouer que ça fait mon affaire. C'est la seule façon, pour moi, d'avoir des nouvelles de P-O. Il a fallu que je me fasse violence, mais j'ai respecté à la lettre la demande de Sarah-Jeanne. Je n'ai plus jamais communiqué avec mon ancien amoureux et j'ai même ignoré le texto qu'il m'a envoyé quelques jours après l'incendie.

« Back on my feet. Je reconstruis et j'ajoute un atelier de cuisine. »

Un atelier de cuisine... Wow! Trop génial! Une foule d'idées ont germé dans ma tête et j'ai eu envie de les partager avec lui. Pourquoi ne pas offrir une démonstration de recettes de gibier? Ce sera en plein le temps, cet automne, au moment de la réouverture. Ou un cours de cuisine de base, c'est fou comme les gens ne connaissent pas les techniques culinaires les plus élémentaires. Ou un autre événement axé sur le chocolat : gâteaux, tartes, soufflés, brownies, biscuits, mousses, poudings, fondants, et même de la pizza... Mais j'ai gardé pour moi toutes ces suggestions.

Ç'a été difficile, j'ai même dû me précipiter chez Ugo et le déranger dans son après-midi de farniente avec Bachir pour qu'il me confisque mon téléphone quelques heures. Le temps que mon envie de répondre à P-O se dissipe.

Quand je suis retournée chez Ugo en fin d'après-midi, après une séance de *shopping* digne de Charlotte Lavigne, il n'y avait plus aucune trace de Pierre-Olivier Gagnon dans mon appareil. Tous les messages que nous avons échangés avaient été effacés, ainsi que ses coordonnées et les quelques photos qu'il me restait de lui et de sa fille.

— Tiens, un nouveau téléphone... pour une nouvelle étape de ta vie, m'a dit mon ami en me remettant mon appareil, dont il avait aussi changé l'étui.

Ugo – ou peut-être était-ce Bachir – m'avait acheté une adorable coque Burberry pour mon iPhone.

— On en avait marre de tes oreilles de lapin.

Mon Ugo qui parle au « on »... Ça m'a fait tout drôle. Tellement que je me suis mise à pleurer comme une Madeleine. Oui, j'étais bouleversée parce que je venais de réaliser qu'Ugo ne m'appartiendrait plus jamais à moi seule, mais probablement surtout à cause de la cassure définitive avec P-O. Je me suis longuement épanchée dans les bras de mon meilleur ami, jusqu'à ce que Bachir me tende la main pour me guider vers la chambre d'invités. Inquiète, j'ai regardé Ugo qui m'a fait un signe encourageant.

La petite pièce qui abritait jadis un futon, un vélo stationnaire et des poids et haltères avait été transformée… en salle de massage. C'est là que j'ai appris que Bachir est non seulement un physiothérapeute respecté, mais aussi un massothérapeute certifié. Ô joie ! Et qu'il n'hésite pas à en faire profiter ses amis gratuitement. Double joie !

L'heure suivante, il s'est employé à détendre chaque parcelle de mon corps. Ses mains de maître ont su venir à bout de toutes les tensions qui m'habitaient et c'est relativement calme que je suis retournée à la maison, auprès des deux hommes de ma vie.

Depuis ce moment, je suis plus sereine dans ma décision d'avoir rompu les liens avec P-O. Et puisque Maxou et moi filons toujours le parfait bonheur, c'est plus facile de l'oublier.

Les cris de joie des gens qui, comme moi, attendent des voyageurs me tirent de mes pensées. Les passagers du vol 342 commencent à affluer dans l'aéroport, ce qui cause ce débordement d'émotion. Pas certaine que je vais avoir la même réaction.

Je range mon iPhone et je scrute la foule de voyageurs. Puis j'aperçois Victoria, la tête haute, dévisageant tout le monde de son habituel regard méprisant. Elle est suivie de ma belle-fille, Alixe, encore plus magnifique que la dernière fois que je l'ai vue.

La moue boudeuse, comme toujours, mais le teint clair, les cheveux savamment décoiffés qui tombent sur ses épaules et aucune trace de fatigue dans ses grands yeux noisette maquillés de mascara.

Le jeans *slim*, le petit top blanc hyper ajusté, les ballerines Repetto bleu pâle, le cabas Vanessa Bruno violet et une tonne de bracelets hétéroclites au poignet droit. À seize ans, Alixe a une grâce peu commune et une beauté naturelle à couper le souffle. Peut-être un peu trop mince, mais c'est là son seul défaut… physique, bien entendu.

Alixe se retourne pour parler à une autre ado qui la suit. Une fille un peu boulotte et beaucoup moins jolie. Rencontrée dans l'avion, j'imagine.

Je marche vers mes invités en essayant de me parer de mon plus beau sourire. La reine Victoria est la première à me voir.

— Ah, Charlotte, vous y êtes. Je craignais que vous ayez oublié.

— Comment pourrais-je vous oublier, Victoria ?

J'emprunte volontairement un ton sarcastique. S'il y a une chose que je me suis promise pour les prochaines semaines, c'est de ne pas me laisser intimider par ma belle-mère. Pour la forme, je lui donne deux bisous sur les joues et je lui demande où est son compagnon, Hubert.

— Il a eu un empêchement de dernière minute.

— Ah bon ? Il va nous rejoindre plus tard ?

Victoria me fait un petit signe d'impatience de la main. Son geste ne cache toutefois pas la tristesse que je vois passer furtivement dans ses yeux. Eh merde ! Ne me dites pas que c'est fini entre elle et Hubert ! Elle en sera d'autant plus exécrable…

Je me tourne vers Alixe, qui me salue d'un air désabusé. Je ne me laisse pas démonter et je m'approche pour l'embrasser. Elle ne réagit pas vraiment. Je me tourne ensuite vers l'adolescente qui la talonne.

— Vous vous êtes rencontrées dans l'avion ? dis-je en examinant la petite brunette à l'air plutôt renfermé.

— Trop pas…

— Ah ?

— Charlotte, intervient Victoria, vous savez bien qu'à cet âge-là on s'ennuie quand on se trouve seulement avec des adultes.

— Et ?

— C'est pour cette raison que Laura est venue avec nous.

Je fusille ma belle-mère du regard. Ce n'est pas héberger une personne supplémentaire qui me dérange. C'est qu'elle ne m'ait pas prévenue et qu'elle agisse comme si j'étais à sa disposition. Je respire pour m'obliger à me calmer. Je ne veux pas indisposer la nouvelle venue, déjà assez tourmentée. Si je me fie à mon instinct, Laura n'est pas le genre de fille à avoir une grande confiance en elle. Et être l'amie d'une *chick* aussi spectaculairement belle qu'Alixe, ce n'est pas pour améliorer les choses. Je l'embrasse donc chaleureusement.

— Bienvenue au Québec, Laura.

Elle me sourit avec timidité avant de reporter son attention sur ses pieds. Si elle n'est pas très jolie avec ses kilos en trop et ses cheveux un peu ternes, Laura a toutefois beaucoup de style. Avec sa veste *army*, ses bottines à semelles compensées, son vernis *flash* multicolore et ses lunettes de *geek*, elle est dans le ton. Normal, car Alixe ne fréquente que des « modeuses », comme elle me l'a déjà précisé.

— Bon, on y va ? dis-je d'un air faussement enjoué.

Je tourne les talons et marche vers la sortie, suivie de ma ribambelle que je ne peux pas qualifier de joyeuse. Pour la première fois de ma vie, j'ai hâte que l'été se termine.

***

« *I belong with you, you belong with me, you're my sweetheart. Ho ! Hey !* »

La sonnerie de mon téléphone résonne dans l'habitacle de ma petite voiture, dans laquelle mes compagnes de l'Hexagone et moi sommes entassées comme des sardines. Nous filons sur l'autoroute, en direction de la maison.

— Eh merde ! C'est Maxou. Je vais le prendre sur le Bluetooth. Parlez pas si vous voulez pas gâcher la surprise.

— Trop naze, ta sonnerie, Charlotte.

— Alixe, s'il te plaît. Chut!

J'actionne l'appareil que je viens tout juste d'acheter, en gardant les yeux sur la route.

— Allô, mon amour.

— Bonjour, ma chérie. Où es-tu?

— Euh... je fais des courses. Et toi, t'es allé chercher Adrien comme prévu?

Mon plan de match, pour être certaine que Maxou serait à la maison à notre arrivée, a été de lui demander d'aller récupérer notre fils à la garderie.

— Justement, à ce propos, je n'ai pas pu m'y rendre.

— Hein? Mais, Maxou, la garderie ferme dans dix minutes!

— Ne t'inquiète pas. Tout est sous contrôle. Anne-Pascale s'occupe d'Adrien.

— Ah bon, dis-je, déçue.

— Tu peux le prendre chez elle, s'il te plaît?

— OK. Mais toi, t'es où?

— Au bureau. J'ai une réunion qui n'en finit plus.

Je sens le regard mécontent de Victoria sur moi. Assise à ma droite, elle me toise comme si j'étais responsable de l'horaire de mon mari. Je hausse les épaules pour lui montrer mon exaspération.

— À quelle heure tu vas être à la maison?

— Je dirais... pas avant 20 heures.

— Huit heures! Voyons, Maxou, c'est trop tard.

— Je t'en prie, Charlotte. Mon client est dans la merde totale. Je m'en viens *ASAP*.

— Ça fait vraiment pas mon affaire.

— Mais pourquoi?

— C'est juste que... ben... euh... j'avais des plans, voilà tout.

Maxou reste silencieux quelques instants et j'ai soudainement peur de la façon dont il va interpréter ma dernière réponse.

— Des plans... comme celui d'hier? susurre-t-il dans l'appareil.

— Maxou, il faut que je…

— Ma chérie, tu vas m'épuiser si ça continue. Tu es vraiment insatiable ces temps-ci.

— MAXOU, ARRÊTE !

Paniquée, je jette un coup d'œil dans le rétroviseur. Je vois Alixe, l'air dégoûté, qui se bouche les oreilles. À mes côtés, la reine me regarde, scandalisée, et Laura paraît s'amuser.

— Oh là là. T'es coincée aujourd'hui, dis donc… J'avoue que je préfère la Charlotte d'hier. Surtout quand tu me…

— Cal$%&?# ! Comment ça se ferme, ce machin-là ?

J'allonge le bras pour atteindre le Bluetooth, placé sur le pare-soleil. Dans mon énervement, je donne un coup de volant et me retrouve sur la voie de service de l'autoroute. Victoria étouffe un petit cri. Rapidement, je reprends le contrôle de mon véhicule et je reviens dans le droit chemin. Ouf ! Plus de peur que de mal.

— Quel machin, ma chérie ? Le mien ?

— TU TE TAIS !

Je cherche maintenant mon cellulaire, que je croyais pourtant avoir déposé dans le porte-gobelet entre les deux sièges. Mais il n'y est pas ! Eh merde !

— Ah, d'accord, j'ai compris… Tu veux jouer les dominatrices…

— Maxou, raccroche. *NOW !*

Mon ton agressif semble avoir fait comprendre à mon mari que je n'ai plus du tout envie d'avoir cette conversation.

— Bon, bon, très bien. Ce n'est pas la peine de se fâcher.

— On se voit plus tard, OK ? dis-je en me radoucissant.

— Je serai là au max à 20 heures. Au revoir, Charlotte.

Avec un immense soulagement, j'entends le bib-bip caractéristique qui annonce la fin d'un appel. Il est suivi d'un lourd silence, que je laisse perdurer, faute de savoir quoi dire. Je n'ose pas m'excuser et ainsi en remettre. Le mieux, c'est de passer à autre chose.

— Pour le souper, j'ai prévu des grillades libanaises. J'espère que ça vous ira.

Aucune réponse de mes invitées françaises. Oups ! Je crois bien qu'elles sont encore sous le choc de ce qu'elles viennent de découvrir. Non, Maxou n'est pas toujours le garçon bien éduqué, poli et propre qu'elles connaissent. Il peut même être particulièrement *wild*, si elles veulent tout savoir. Surtout depuis le début de l'été, alors qu'il ne cesse de me surprendre avec des demandes sexuelles nouvelles. À croire qu'il s'est farci les trois tomes de *Fifty Shades of Grey.*

Non pas qu'il soit devenu un dominateur du calibre de Christian Grey, loin de là, mais il est plutôt porté sur les « expériences », ces temps-ci... Peut-être est-ce aussi la crise de la mi-quarantaine. Quoi qu'il en soit, ce n'est pas désagréable du tout, ça brise la routine et je ne m'en plains pas.

— Avec une salade fattouche, du taboulé, des roulés de pitas au houmous, du labneh à l'ail et des baklavas pour dessert.

Victoria ne desserre pas les lèvres. À l'arrière, Alixe et Laura regardent l'écran d'un iPhone en se partageant une paire d'écouteurs.

— Victoria, vous aimez la cuisine libanaise, si je me rappelle bien ?

— Charlotte, j'ignore quel sort vous avez jeté à Maximilien, mais je peux vous assurer que je ne l'ai pas élevé de cette façon.

Un sort ? Cette femme me considère vraiment comme une sorcière. Je respire par le nez un bon coup pour éviter de dire des choses que je pourrais regretter. Pas envie de commencer la bataille tout de suite. Du moins, pas le jour de leur arrivée.

— Victoria, je suis désolée que vous ayez entendu cette conversation, mais... ça fait partie de la vie.

— Vous avez une bien mauvaise influence sur mon garçon, Charlotte. Et je ne vous laisserai pas faire.

— Ah non ?

— J'ai négligé mon lapin ces dernières années et voilà ce que ça donne. Dorénavant, je vais m'occuper de lui et veiller à ce qu'il retrouve ses bonnes manières.

— Parce que vous pensez…

— Cette idée, aussi, de quitter la France. Il en a perdu tout jugement.

— Vous exagérez.

— Pas du tout. Vous ne pouvez pas comprendre, mais je vous pardonne.

— Vous me pardonnez ? Me pardonner quoi ?

— Ce n'est pas votre faute, Charlotte. Vous n'avez pas choisi le milieu d'où vous venez.

Je sens mon corps se tendre. Mes mains se crispent sur le volant jusqu'à ce que j'en ressente une vive douleur et que ma respiration se fasse plus saccadée. C'en est trop ! Je n'endurerai pas ce mépris, cette arrogance, cette condescendance pendant trois semaines. Plutôt mourir !

Je bifurque soudainement pour emprunter la première sortie sur l'autoroute.

— Nous sommes déjà arrivées ? s'étonne Victoria.

— Non. On est encore loin.

— Pourquoi sommes-nous ici ?

Je poursuis mon chemin jusqu'au premier arrêt et je tourne à droite sur un boulevard jusqu'à ce que j'aperçoive un panneau nous indiquant l'accès à l'autoroute.

— Vous voyez le petit avion sur la pancarte, Victoria ?

— Oui. Et alors ?

— Alors c'est là que je m'en vais.

— À l'aéroport ? Mais pourquoi ? Nous n'avons rien oublié.

— Non, c'est moi qui ai oublié quelque chose.

— Quoi donc ?

— J'ai oublié de vous laisser là, avec vos sarcasmes et votre mépris. Il y a un vol pour Paris tous les soirs. Si on se dépêche, vous devriez être en mesure de l'attraper.

***

Bien entendu, ce n'était que du bluff. Mais l'important, c'est l'effet qu'a eu mon petit numéro. Victoria est une trouillarde et elle l'a démontré une fois de plus. Du bout des lèvres, elle s'est excusée de son « impolitesse » et a promis de faire attention à l'avenir. Pour l'instant, ça me suffit.

Ce qui m'a fait particulièrement plaisir pendant cet épisode, c'est l'étincelle d'admiration que j'ai lue dans les yeux d'Alixe. J'imagine qu'elle aussi aurait parfois envie de dire ses quatre vérités à sa grand-mère.

— Vous allez vous organiser avec ça, les filles ?

— C'est nickel, répond Alixe.

Nous sommes à la maison, où ma belle-famille prend possession de ses quartiers en attendant Maxou. Je viens de sortir un matelas gonflable pour Alixe et Laura, qui vont squatter la chambre d'Adrien.

Même s'il ne l'a pas vue souvent, mon fils voue une véritable adoration à sa demi-sœur. En sa présence, ses yeux s'illuminent et son sourire est plus grand. Il ne cesse de lui donner des « cadeaux », comme un morceau de casse-tête, une petite auto rouge ou un vieux toutou sale.

Devant moi, Alixe joue à l'ado désabusée, ne réagissant pas aux offrandes de mon fils. Mais je sens qu'elle l'aime bien et je suis convaincue que, dans l'intimité, elle est plus affectueuse avec son demi-frère. Ce qui expliquerait pourquoi il continue de la charmer… Adrien n'est tout de même pas maso au point de s'intéresser à une personne qui ne veut rien savoir de lui.

— Adrien, va donner des cadeaux à mamie, maintenant ! lance Alixe à son demi-frère en le poussant vers la sortie.

Je fais un signe encourageant à mon fils, qui se précipite vers la chambre d'amis.

— Charlotte, tu sais si c'est loin d'ici, le Septième ciel ? me demande ma belle-fille tout en soufflant le matelas à l'aide d'un séchoir.

— Le Septième ciel ?

— Ouais, pour aller *clubber,* tu vois…

— Je sais pas où c'est, Alixe. On va regarder sur le Net.

— Tu pourrais nous y conduire après le dîner ?

— Ce soir ?

— Ben… ouais.

— Euh… Faudrait demander à ton père. Je sais pas s'il va être d'accord. C'est pour les dix-huit ans, non ?

— Et alors ? Je ne suis plus une enfant, j'ai seize ans !

— Peut-être, mais c'est quand même lui qui décide. Comment tu connais cet endroit ?

Alixe hausse les épaules et Laura répond à sa place.

— Par nos amis Facebook.

Ma belle-fille lance un regard noir à sa compagne, qui baisse aussitôt la tête. Visiblement, l'existence des amis virtuels devait rester secrète.

— Vous les connaissez, ces gars-là ?

— Comment tu sais que ce sont des garçons ?

— Alixe, j'ai déjà eu ton âge, tu sais. Alors, vous les connaissez ou pas ?

— Ben oui, c'est nos potes Facebook.

Traduction : « T'es ben niaiseuse, la vieille, c'est sûr qu'on les connaît, on facebooke avec eux, on skype avec eux, on twitte avec eux… »

— Oui, mais je veux dire : les avez-vous déjà rencontrés ?

— Ah ça ? Ben, pas encore.

— Ah, fais-je, laissant planer mon scepticisme dans la pièce.

— Comme tu ne veux pas nous amener, Charlotte, je vais demander à papa.

— J'ai pas dit que je voulais pas, Alixe. On verra ce que Max en pense. Il va sans doute vouloir passer la soirée avec toi.

— Pff…

— Tu viens d'arriver, ma belle. T'auras tout le temps de voir tes amis. En plus, vous devez être fatiguées à cause du décalage horaire.

— Ça va… C'est parce qu'ils nous attendent, tu vois.

Je suis estomaquée. Alixe et Laura sont à peine descendues de l'avion que déjà elles ont un rendez-vous ? Avec des gars qu'elles n'ont jamais vus de leur vie ? Je pense que le but de leur voyage est on ne peut plus clair… Et ce n'est certainement pas d'aller visiter les chutes Niagara en famille.

Après tout, c'est normal, non ? Moi non plus, à leur âge, je n'en avais rien à foutre de me balader avec mon père et ma grand-mère. Je préférais de loin la compagnie des garçons.

— Écoute, Alixe, je vais voir ce que je peux faire, mais je te promets rien.

Sur ces paroles encourageantes, je lui fais un petit clin d'œil et je vais préparer mon taboulé.

***

— Je suis désolée, Alixe, mais il n'est pas question que vous sortiez ce soir.

— Mais, papa…

— Je suis d'accord avec Maximilien, intervient Victoria. Ce n'est pas raisonnable.

— C'est méga *bad*…

— Eh bien, c'est comme ça. C'est tout, conclut Maxou d'un ton sans appel.

Nous sommes à table, où la situation est plutôt tendue depuis quelques minutes. Tout a pourtant bien commencé. À son arrivée à la maison, Maxou a été agréablement surpris d'y trouver les siens. Plus que je me l'imaginais, en fait. Il a longuement serré sa fille dans ses bras. Et il s'est dit ravi quand sa mère lui a offert des caramels rose et framboise de chez Pierre Hermé. Ses préférés.

« Eh bien, voilà de vrais caramels », a-t-il lancé pour mon plus grand déplaisir.

J'ai parfois la fâcheuse impression que mon mari vit sur du temps emprunté au Québec. Qu'il n'attend que le moment opportun pour repartir en France, sa vraie patrie. Mais je me raisonne en me rappelant qu'il m'a choisie, tout comme mon pays, et qu'il y a même fondé une famille. Et ça, ce n'est pas rien. Ça signifie beaucoup pour Maximilien Lhermitte, et je m'efforce de ne pas l'oublier.

— Qui veut du dessert ? dis-je pour essayer de détendre l'atmosphère.

— Je n'ai plus faim, annonce Alixe.

— Vraiment ?

Le commentaire de ma belle-fille m'étonne. Pendant tout le repas, elle a mangé du bout des lèvres. Je lui ai demandé à plusieurs reprises pourquoi elle n'avait pas d'appétit, si le repas lui plaisait, si elle voulait que je lui prépare autre chose. Mais elle m'a répondu que tout allait bien, qu'elle avait simplement trop mangé dans l'avion… Ce qui m'a un peu étonnée quand on connaît la qualité de la nourriture qu'on nous sert dans les airs.

Maxou s'est interposé à quelques reprises, afin que je laisse sa fille tranquille. Mais moi, quelqu'un qui n'a pas faim, ça m'inquiète toujours.

— On peut sortir de table, maintenant ? demande-t-elle.

Maxou lui fait un petit signe d'approbation de la main. Alixe se lève, suivie de celle que j'appellerais son ombre si j'étais de mauvaise foi. Laura me fait pitié, je l'avoue. À côté de son amie, elle semble fade, sans grand attrait, sans personnalité.

Alixe, de son côté, s'affirme de plus en plus. Elle se laisse moins dicter ses comportements par ses parents et ose même contester leur autorité. Je n'irais pas jusqu'à dire qu'elle est rebelle, mais elle argumente. D'ailleurs, je suis étonnée qu'elle ne se batte pas plus fort pour pouvoir aller faire la fête ce soir.

Quelques minutes après que les deux ados sont retournées dans la chambre d'Adrien, je me rends à la cuisine pour préparer mon assiette de desserts. Aux traditionnels baklavas, j'ai ajouté des mouhalabieh, ces onctueux flans de lait, nappés de sirop à l'eau de fleur d'oranger. Dommage que les filles manquent ça…

Le tout a l'air si appétissant que je décide de leur faire une livraison spéciale. Je suis convaincue qu'Alixe ne pourra pas résister, et ça rassurera la *stepmom* en moi.

Je prends un petit plateau, j'y place quelques gourmandises et je monte. Une fois en haut de l'escalier, j'interpelle Alixe et sa compagne.

— Les filles, je vous apporte du dessert.

CLAC ! Le bruit sourd de la porte de la chambre de mon fils qui se ferme brusquement me fait sursauter. Ah, les adolescentes et leurs secrets. Je cogne doucement.

— On est occupées.

— J'ai des baklavas.

— On n'en a rien à foutre, lance Alixe à travers la porte.

Assez direct merci ! Heureusement que je ne suis pas trop susceptible… Aujourd'hui, en tout cas.

— Et toi, Laura ?

— Euh…

— Elle non plus.

— Alixe, tu veux bien laisser ton amie répondre par elle-même ?

— Ça va aller, merci, madame.

— Laura, appelle-moi, Charlotte, je suis pas si vieille que ça.

— D'accord, Charlotte.

— Avez-vous besoin d'autre chose ?

— Non, rien ! On peut faire nos trucs, maintenant ? s'impatiente ma belle-fille.

Oh là là… Je ne sais pas de quels trucs parle Alixe, mais visiblement je ne suis pas conviée à leurs activités.

— En tout cas, je dépose le plateau devant la porte, au cas où vous changeriez d'idée.

Je m'éloigne vers notre chambre pour aller faire un câlin à mon fils, que nous avons installé là pour les trois prochaines semaines. Bye bye, l'intimité…

Adrien dort comme un loir dans son lit près de la fenêtre. Je passe quelques minutes à le contempler avec tendresse, en prenant bien soin de ne pas faire de bruit pour ne pas le réveiller. C'est fou comme sa présence m'apaise. Quand il est dans les bras de Morphée, dois-je préciser. Le reste du temps, sa présence me stimule, me rend heureuse, me fait sortir de mes gonds, m'angoisse… Mais m'apaiser… ça, non !

Je quitte mon petit bonhomme pour aller retrouver Maxou et sa mère. En passant devant la pièce où se sont enfermées les deux ados, j'entends le rire d'Alixe résonner. Un sourire se forme sur mes lèvres aux souvenirs que tout ça éveille en moi. Combien de fois nous sommes-nous enfermées, Marianne et moi, dans ma chambre et dans notre propre monde !

Des heures et des heures à parler des garçons – en fait, c'est surtout moi qui parlais, je le réalise maintenant –, en nous pomponnant avec la fabuleuse trousse de maquillage de ma mère. Un véritable coffre au trésor pour les ados sans le sou que nous étions. Oups… Et si Alixe et Laura faisaient la même chose, à l'heure actuelle ?

Je me rue vers la salle de bain et j'ouvre l'armoire réservée à mes produits de beauté. La tablette qui contient habituellement mes cosmétiques est entièrement vide ! La voix furieuse de maman me revient en tête. « Tu touches PAS à mon maquillage, c'est clair ? »

Non, je ne serai pas cette mère peu compréhensive et jalouse de tout ce qu'elle possède. Je suis assez ouverte d'esprit pour partager mes avoirs avec ma belle-fille, même s'il s'agit d'une ado ingrate et imbue d'elle-même... Pourvu que mes rouges à lèvres ne me reviennent pas tout bousillés. Pour me calmer, je compte jusqu'à trois. Ensuite, je vais frapper à la porte de la chambre de mon fils.

— Alixe, ouvre, s'il te plaît.

— ...

— Je sais que vous avez pris mon maquillage.

— Non.

— Alixe, *come on*!

J'attends encore quelques secondes et la porte s'ouvre enfin sur une Alixe aux lèvres Glamour rose et aux yeux Folie aqua.

— Qu'est-ce que tu veux?

J'observe le visage angélique de ma belle-fille. Aucune trace de malaise, elle semble parfaitement maîtriser la situation. Derrière elle, Laura est absorbée dans la contemplation de ses ongles multicolores.

— À mon avis, lui dis-je, Folie 24 carats t'irait beaucoup mieux. Ça rehausserait plus tes yeux.

Alixe me toise quelques instants, puis voyant que je ne capitule pas, elle soupire d'exaspération. Je tends la main et elle me tourne le dos pour ouvrir le coffre à jouets d'Adrien. Elle en sort une de mes trousses à maquillage, celle qui contient les fards à paupières, et me la remet sans un mot.

— Et les autres?

— Je ne sais pas de quoi tu parles.

Je lève les yeux au ciel et je me dirige vers le meuble de rangement.

— Tu sais, ça me dérange pas de te prêter mon maquillage, j'aimerais juste que tu me le demandes.

Alixe se précipite devant moi et, d'un geste brusque, referme le couvercle du coffre à jouets. Surprise, je sursaute.

— Coudonc, qu'est-ce que tu caches là-dedans?

— Des trucs perso.

— Je crois pas que ce soit la meilleure cachette, Adrien fouille souvent dans son coffre.

— On n'a qu'à mettre ses jouets dans votre chambre. On n'a pas de place ici, alors que vous…

À la fois fascinée et exaspérée, je regarde ma belle-fille, dont l'effronterie ne cesse de m'étonner.

— Pas question, Alixe. Bon, tu me donnes mes autres trousses ?

Elle soupire avant de me demander de m'éloigner, pour « respecter son intimité ». Je recule de quelques pas et elle se penche pour ouvrir le coffre. Trop curieuse, j'allonge le cou pour essayer de voir ce qu'il peut bien contenir de si précieux et secret. J'y aperçois un bout de tissu d'un beau vert sarcelle… comme ma nouvelle camisole en soie.

Puis un autre objet attire mon attention, c'est le talon d'un soulier facilement reconnaissable grâce à sa semelle rouge… Non, ce n'est pas vrai ! Elle n'a pas « emprunté » MES escarpins en dentelle Louboutin. Quel culot !

C'est assez ! Il y a des limites au partage ! Pas question qu'elle se promène avec la paire de chaussures que m'a offerte Maxou pour mon trente-huitième anniversaire. *Over my dead body !*

— Alixe, tasse-toi d'là.

— Je ne pige pas, répond-elle en jouant la Française ne comprenant pas notre parler québécois.

Ma trousse à rouges à lèvres dans les mains, elle se retourne et me regarde d'un air légèrement hautain.

— Tu. Te. Casses… si tu préfères. Même si je sais que tu as parfaitement saisi mon message.

Je lui fais signe avec mon doigt de s'éloigner et de me laisser passer. L'arrogance que je lis dans ses yeux depuis un moment fait place à un sentiment de peur bien réel. Je me penche vers le coffre et j'y découvre, pêle-mêle, mes petits *tops* les plus sexy, trois paires de chaussures à talons hauts, une pochette contenant mes bijoux Caroline Néron, mon iPad avec son couvercle rose et… mes deux *push-up bras* La Perla.

Je ferme les yeux un instant, question de ne pas succomber à la colère et de remettre le tout en perspective. De me rappeler que, moi aussi, j'ai déjà eu son âge et que je voulais être la plus belle pour les garçons, qu'Alixe en est à sa première journée d'un séjour de trois semaines et qu'il serait préférable de ne pas l'envenimer dès le départ. De là à accepter ça, par contre…

— OK, les filles, une mise au point s'impose. Ouvrez bien vos oreilles, parce que je le répéterai pas deux fois.

***

La maison est plongée dans un silence réconfortant, après la soirée animée que nous avons passée à discuter autour de la table de sujets aussi variés que la politique française et le cinéma québécois. Honnêtement, je m'en suis bien tirée et je suis fière de moi !

À l'heure actuelle, tout le monde roupille, sauf moi. Je déteste ces nuits où je m'endors comme une bûche pour me réveiller quelques heures plus tard, incapable de retrouver le sommeil, mon esprit vagabondant d'un sujet à l'autre.

Ce qui me préoccupe, encore une fois, c'est ma carrière. Je rumine la déception que j'ai eue en fin de soirée quand j'ai consulté mes courriels et que j'y ai découvert un message de Paul-André.

Mon ami potineur a répondu au petit mot que je lui avais fait parvenir la veille, afin de savoir s'il avait eu des nouvelles de ce dont il m'avait parlé lors de notre dernière rencontre. Ce « quelque chose qui s'en vient et qui pourrait être ben bon pour toi ».

Malheureusement, l'émission que Paul-André me voyait animer est restée un beau projet et ne verra jamais le jour. Pout, pout, pout… Un autre truc qui foire.

Dans ma tête, je fais le décompte de tous les CV que j'ai envoyés à des producteurs et de toutes les mains que j'ai serrées récemment. Il y en a beaucoup, somme toute, pour cette période de l'année. Et qu'est-ce que mes efforts ont donné jusqu'à présent ? Rien. *Niet. Nada.* Complètement décourageant.

Est-ce que je serais déjà une *has been* ? Est-ce que ma présence limitée en ondes, sur une chaîne spécialisée, a contribué à me reléguer aux oubliettes ? Noooooooon ! Pas tout de suite ! Pas maintenant que je me sens plus confiante, plus prête que jamais à animer une émission plus profonde, avec plus de contenu. Ma carrière d'animatrice ne va pas se terminer de cette façon ? Ce n'est pas vrai. Ça ne peut pas être vrai.

Je tente d'oublier mon inquiétude en me blottissant contre le dos de mon mari. J'y trouve le réconfort recherché et je me force à me calmer pour m'endormir. Mais mes pensées n'en font qu'à leur tête et continuent de me torturer. Et si je n'étais plus capable de gagner ma vie en pratiquant mon métier ? Celui qui occupe tous mes rêves. Si je devais me rabattre sur un travail que je n'aime pas ? Je ne peux pas croire que c'est ce qui va arriver…

Je secoue la tête pour chasser mes idées noires et, du coup, j'entends Maxou grogner légèrement. Je me lève pour aller vivre mes angoisses ailleurs. Inutile de le tenir éveillé, lui aussi. Je me rends au salon, avec l'intention de lire un texte intitulé *Les dix positions sexuelles préférées des hommes.*

C'est pour ce titre accrocheur que j'ai acheté ce magazine hier, lorsque je me suis précipitée au dépanneur pour combler le besoin urgent de mon fils chéri de manger un popsicle aux cerises. Ces derniers temps, j'avoue que je sens de la pression quand je me retrouve au lit avec Maxou. J'ai envie, moi aussi, de le surprendre, de le sortir de sa zone de confort et de lui montrer que je peux être une amante audacieuse.

Je fouille dans le porte-revues et je tombe sur un exemplaire du *Cinq jours* qui date de quelques semaines. Je l'ouvre à la page où est la photo de Maxou et moi, prise lors du lancement de film un peu plus tôt cet été. Elle est vraiment magnifique et témoigne de la force de notre amour.

Je laisse volontairement le magazine bien en vue, sur la table à café, dans l'espoir que Victoria l'aperçoive et finisse par comprendre que Maxou et moi sommes ensemble pour toujours. J'attrape maintenant la revue convoitée et je m'étends confortablement sur le canapé pour entamer ma lecture. Alors, messieurs, qu'est-ce qui vous fait tant vibrer? Parmi les dix positions, quelques-unes attirent mon attention: la chevauchée fantastique, la brouette enflammée, le *rock-and-roller*, la promotion canapé et les ciseaux sexy...

Quels drôles de noms! Je m'imagine, discutant au lit avec Maxou: «Alors, mon amour, est-ce que je te chevauche de façon fantastique ou tu me brouettes avec toute ta flamme?» Ou bien: «On fait comme dans une annonce de Brault et Martineau? La promotion canapé?» Tout pour briser la magie...

De plus, comment suis-je censée comprendre ces positions alors qu'il n'y a aucune image pour les appuyer? Je m'attarde au texte pour tenter d'y voir plus clair quand, tout à coup, le téléphone sonne. Hein? Un appel sur la ligne fixe en pleine nuit?

Je me jette sur l'appareil le plus proche, sur la petite table au bout du canapé. Inquiète, je décroche tout en regardant l'heure: 2 h 40. À cette heure-ci, ça ne peut être que de mauvaises nouvelles.

— Allô.

— Ah fiou... C'est vous, Charlotte.

Je mets quelques secondes à reconnaître la voix au bout du fil. Mais quand le déclic se fait dans ma tête, mon cœur fait un tour complet dans ma poitrine. Elles sont sorties! Alixe et son amie ont quitté en douce la maison sans que personne ne s'en aperçoive.

— Laura, où est-ce que vous êtes ?

— Je sais pas. Dans un resto.

— OÙ ÇA ?

— Au centre-ville, je crois.

Mon inquiétude fait place à une véritable frayeur. Qu'est-ce qui leur est arrivé ? Et pourquoi ce n'est pas ma belle-fille que j'entends au bout du fil ?

— Est-ce qu'Alixe est correcte ?

— Ouais, ben…

— Laura, qu'est-ce qui se passe ?

— Elle est beurrée comme un Petit Lu…

— C'est pas vrai !

— Oui, mais elle ne veut pas que M. Lhermitte le sache.

J'entends la voix molle d'Alixe derrière celle de Laura et j'y distingue une longue plainte, suivie des mots « pas papa, pas papa ».

— Laura, demande à quelqu'un où vous êtes.

— Attendez.

Je patiente tout en m'interrogeant sur la suite. Je réveille Maxou pour qu'il aille les chercher et donne une bonne leçon à Alixe ? Ou bien je pars moi-même et j'en parle à mon mari plus tard ? J'écarte complètement l'idée de lui cacher l'escapade nocturne de sa fille. Désolée, ma chouette, mais tu devras vivre avec les conséquences de tes gestes.

— À La Belle Province, sur la rue Sainte-Catherine.

— C'est long, la rue Sainte-Catherine, Laura. À quelle intersection ?

— Euh… je sais pas.

— Demande-le.

— D'accord, d'accord, un instant.

Nouvelle attente angoissante. Qu'est-ce qu'Alixe a bien pu boire pour être aussi ivre ? Heureusement que Laura ne l'a pas imitée et qu'elle a toute sa tête pour m'appeler.

— Le boulevard Saint-Laurent.

Oh my God! En plein dans la faune bigarrée du *nightlife* de Montréal. À deux pas des piqueries, des *pimps*, des vendeurs de *dope*... Tout compte fait, il est préférable de laisser Maxou en dehors de ça pour l'instant. Je n'ose pas imaginer sa colère.

— Bougez pas, j'arrive.

***

Quinze minutes plus tard, je stationne à un arrêt d'autobus et j'ouvre la porte du *snack-bar* éclairé aux néons. Je parcours du regard les petites tables en mélamine stratifiée. Seul un vieil homme y mange une poutine. Au comptoir, deux femmes dont la tenue m'indique qu'elles font le plus vieux métier du monde attendent leur commande. Aucune trace de mes deux ados. Fu$% ! Où sont-elles passées ?

Je sors mon iPhone de ma poche avec l'intention d'appeler ma belle-fille sur son cellulaire quand, soudainement, j'entends un son guttural qui provient des toilettes. Ahhhh, c'est là qu'elles se cachent... pour mieux vomir. Les joies de la beuverie. Ouache !

Je frappe doucement à la porte.

— Laura ? Alixe ? Ça va ?

Laura ouvre et j'aperçois Alixe, la tête penchée sur la cuvette, les genoux sur le carrelage et... mes chaussures Jérôme C. Rousseau aux pieds. C'est la dernière fois que je laisse traîner des souliers dans l'entrée. Respire, Charlotte, respire !

— C'est chic, votre affaire, les filles.

Laura reste silencieuse, tandis qu'Alixe répond en régurgitant une fois de plus. Dégueulasse...

— En plus, elle vomit rien, précise Laura. C'est que de la bile.

— Je comprends, elle a pas mangé au souper.

— Ouais, elle fait ça quand on sort.

La réponse de la jeune fille me bouleverse. Est-ce qu'Alixe aurait une relation trouble avec l'alcool ?

— Qu'est-ce que tu veux dire, Laura?

— Euh, rien, rien. Je vous ai rien dit, d'accord? Elle serait fâchée que je vous en aie parlé.

J'entends le son de la chasse d'eau qu'Alixe vient de tirer. La voilà qui tente péniblement de se relever en s'appuyant sur le couvercle des toilettes.

— On va l'aider, dis-je à Laura.

Ce faisant, je me promets bien de poursuivre cette discussion dès demain avec la principale intéressée, qu'elle le veuille ou pas. Je dois en savoir plus sur les habitudes de consommation de ma belle-fille, qui ne me semblent pas saines du tout.

— Ne le dis pas à papa. S'il te plaît, me supplie Alixe de sa voix pâteuse.

Son haleine me lève le cœur et je détourne la tête. Je tends un billet de 5 dollars à Laura, à qui je demande d'aller acheter une bouteille d'eau au comptoir. Je me tourne vers Alixe, en évitant de respirer par le nez, et j'éponge son front avec un papier brun humide. Puis, sans que je m'y attende, elle se laisse tomber dans mes bras et se met à pleurer.

Surprise par ce flot d'émotion soudain, je ne sais trop comment réagir. Je me contente donc de la rassurer en lui disant que tout va bien aller.

— Il va me tuer.

— Ben voyons, Alixe. Ton père, c'est pas un monstre.

Un peu sceptique devant cette réaction exagérée, que je soupçonne être une tentative de manipulation, je m'écarte doucement. Elle s'agrippe encore plus solidement et essuie son nez et ses larmes dans mon manteau de pluie, que j'ai dû revêtir pour cacher ma tenue de nuit. C'est un thème récurrent dans ma vie depuis quelques mois, les sorties nocturnes en pyjama.

— Il est parti avec la brune.

— Hein? Alixe, tu racontes n'importe quoi.

— Il m'aime pas!

— Mais bien sûr que ton père t'aime.

— Pas lui. Raphaël.

— Ah, OK !

Un de ses amis Facebook, j'imagine. Faut croire qu'Alixe était déjà bien accrochée à ce garçon avant même de le rencontrer... Dur apprentissage pour la jeune fille, mais il est vrai que l'amour virtuel peut parfois être bien décevant dans la réalité.

À ce moment, Laura revient avec la bouteille d'eau. Je lui cède ma place pour qu'elle aide son amie à se rincer la bouche. Pas envie de cette puanteur dans la bagnole. Nous traînons ensuite Alixe jusqu'à la voiture, où elle s'effondre sur le siège arrière et s'endort aussitôt.

Je questionne Laura. J'apprends qu'elles ont pris un taxi pour se rendre au Septième ciel, après avoir bu de la vodka dans la chambre d'Adrien. En fait, c'est surtout Alixe qui en a avalé de bonnes rasades.

— Quelle vodka ?

— Euh, celle dans votre armoire.

Typique comportement d'ado, que je comprends parfaitement parce que je faisais la même chose. Pas certaine, toutefois, que Maxou va être aussi compréhensif.

Laura n'est pas trop généreuse sur les détails de la soirée, et tout ce qu'elle accepte de me dire c'est qu'Alixe a eu une grande déception amoureuse et qu'« on doit prendre soin d'elle ».

— Et pourquoi vous êtes pas rentrées en taxi ?

C'est évident qu'il aurait été beaucoup moins risqué de revenir à la maison incognito. Moi, c'est ce que j'aurais pensé, dans ma tête d'ado.

— On n'avait plus un rond. Et puis Alixe a dit : « Appelle Charlotte, elle est *cool*, elle ne le dira pas à papa. »

Alixe qui me trouve *cool*... C'est toute une première. Je dois avouer que ça fait plaisir à mon petit cœur de *stepmom*. Tout en roulant vers la maison, je me demande si Maxou a vraiment besoin de savoir ce qui s'est passé cette nuit. Après tout, il est peut-être préférable de régler ça entre filles.

***

— Tiens, ma belle.

Je dépose le copieux déjeuner d'Alixe devant elle, sur la table. Une salade de petits fruits des champs, deux toasts au Nutella, trois tranches de bacon, quelques morceaux de fromage cheddar et un jus d'orange fraîchement pressée.

Il est midi, et les filles viennent de se lever. Cette nuit, quand nous sommes rentrées, j'ai évité de peu la catastrophe. Juste au moment où Laura et moi avons étendu Alixe sur le matelas gonflable en essayant de faire le moins de bruit possible, j'ai entendu la porte de notre chambre s'ouvrir et des pas s'approcher dans le couloir.

Je suis sortie juste à temps de la pièce que squattent les deux ados pour éviter que Maxou y entre.

— Mais qu'est-ce que vous foutez, bordel? a-t-il demandé.

Je lui ai expliqué qu'Alixe et Laura ne dormaient pas, trop excitées par le voyage, et qu'on placotait toutes les trois. Maxou ne s'est pas obstiné et il est allé se recoucher aussitôt.

Ce matin, je l'ai convaincu d'emmener sa mère au bureau pour lui montrer le nouvel aménagement que nous avons fait l'année dernière. Je lui ai suggéré ensuite de luncher avec elle, m'assurant ainsi d'avoir un moment seule avec les filles.

— Je ne mangerai jamais tout ça!

— Essaie, au moins.

Alixe râle encore un peu, mais elle porte une tranche de bacon à sa bouche et l'engloutit. Je souris, heureuse de voir qu'elle a de l'appétit. Laura, pour sa part, déjeune d'un bol de muesli et, moi, je les accompagne d'un *grilled cheese* à la tomme des Demoiselles.

Alixe continue de manger avidement, en ne quittant pas son assiette des yeux et en gardant le silence. Seul le bruit des figurines que mon fils s'amuse à lancer sur le sol résonne dans la pièce.

Une fois son repas terminé, Alixe pousse son assiette devant elle et me remercie du bout des lèvres.

— C'est plutôt pour hier soir que tu devrais me remercier.

— Merci d'être venue nous chercher, Charlotte, dit-elle à contrecœur.

— Je te répondrai pas que ça m'a fait plaisir, Alixe. Même que ça m'a beaucoup inquiétée.

— Mais non, tout va bien, répond-elle en s'apprêtant à se lever.

— J'aimerais que tu restes à table un peu.

Ma belle-fille acquiesce, non sans pousser un soupir d'exaspération. Préférant se faire discrète, Laura s'éloigne pour aller jouer avec Adrien. Je prends mon courage à deux mains et j'entre dans le vif du sujet :

— Alixe, ça t'arrive souvent de trop boire comme hier ?

— Mais non, c'est pour faire la fête. C'est tout.

— Tu me jures que c'est pas fréquent ?

— Arrête de me prendre pour une alcoolo !

— Je pense pas ça. Je veux juste savoir.

— Elle dit vrai, intervient Laura en revenant vers nous. Ça n'arrive pas souvent.

— Bon, très bien.

Je sens que Laura me dit la vérité et je sais très bien qu'à cet âge on peut parfois dépasser les bornes sans avoir pour autant un problème d'alcool.

Et comme je sais qu'Alixe est élevée de façon assez stricte par sa mère et la reine Victoria qui, on le sait, ne se gêne pas pour se mêler de l'éducation de sa petite-fille, je ne suis pas étonnée de constater qu'elle lâche son fou pendant les vacances. Ce qui me dérange, c'est ce que m'a confié Laura, bien malgré elle.

— Est-ce que ce serait possible, Alixe, que tu te prives de manger avant de sortir ?

— Trop pas ! Tu te plantes grave !

La panique dans la voix de la jeune fille me laisse croire que je viens de viser juste. Tout me pousse à continuer de la questionner, mais je ne veux surtout pas l'effaroucher ou encore me faire répondre le classique : « T'es pas ma mère ! » Le mieux, c'est la franchise.

— Je pense, ma belle, que tu ne veux pas manger parce que tu sais que l'alcool contient beaucoup de calories et que ça fait engraisser.

— Non. Tu racontes n'importe quoi.

— Et que tu crois qu'en mangeant presque rien de la journée tu peux boire plus d'alcool le soir.

Alixe fixe désormais son napperon mauve et joue avec quelques graines de toasts qui y sont éparpillées. Laura me regarde et hésite avant de prendre la parole.

— Moi, j'aime pas quand tu fais ça !

Alixe fusille sa copine du regard. À l'heure actuelle, je suis convaincue qu'elle la considère comme une traîtresse de la pire espèce.

— Je veux que t'arrêtes, ajoute Laura.

C'est qu'elle a du courage, la petite ! Fière d'elle, je lui souris chaleureusement et je continue :

— Tu sais, Alixe, t'as pas besoin de faire ça. T'es parfaite, t'as aucun kilo en trop et tu peux même en prendre un peu, ça te ferait pas de tort.

— Tu es la plus belle du lycée, je ne vois pas pourquoi tu t'imposes ça.

— Je suis convaincue que tu fais tourner toutes les têtes des garçons.

— Pas celle de Raphaël…

— Lui, c'est un con ! C'est tout. T'es d'accord, Laura ?

— Mégacon.

Ma belle-fille, émue, esquisse un sourire. Comme si elle comprenait peu à peu qu'elle est loin d'être moche. Parce que derrière ce masque d'arrogance et de suffisance se cache une jeune fille qui manque de confiance en elle. Surtout auprès des garçons. Et ça me rappelle tellement moi ! Même si j'étais populaire à l'école et que j'alignais les chums, j'avais toujours peur qu'ils se tannent et qu'ils me laissent. Ce qui arrivait la plupart du temps.

Brusquement, Alixe semble très angoissée.

— Charlotte, tu me promets de ne pas le dire à papa ?

— Il a le droit de savoir, c'est ton père.

— Il va trop être en colère contre moi.

Là, elle marque un point.

— En plus, ça va gâcher les vacances.

Un autre bon point.

— Je t'en prie, Charlotte. Je vais faire tout ce que tu veux. Promis, promis, promis.

Je soutiens le regard affolé d'Alixe, partagée entre l'envie de m'en faire une alliée et mon devoir d'épouse.

— J'ai un *deal* à te proposer. Je ne dis rien à ton père…

Je vois ses grands yeux noisette – tout aussi beaux que ceux de Maximilien – s'illuminer et son sourire revenir.

— … si tu ne bois plus jamais d'alcool sans avoir mangé avant.

— Mais…

— Et par manger, j'entends un vrai repas. Pas deux ou trois bouchées. C'est à prendre ou à laisser.

Alixe soupire avant de capituler et de hocher la tête.

— Et puis mets la pédale douce sur la vodka, OK ?

— Hum, hum…

— Promis ?

— Promis.

Est-ce qu'Alixe tiendra réellement ses promesses ? Je n'en sais trop rien, mais je vais surveiller le tout de près au cours des prochaines semaines. Et si rien ne s'améliore, j'en parlerai à Maxou. De plus, j'ai l'intention de suivre la situation même quand Alixe sera de retour à Paris. Je suis certaine que Laura se fera un plaisir de me tenir informée.

La porte d'entrée s'ouvre soudainement. Déjà ? Ils ne devraient pas être attablés devant une bavette et un verre de bordeaux, eux ?

Alixe me supplie du regard. Une fois de plus, je suis estomaquée de constater à quel point elle craint son père. Ça me dépasse un peu. Maxou est certes sévère, mais il est capable de comprendre les frasques d'une ado en mal d'amour. Enfin, il me semble…

J'ai tout juste le temps de rassurer ma belle-fille avec un tendre sourire que Victoria surgit dans la pièce. Nulle trace de Maxou. La reine se dirige tout droit vers moi.

— Charlotte, je dois vous parler.

— Bonjour, Victoria. Mon mari est pas avec vous ? dis-je en prenant bien soin d'appuyer sur le mot « mari ».

Peut-être qu'un jour, à force de l'entendre, Victoria va finir par accepter que Maxou soit marié à une Québécoise n'appartenant pas à la bourgeoisie française. En réalité, qu'il soit marié tout court.

— J'ai demandé à Maximilien de me déposer ici, le temps qu'il aille faire une petite course. Nous irons déjeuner ensuite.

— Qu'est-ce qui se passe, mamie ?

— Mon trésor, tu veux bien nous laisser quelques instants ?

— Pourquoi ? s'informe Alixe, visiblement inquiète.

— Parce que je te le demande.

Alixe hésite encore, mais elle se résigne à quitter la table, entraînant Laura avec elle. Me voilà seule avec la reine. Je me lève pour être à sa hauteur, je la défie du regard et je prends les devants, question de lui montrer qu'elle n'a plus d'emprise sur moi.

— De quoi voulez-vous discuter, Victoria ?

— De votre attitude irresponsable, la nuit dernière.

Ah non ! Qu'est-ce qu'elle a bien pu voir au juste ? Ce n'est pas tant pour moi que je m'inquiète que pour Alixe. Si Victoria se met à essayer de régenter ses allées et venues, la pauvre chouette n'est pas sortie du bois.

— Je ne vois pas de quoi vous parlez.

Je tourne le dos à ma belle-mère pour aller rejoindre mon fils, qui mène la vie dure à ses dinosaures.

— Charlotte, je n'ai pas terminé.

— Eh bien, moi, oui !

— Vous ne manquez pas de culot, Charlotte ! Vous sortez avec Alixe et Laura, vous les incitez à boire de l'alcool et vous pensez que...

— PARDON ?

Je laisse tomber le tyrannosaure en plastique que je tiens à la main pour affronter ma belle-mère.

— Inutile de nier, Charlotte. Je vous ai vues, hier, toutes les trois, quand vous êtes rentrées. Quelle disgrâce ! Attendez que Maximilien l'apprenne.

Je vois tout de suite clair dans son jeu. Victoria ne pense pas un mot de ce qu'elle vient de dire ! Elle essaie, encore et toujours, de me mettre dans le pétrin et de semer la discorde entre Maxou et moi. La championne des fausses accusations ne l'emportera pas cette fois-ci. Croyez-moi !

Je prends une grande respiration pour tenter de me calmer et je mise sur un ton méprisant et hautain pour la remettre à sa place.

— Chère, chère, chère Victoria... Décidément, vous avez l'imagination fertile. Vous avez peut-être réussi à me faire passer pour une voleuse de sacoche quand nous étions en Italie, mais cette fois-ci je vous laisserai pas faire !

L'été où j'ai vécu en France, Maxou, Alixe, Victoria et moi avons pris des vacances en Toscane. Ma belle-mère avait dissimulé le sac Chanel de sa petite-fille dans ma valise pour lui faire croire que je le lui avais chipé. Son plan machiavélique a fonctionné, et Alixe m'en a voulu longtemps.

Je toise ma belle-mère, qui ne semble pas du tout impressionnée. Elle s'avance vers moi et toute sa haine envahit la pièce. Cette femme me tient responsable de la « désertion » de son fils, c'est clair. Désertion qui lui fait encore plus mal depuis qu'elle est à nouveau célibataire. Parce que je suis convaincue qu'Hubert l'a laissée tomber… Et ça ne m'étonne pas tellement, dois-je avouer.

— Charlotte, vous croyez vraiment que je vais me décourager ? Je vous l'ai déjà dit : vous n'êtes pas la femme dont mon fils a besoin.

— Et quoi ? Vous allez lui raconter que j'ai soûlé sa fille ? Vous perdez votre temps, il ne vous croira pas.

— Ah non ? Pourtant, il a bien cru que vous aviez volé le sac d'Alixe.

— Pendant deux minutes, oui. Mais il a vite réalisé que c'était vous qui étiez derrière cette histoire.

J'estime que cette conversation est terminée et je retourne auprès de mon fils, dans le salon. Tout à coup, j'aperçois Alixe, assise dans l'escalier, le visage décomposé. Elle se lève prestement, passe à côté de moi sans me parler et se dirige tout droit vers Victoria. Je ne sais pas ce qu'elle a saisi de la conversation, mais visiblement elle est très mécontente. Oh là là, ça va chauffer, je pense !

— T'as pas fait ça, mamie ?

— Quoi donc, mon trésor ? répond Victoria en jouant l'innocente.

— Cacher mon sac Chanel dans la valise de Charlotte ?

— Mais bien sûr que non ! Charlotte dit n'importe quoi, tu le sais bien.

Oh, ça ne se passera pas comme ça ! Je les rejoins dans la cuisine, martelant le sol de mes talons pour bien faire comprendre à ma belle-mère que je refuse qu'on me marche sur les pieds.

— Je ne dis pas n'importe quoi ! Alixe, t'as entendu de tes propres oreilles, non ?

— Oui, j'ai tout entendu… Mamie, pourquoi tu as fait ça ?

— J'ignore de quoi tu parles.

J'observe Victoria et je suis littéralement fascinée par sa capacité à nier encore la réalité, même une fois démasquée. Cette femme-là ne flanche pas facilement. Elle a même un faux air piteux, comme si elle était victime d'une machination.

Le silence règne dans la pièce. J'attends la suite des choses, en espérant qu'Alixe ne se laissera pas manipuler par sa grand-mère. Le regard de la jeune fille passe de Victoria à moi, revient sur elle, s'attarde quelques instants, pour se poser à nouveau sur moi. Puis, sans que je l'encourage, ma belle-fille me tombe dans les bras.

— Excuse-moi, Charlotte. Je ne savais pas, je te jure.

— Ça va, ma chouette, je comprends.

Soulagée qu'Alixe n'ait pas pris le parti de Victoria, je l'enlace tendrement. Je jette ensuite un coup d'œil à la reine et je ne peux m'empêcher de sourire devant sa mine déconfite.

23

« Toi, t'as eu plein de filles, plein d'aventures.
Moi, j'en ai jamais voulu... jusqu'à toi. »
SARAH (ESTHER COMAR) à ZACK (MARTIN CANNAVO)
dans le film *Ma première fois*, 2012.

Une semaine... Il ne reste qu'une petite semaine à la visite de ma belle-famille. Je compte les jours, les heures et même les minutes. Je suis *à boutte* !

À boutte de servir tout le monde. *À boutte* de jouer les guides touristiques. *À boutte* de vivre à six dans notre maison. *À boutte* de ne pas avoir du temps en amoureux pour Maxou et moi. *À boutte* qu'il me laisse seule avec sa famille un jour sur deux pour aller bosser. *À boutte* de *toutte* !

J'ai juste hâte qu'elles déguerpissent !

Heureusement, j'ai eu une pause de deux jours quand ils sont tous partis en expédition aux chutes Niagara, emmenant même Adrien. Maxou a insisté pour que je les accompagne, mais j'ai refusé, de peur de jeter Victoria par-dessus bord lors de la croisière sur la rivière Niagara.

Parce que la reine est demeurée fidèle à elle-même, malgré l'affront que lui a fait subir sa petite-fille en me croyant, moi, plutôt qu'elle. D'abord ébranlée, Victoria a mis quelques minutes à se ressaisir et à redevenir la chipie qu'elle a toujours été.

Ce qui me remplit de bonheur, par contre, c'est que je semble vraiment avoir gagné l'affection d'Alixe. J'ai l'impression qu'elle me considère un peu comme sa grande sœur. L'autre soir, en buvant un chocolat chaud à l'anis étoilé sur la terrasse, elle m'a fait des confidences assez intimes sur ses relations avec les garçons, m'avouant même qu'elle n'avait pas encore vu le loup...

— Je veux que ce soit un moment unique. J'ai envie d'être amoureuse. Je croyais peut-être qu'avec Raphaël...

J'ai été touchée par sa romance un peu naïve. Je me suis revue à son âge, avec exactement les mêmes attentes. Je ne lui ai pas parlé de la désillusion qu'elle allait peut-être avoir, quand, le lendemain, l'amant en question ne répondrait plus à ses textos.

Je ne lui souhaite pas de vivre ce que j'ai vécu. L'abandon après la première fois est une épreuve terrible pour une jeune fille au cœur fragile. J'en sais quelque chose.

Il s'appelait Mathieu Lachapelle et il avait les plus beaux yeux du monde. Je venais à peine d'avoir quinze ans, il en avait seize. C'est arrivé un soir de fête nationale, dans la petite tente qu'il avait dressée dans la cour arrière de la maison de ses parents, à Laval.

Nous buvions de la tequila en écoutant de la musique québécoise avec une dizaine d'autres amis. J'étais amoureuse de Mathieu et j'ignorais si c'était réciproque. J'ai donc attendu un signe de sa part, trop craintive pour faire les premiers pas.

Ce n'est qu'à la toute fin du *party* qu'il a posé la main sur ma cuisse, un peu maladroitement. « Enfin ! » me suis-je dit. Quelques minutes plus tard, je me suis retrouvée seule avec lui dans la tente, alors que les autres continuaient de chanter une vieille toune d'Harmonium. « Pour un instant, j'ai oublié mon nom… »

Cette nuit-là, je me suis perdue dans les bras de Mathieu jusqu'à en oublier mon nom, moi aussi. J'ai fait l'amour avec lui, tandis que lui me baisait. Et le lendemain je n'avais qu'une envie : recommencer. Même si ç'avait duré deux minutes, même s'il ne s'était pas soucié de mon plaisir, même s'il s'était dégagé de mon étreinte tout de suite après avoir joui. Et même s'il avait immédiatement rejoint les autres.

Dans les jours qui ont suivi, il ne s'est pas manifesté, il m'a même évitée. « Mathieu n'est pas là. Je peux prendre le message ? » répondait toujours sa mère quand je téléphonais. Un soir, j'ai voulu en avoir le cœur net et je l'ai espionné. De loin, je l'ai observé marcher le long des bungalows en *clabord* blanc, avec des volets rouges, bleus ou verts, jusqu'au parc du quartier.

Il s'est arrêté tout juste avant d'emprunter le sentier qui mène aux balançoires. Il a sorti un *push-push* de la poche de sa veste de jeans et il s'est vaporisé le produit à la menthe dans la bouche. J'ai compris que c'était une autre fille qu'il allait maintenant embrasser.

La mort dans l'âme, je suis rentrée à la maison où je me suis soûlée à la vodka jus d'orange, en pleurant devant *The Bodyguard*, qui passait à la télé. Ç'a été ma première peine d'amour et elle a duré tout l'été de mes quinze ans.

Que de souvenirs tristes, tout à coup… Je secoue la tête et je retourne à mes notes de travail. Assise dans ma cour arrière, je révise mes rapports de recherche, afin de préparer les entrevues que nous enregistrerons la semaine prochaine. À l'intérieur, Victoria et les deux filles disputent une partie de Scrabble, tandis qu'Adrien fait sa sieste de début d'après-midi. Maxou vient de partir pour le bureau.

Une fois ma lecture terminée, je n'ai pas envie de rejoindre ma belle-famille. Et si je faisais un saut chez

Ugo ? Il y a longtemps que je n'ai pas vu mon ami. Bonne idée ! Je lui envoie un texto pour vérifier s'il est chez lui.

« Non. Pourquoi ? »

« J'avais envie de te voir »

« Viens dans une demi-heure »

« K »

Satisfaite, je pose mon cellulaire et je regarde l'heure. Hum… Dans une demi-heure, mon fils risque d'être réveillé et, tel que je le connais, il ne voudra pas me laisser partir. Je décide d'attendre Ugo chez lui et je demande à Alixe de s'occuper d'Adrien à son réveil.

Je parcours les quelques maisons qui me séparent du duplex de mon ami et je m'installe dans le jardin. Je choisis le seul espace ombragé, directement sous le balcon de l'appartement du haut, celui que j'ai longtemps habité.

Je passe le temps en consultant les médias sociaux sur mon iPhone. Rien de bien excitant. Mes amis y parlent de rentrée scolaire, de trafic sur les ponts et des séries télé qui recommencent. Les restaurateurs, quant à eux, annoncent le début de la saison des huîtres… Miam !

J'entends le bruit d'une porte qui s'ouvre. Déjà Ugo ? Génial ! Je me retourne, mais il n'y a personne, et la porte arrière du logement demeure fermée. Ah bon… Ça vient d'où, alors ? J'observe les alentours quand une voix féminine parvient à mes oreilles.

— Tu fais quoi, là ?

Ça vient d'en haut. Je crois reconnaître l'accent français de la locataire d'Ugo. Je m'étire le cou et j'entrevois une magnifique paire de jambes entre les barreaux du balcon. C'est bien elle, la Ingrid je-ne-sais-plus-quoi. À qui peut-elle parler ? Certainement pas à moi. Là où je suis, elle ne peut pas me voir.

— Moi ? Je suis sur le balcon…

Visiblement, il s'agit d'une conversation téléphonique. Je me sens tout à coup un peu voyeuse. Sans bruit, je ramasse mon sac et je m'apprête à me lever pour filer en douce.

— C'est chaud, le soleil sur ma peau. Je pense que je vais me dévêtir un peu… T'aimerais que je m'étende sur la chaise longue pour le faire ?

Oh là là… Ça devient palpitant, cet échange. Restons un peu pour découvrir la suite. Après tout, il est assez rare de pouvoir écouter des propos coquins en direct.

— Ça y est. Je suis étendue… Tu veux quoi maintenant ?

Non mais, c'est quoi l'idée de toujours lui demander ce qu'il veut ? Ça manque un peu d'initiative, son truc. Moi, ce que je trouve excitant dans ce petit jeu, c'est de prendre les devants et de lui décrire de long en large chacun de mes gestes.

— Ah oui ? Tu veux ça ? Hum, je ne sais pas si tu le mérites…

Ça, c'est bien, par contre. Fais-le languir…

— D'accord, je déboutonne mon chemisier… Oui, oui, lentement, un à un. Comme tu aimes. Et toi, tu fais quoi ?

Le vague souvenir du chum d'Ingrid, un certain Samuel que j'ai entrevu à la boucherie d'Ugo il y a quelques mois, me revient en tête. Je l'imagine en train de déboucler sa ceinture et je sens l'excitation poindre dans tout mon corps.

— Ah, t'es pas chez toi ? Dommage… Tu veux que je continue quand même ?

Mais comment, s'il veut que tu continues ? Pas seulement lui. Moi aussi ! Ne nous laisse pas en plan comme ça…

— C'est le blanc, tu sais, celui que tu m'as offert la semaine dernière, avec la culotte en dentelle… Oui, je la porte aussi.

La chaleur m'envahit maintenant tout entière et j'ai envie de glisser ma main sous ma jupe. Mais je n'ose pas, de peur de voir Ugo rebondir, et je me contente de me tortiller sur ma chaise en espérant me donner un peu de plaisir.

— J'y arrive… Mais j'aime mieux quand c'est toi qui me caresses. Tu peux te libérer, là, tout de suite ?

Ah non… Si Samuel vient la rejoindre, ils vont cesser la conversation. Reste où tu es, beau mec, et continue de me faire fantasmer, *pleaaaasse*. Je serre mes cuisses de plus en plus fort.

— Viens me rejoindre, Maxou. J'ai trop envie de toi.

Je me fige et mon excitation s'évanouit d'un coup. Qu'est-ce qu'elle vient de dire ? Est-ce que j'ai bien entendu ? Non, c'est impossible ! C'est moi qui confonds tout. Elle n'a pas pu prononcer le surnom que je donne à mon mari, ça ne se peut carrément pas !

— Mais il n'est pas là, Ugo. T'as rien à craindre.

Quoi ? Pourquoi elle parle d'Ugo tout à coup ? Ne me dites pas que… Non ! Non ! Non et non ! C'est impossible.

— Tu préfères notre endroit habituel ? D'accord, je t'y rejoins.

C'est un cauchemar, un mauvais rêve ! Cette fille-là n'est pas l'amante de mon mari. Maxou n'a pas de maîtresse. Il m'aime et sera toujours à moi. Il ne me quittera jamais, même pour tout l'or du monde, comme il me l'a déjà dit. C'est MON Maxou, celui de personne d'autre.

J'essaie de contrôler la panique qui m'envahit. Je dois me raisonner et éviter de sauter aux conclusions. Il y a certainement une explication logique. C'est un autre Maxou. Pas le mien. Et ce gars-là, pour une raison que j'ignore, ne peut pas sentir Ugo. Oui, ça doit être ça. Il faut que ce soit ça.

— Maxou, tu n'oublies pas de m'apporter les caramels Pierre Hermé que tu m'as promis, d'accord ?

24

« *This man said he loves me*
and I caught him eating another woman's pussy. »
SAMANTHA JONES (KIM CATTRALL), *Sex and The City.*

— Charlotte ? Qu'est-ce qui se passe ?

Je sens une main se poser sur mon épaule.

— Charlotte, pourquoi tu pleures ? Réponds-moi !

À travers mes larmes, j'aperçois le visage inquiet d'Ugo. Depuis combien de temps suis-je là, prostrée, à fixer un point devant moi sans bouger ? À éprouver cette violente douleur qui m'a littéralement foudroyée quand j'ai réalisé que le Maxou d'Ingrid est le mien.

J'ai nié autant que j'ai pu. Jusqu'à ce que j'entende Ingrid parler des caramels Pierre Hermé. Ceux que Victoria a offerts à mon mari. Là, j'ai su que Maxou me trompait. Moi, sa femme, sa Charlotte, celle pour qui il a quitté son pays, celle avec qui il a décidé d'avoir un enfant, celle à qui il a promis amour et fidélité pour le reste de sa vie.

Pourquoi ? Pourquoi ? Pourquoi ? Je ne comprends pas. Tout allait si bien entre nous.

— Charlotte, parle-moi, s'il te plaît.

Ugo sort un mouchoir en papier de sa poche et essuie délicatement mes larmes sur mes joues. Ses grands yeux bruns expriment une vive inquiétude. Il m'implore une fois de plus de lui expliquer ce qui m'arrive, mais j'en suis incapable, continuant à pleurer en gémissant tout doucement. Comme l'âme blessée que je suis.

À genoux devant moi, Ugo me prend dans ses bras et caresse mes cheveux en me parlant de sa voix apaisante.

— Dis-moi ce qui se passe, chérie.

Ce qui se passe? Mon univers vient de s'écrouler, voilà ce qui m'arrive. Je suis à terre et jamais je ne pourrai me relever.

— Qu'est-ce qui te met dans un tel état?

J'essaie de trouver les mots pour décrire mon immense chagrin: trahison, incompréhension, abandon. J'ai mal au plus profond de mon être. Je suis brisée, anéantie, détruite. Entre deux sanglots, je réussis à marmonner:

— Maxou... maîtresse.

À cette nouvelle, Ugo cesse de me caresser les cheveux. Je sens son corps se raidir. Il s'écarte pour me regarder dans les yeux.

— Quoi? T'es certaine?

Je hoche la tête et je pointe du doigt le balcon du haut. Immédiatement, il comprend que sa locataire est l'amante de mon mari. Dans ses yeux se mêlent la tristesse, la stupeur et la culpabilité.

— Charlotte... si j'avais su.

— Pas ta faute.

Il me serre à nouveau dans ses bras en me disant qu'il est là, qu'il sera toujours là pour moi, qu'il ne m'abandonnera jamais. Les paroles de mon ami ne m'apportent aucun réconfort, et toute ma souffrance est encore plus violente. J'empoigne son col de chemise comme on s'agrippe à une bouée de sauvetage, en le suppliant de ne pas me laisser couler.

***

Quelques heures plus tard, je suis toujours chez Ugo, assise à ses côtés sur le canapé du salon, un verre de rouge à la main. Mon ami a posé devant moi quelques-unes de mes grignotines préférées, des amandes au tamari et des olives au curry, mais je n'y ai pas touché. En revanche, je viens de verser dans mon verre les dernières gouttes de la bouteille de super-toscan qu'Ugo a achetée en prévision de l'anniversaire de son chum, la semaine prochaine.

— Cas de force majeure, a-t-il spécifié, ce qui m'a fait sourire un peu.

Ugo est vraiment l'ami parfait. À ma demande, il a appelé chez moi pour informer Alixe qu'elle devait s'occuper de son frère jusqu'à mon retour, en fin d'après-midi. Si je rentre…

Je bois une gorgée du délicieux vin italien et je sens les larmes monter à mes yeux, une fois de plus. Je vis une véritable torture à tenter de comprendre le cataclysme qui vient de bouleverser ma vie.

Maxou qui était si doux, si attentionné, si amoureux ces derniers mois. Du moins, c'est ce que je m'imaginais. Maxou, qui me surprenait au lit avec de nouvelles envies et que je croyais comblé sexuellement avec moi. Je n'ai rien vu venir. Rien de rien…

— C'est clair que c'est à cause d'elle.

— Quoi ?

— Son comportement au lit. C'est elle qui a dû lire *Fifty Shades of Grey* et qui l'incitait à faire des trucs.

— Tu crois ?

— C'est sûr. Et ensuite, il voulait les essayer avec moi.

Ugo se lève d'un bond et se met à faire les cent pas dans le salon. Il est furieux, mais il se retient de me livrer le fond de sa pensée.

— Tu peux le dire, Ugo. Je pense la même chose.

— C'est un ost%$ de salaud !

— Oui, c'est ça.

À la minute où j'ai compris que Max avait une maîtresse, j'ai su que mon mariage était terminé. Qu'il ait couché avec cette fille deux ou trente fois, pour moi, le résultat est le même.

Jamais plus je ne pourrai avoir confiance en lui. À aucun moment je n'ai accepté l'infidélité d'un homme, et je ne commencerai pas aujourd'hui. Ça me brise le cœur, pour moi et pour mon fils, mais je me connais assez pour savoir que je ne pourrai pas passer par-dessus. Jamais. À la limite, je lui aurais pardonné d'avoir vécu ce qui m'est arrivé avec Alexis Cadieux. Un genre d'accident, si on veut. Mais là, on parle d'un truc planifié, pas d'une aventure d'un soir. Lui offrir des caramels, des sous-vêtements… Ça ressemble beaucoup plus à une liaison.

— Il est presque 5 heures, chérie. Tu veux faire quoi, maintenant?

— Je sais pas. J'ai juste envie de rester ici, avec toi.

— Tu peux rester tant que tu veux. Je peux même aller chercher Adrien si c'est ce que tu souhaites.

— Non, je veux pas qu'il me voie dans cet état.

— D'accord, je vais aller chercher deux ou trois trucs chez toi. Je vais aviser Alixe que tu passes la nuit ici et qu'elle doit s'occuper d'Adrien. Et demain matin, tu y retourneras.

— Et Max?

— Ça, c'est à toi de décider.

Je réfléchis quelques secondes à la façon dont je vais aborder le sujet avec celui que je n'appellerai jamais plus Maxou. À mon immense peine se greffe tout doucement une réelle colère. Une rage que je ne suis pas certaine de pouvoir contrôler si Max se trouve devant moi.

— Je veux pas le voir. Il me lève le cœur.

— Parfait.

Je me contrefous royalement de semer l'inquiétude chez mon mari. Qu'il se pose des questions sur mon absence me passe dix pieds par-dessus la tête ! J'ai besoin d'encore un peu de temps avant de l'affronter.

Je prends mon cellulaire dans mon petit sac et je l'éteins. Ce soir, je ne suis joignable pour personne.

***

— Charlotte, je t'en prie, ouvre-moi !

— Va-t'en ! Je veux rien savoir !

Inquiet de ne pas avoir de mes nouvelles, Max vient de cogner chez Ugo qui, de son côté, s'est réfugié dans sa chambre. Nous sommes en fin de soirée et je suis plus agressive que jamais. Il faut dire que mon ami a été un bon motivateur ces dernières heures. Il a déblatéré contre Max de long en large, l'accusant de ne jamais avoir été un bon mari, d'être nul comme père et d'agir comme un os%?# de Français chiant qui se croit tout permis. En plus de le traiter d'égocentrique, d'intransigeant et de prétentieux.

Ces propos n'ont fait qu'augmenter ma colère, que j'ai aussi dirigée contre l'amante de Max. À trois reprises, Ugo a dû me retenir à deux mains pour que je ne grimpe pas l'escalier extérieur pour aller assassiner « la maudite Française qui m'a volé mon chum ».

— Charlotte, je peux savoir ce que j'ai fait ?

La question de Max me fait encore plus sortir de mes gonds. J'ouvre la porte avec fracas et je lui jette au visage toute la haine que j'éprouve pour lui.

— T'es rien qu'un ost$% d'écœurant !

— Mais de quoi tu...

— Arrête de jouer l'innocent ! Pis va donc la rejoindre, moi je veux plus rien savoir.

Je m'apprête à fermer la porte quand Max me saisit par le bras.

— TOUCHE-MOI PAS !

Sidéré par ma violence, il retire immédiatement sa main. Je regarde ses yeux noisette, ceux qui m'ont tant charmée, et le sentiment de trahison revient de plus belle.

— Je pensais jamais que tu me ferais ça. Pas toi !

— Charlotte, je ne sais pas ce qu'on t'a raconté, mais…

— Essaie pas ! Je l'ai entendue te parler au téléphone cet après-midi. Avant que t'ailles la baiser.

— C'est quoi, cette histoire ?

S'il espère encore me manipuler, il se trompe !

— Tu le sais très bien ! Tu couches avec la locataire d'Ugo et tu lui apportes même les caramels que ta mère t'a donnés.

Le visage de Max se décompose d'un coup. Il vient de perdre le peu d'assurance qui lui restait. Il est sans voix.

— Ça fait combien de temps que ça dure ?

— Charlotte, je ne sais pas…

— COMBIEN DE TEMPS ?

Max ne répond pas. Je passe devant lui et je franchis la porte d'entrée toujours entrouverte.

— OK, d'abord. Je vais aller lui demander.

— Non, non. Je t'en prie.

Je me retourne, attendant la suite. Il baisse les yeux et sa voix n'est pratiquement plus qu'un murmure.

— C'est… c'est arrivé juste une ou deux fois.

— *Bullshit !*

— C'est toi que j'aime, Charlotte, tu le sais bien, dit-il en me regardant à nouveau.

— T'aurais dû y penser avant !

— J'ai merdé, je te l'accorde. Ça arrive, ce genre de chose.

— QUOI ? C'est tout ce que c'est pour toi ? Une gaffe ?

Je suis estomaquée de constater à quel point Max banalise la situation. Je ne décèle aucune culpabilité dans ses yeux, aucun remords, seulement une vive inquiétude. Comme si c'était naturel de tromper son épouse, son amoureuse, la mère de son enfant.

Se pourrait-il qu'il collectionne les amantes? Qu'il ait des aventures depuis le début? Qu'il ait eu une double vie sans que je m'en aperçoive? Je ne peux pas le croire…

— Charlotte, je t'assure que c'est une histoire sans importance pour moi.

— T'en as eu combien?

— Non mais, qu'est-ce que tu t'imagines? Je te jure que c'est la seule.

— Je te crois pas.

— C'est la vérité. Et ça ne se reproduira plus. Tu as ma parole.

— Ta parole, j'en ai rien à foutre, Maximilien Lhermitte. À partir d'aujourd'hui, tu n'existes plus pour moi. C'est fini!

Mes affirmations ne le démontent pas du tout. Il ne réalise pas à quel point je suis sérieuse. Eh bien, il va vite se rendre compte que, Charlotte Lavigne, on la trahit une seule fois dans sa vie!

— J'admets que tu puisses être en colère, ma chérie, mais nous allons en discuter demain, à tête reposée.

— T'admets? T'as rien compris, hein? Je veux plus te voir. Plus jamais.

— Charlotte, je t'en supplie. Laisse-moi t'expliquer.

— Je veux rien savoir de tes explications. Demain matin, je vais passer à la maison chercher Adrien, pis t'es mieux de pas être là. Parce que si t'es là, Max, je te jure que je raconte tout à ta fille et à ta mère.

Sur ces menaces bien réelles, j'entre chez mon ami et je referme brutalement la porte au nez de l'homme qui, pour moi, n'est plus désormais que le père de mon fils. Et encore…

25

« I will survive
Oh, as long as I know how to love
I know I'll stay alive
I've got all my life to live. »
GLORIA GAYNOR, *I Will Survive*, 1978.

— Tiens, ma princesse. Prends celle que tu veux.

Papa vient d'ouvrir une boîte de pâtisseries devant moi. Elle contient une tartelette au citron, un tiramisu, une mousse à la framboise, un saint-honoré, un éclair au caramel et un millefeuille. Assez traditionnel. J'aurais préféré un peu plus de fantaisie, mais j'ai grandement besoin d'une bonne dose de sucre.

Je choisis le tiramisu, et papa s'empare de l'éclair au caramel. Nous sommes dans son petit appartement, où je me suis réfugiée avec Adrien après être passée le chercher à la maison. Heureusement, mon fils n'a pas senti ce mélange de peine et de colère qui m'habite depuis hier et il joue avec ses Lego Duplo dans le salon.

Par contre, celle à qui la situation n'a pas échappé, c'est Alixe. Elle a tout de suite deviné que quelque chose de grave était survenu et elle m'a demandé :

— Il t'a fait la même chose qu'à maman?

J'ai encaissé cette information en silence et j'ai tenté de garder un visage impassible devant ma belle-fille. Mais le couteau s'est enfoncé un peu plus profondément dans la plaie et un autre clou s'est planté dans le cercueil de Max.

Je n'ai pas répondu et j'ai laissé Alixe tirer ses propres conclusions. Je lui ai promis de lui donner des nouvelles de son demi-frère. Complètement déboussolée et au bord des larmes, celle que je commençais juste à apprivoiser m'a serrée dans ses bras en me disant qu'elle ne voulait pas me perdre.

Sentant que j'allais encore éclater en sanglots, je me suis retirée de son étreinte et je suis montée faire mes valises et celles d'Adrien. Alixe m'a aidée à tout placer dans ma voiture et elle est rentrée après avoir embrassé Adrien. Alors que la jeune fille franchissait la porte, j'ai aperçu Victoria qui me regardait par la fenêtre du salon. Je l'ai toisée quelques instants, m'attendant à ce qu'elle ait l'air triomphant, mais son visage est resté de marbre et je n'ai jamais su ce qu'elle éprouvait… *Who cares?*

En plongeant ma cuillère dans ma petite douceur italienne, j'essaie, une fois de plus, d'analyser ce qui s'est passé. Mais mes sentiments trop vifs et trop douloureux m'empêchent d'y voir clair.

— Laisse-toi du temps, ma princesse. Faut que tu absorbes le choc, affirme papa comme s'il lisait dans mes pensées.

— Ouin, t'as raison.

— Et je ne veux surtout pas que tu croies que c'est ta faute.

— Je sais. Ugo me l'a dit.

Entre deux périodes de sommeil agité, la nuit dernière, je me suis interrogée sur mon propre comportement. Est-ce que j'ai négligé mon mari au point qu'il ait eu besoin d'aller voir ailleurs? Est-ce qu'après l'accouchement je me suis trop souvent habillée « en mou» devant lui? Est-ce que je l'ai déçu professionnellement, lui faisant perdre toute l'admiration qu'il avait pour moi?

Toutes ces interrogations ont fait surgir une nouvelle crise de larmes, ce qui a réveillé mon ami qui dormait à mes côtés. Ugo m'a bercée tout doucement, pendant que je lui faisais part de mes angoisses. Puis il a allumé la petite lampe de chevet et m'a obligée à le regarder droit dans les yeux.

— Tu t'enlèves ça de la tête tout de suite. T'as rien à te reprocher, m'a-t-il dit d'un ton ferme, en ajoutant que j'étais la femme la plus extraordinaire du monde et que Max allait regretter toute sa vie de m'avoir trahie.

Perdue dans mes pensées, je termine mon tiramisu. Assis à ma gauche, papa reste silencieux. Il sait qu'il n'a pas besoin de parler. Sa seule présence suffit à m'apaiser un peu.

— Ce qui fait le plus mal, tu sais c'est quoi?

— C'est quoi, ma princesse?

— J'étais convaincue qu'il m'aimait.

— Tu vas peut-être trouver ça étrange, mais moi je pense qu'il t'aimait. Qu'il t'aime toujours, d'ailleurs.

— Mais pourquoi, alors?

— Peut-être parce que ça fait partie de lui. Tu sais, les Français ont la réputation d'être plus infidèles que nous.

— Je sais bien, mais Max? Je comprends pas, il a tout quitté pour moi.

— C'est probablement plus fort que lui.

— Eille! T'es pas en train de le défendre, toujours?

— Mais non, voyons, ma princesse. J'essaie juste de t'aider à comprendre.

— Hum, hum.

— C'est clair que c'est un homme qui a besoin de séduire.

— Papa, tous les hommes ont besoin de séduire.

— Peut-être. Mais lui plus que les autres.

Je hausse les épaules et je me lève, ayant envie de passer à autre chose. Ça sert à quoi de brasser tout ça ? À rien, sinon à me faire plus mal. Je me rends au salon, où je m'agenouille près de mon fils. Je lui caresse tendrement les cheveux, tandis qu'il emboutit sa voiture rouge contre le pied de la petite table à café.

Soudainement, Adrien s'arrête et me regarde. Il me fait un immense sourire qui me réchauffe le cœur, avant de retourner à ce qui constitue son univers. Et là, je sais que ma vie est ici, avec ce petit bout de chou qui n'a jamais demandé à ce que ses parents se séparent et à qui je promets silencieusement qu'il n'en paiera jamais le prix.

***

— C'est qui ? Si c'est Max, tu lui dis de partir, OK ?

On vient de cogner chez papa, pendant que nous soupons d'une pizza au calabrese. C'est le premier repas complet que je mange depuis vingt-quatre heures et j'ai choisi un mets italien… Cuisine réconfort par excellence.

— Non, je pense que c'est ta mère.

— Maman ? Mais qu'est-ce qu'elle fait là ?

— C'est que… je l'ai appelée.

— J'ai pas envie de la voir.

— Charlotte, c'est ta mère. Elle est pas parfaite, mais elle t'aime. Ça, c'est certain.

— Bon, OK, dis-je en soupirant.

Maman n'attend pas que papa vienne lui ouvrir et elle entre en trombe dans l'appartement.

— Ma chérie, quelle histoire !

— Bonjour, maman.

Je me lève pour l'accueillir et, d'un petit mouvement de tête, je lui désigne mon fils qui termine sa pizza au fromage – pas de saucisson piquant pour lui. Message non verbal : « Fais gaffe à ce que tu vas dire. »

Pas question qu'Adrien entende parler de son père comme d'un salaud fini.

Maman semble comprendre mes attentes et elle me prend dans ses bras. Elle se tourne ensuite vers papa.

— Réginald, tu veux bien emmener Louis finir sa pizza devant la télé ?

— Euh…

— Et mets le son fort.

Papa me consulte du regard et je lui donne ma permission. Il s'exécute pendant que j'offre un verre de chianti à maman. Elle refuse, ayant besoin de quelque chose de plus fort. Elle se dirige tout droit vers l'armoire située à gauche du frigo et en sort une bouteille de Tanqueray. Parfaitement à son aise, elle prépare un gin tonic comme si elle était chez elle.

— Ouin, c'est pas la première fois que tu viens ici, toi.

Elle me fait un petit sourire complice, avant de me confier que Réginald et elle ont finalement trouvé la parfaite entente.

— Comme ça, tu lui as pardonné Salama ?

— Oui, mais je veux plus que nous vivions ensemble. On se voit quand ça nous chante, sans obligation, sans attentes.

— Ah bon ? Mais t'as eu beaucoup de chagrin quand c'est arrivé.

— Comme quoi on meurt pas d'une peine d'amour, ma chérie.

— J'imagine…

— Et j'ai compris que la relation exclusive, c'était plus pour moi, ça me rend trop possessive. Je suis rendue ailleurs, tu sais.

Oui, je suppose. Mais je n'ai pas vraiment envie de savoir dans les draps de quel travailleur de la construction ma mère se glisse ces temps-ci. Je me rassois et je pousse mon assiette de pizza encore à moitié pleine. Maman me rejoint.

— Écoute, maman, je suis vraiment fatiguée. Alors si tu permets…

— J'arrive de chez toi.

— Hein ? Qu'est-ce que t'es allée faire là ?

— Lui annoncer que nous allions le laver. Que tout ce qui lui resterait, c'est la chemise qu'il portait sur le dos.

— Ah, maman, t'as pas fait ça !

— Oui, et ça valait la peine, je t'assure.

— Qu'est-ce que tu veux dire ?

Je sais que maman a parfois le don d'envenimer les situations déjà compliquées. Surtout quand elle ne se mêle pas de ses affaires. Et ça peut être très inquiétant.

— Sa mère était là.

— Et ?

— Et je ne lui ai épargné aucun détail : la conversation téléphonique, les caramels, tout ce que ton père m'avait raconté. Elle était pas contente, la Française !

Je ne peux m'empêcher de sourire à l'image de Victoria, abattue par les révélations de maman.

— Bof, d'après moi, elle était plutôt fâchée qu'il se soit fait prendre.

— Peut-être, mais je suis certaine qu'il a passé un mauvais quart d'heure.

J'avoue que ça fait du bien d'entendre ça ! J'espère qu'il en bave et qu'il paie pour ce qu'il a fait.

— Et lui, il avait l'air de quoi ?

— Piteux. Je pense qu'il s'attendait pas à ça, dit-elle en prenant une gorgée.

— Pourtant, il connaissait très bien ma position sur l'infidélité. Je sais pas combien de fois je lui ai dit que c'est quelque chose que je n'accepterais jamais.

— Il a joué gros et il s'en rend compte.

— Tant pis pour lui.

— Exactement. Si t'avais vu sa face, aussi, quand je lui ai annoncé qu'il allait recevoir une belle facture de ma part.

— Hein, quelle facture ?

— Celle de votre mariage ! Va falloir qu'il me rembourse. Trente-quatre mille dollars, plus les intérêts.

Je pousse un long soupir en fermant les yeux. Oui, j'ai envie de me venger. Oui, je lui enlèverais tout ce qu'il possède. Oui, j'inventerais un faux scandale dans le but qu'il perde son entreprise. Oui, j'écrirais un courriel à sa maîtresse pour lui faire croire qu'il est porteur du VIH, de l'herpès et de la syphilis. Oui, je l'étriperais sur-le-champ, pour le faire disparaître de ma vie pour toujours. Mais il est hors de question que je succombe à ces désirs malsains.

Adrien a besoin de son papa et je ne dois jamais l'oublier. C'est moi que Max a trahie. Pas son fils.

— Bon, maman, on va se calmer le pompon, d'accord ?

— Ma fille, tu ne te laisseras pas faire !

— Maman, on est mariés, je suis protégée par la loi. Je vais avoir tout ce à quoi j'ai droit. Et c'est pas vrai que je vais partir en guerre contre lui, OK ?

— …

— Maman, promets-le-moi !

— Comme tu veux, murmure-t-elle.

— Bon, j'aime mieux ça.

Sur ces paroles, je me lève et j'annonce à tout le monde que je sors prendre l'air quelques instants. Je suis épuisée et, surtout, j'ai besoin d'être seule. De me retrouver avec moi-même pour commencer à affronter la réalité de ce que sera ma vie désormais.

***

À mon retour, le petit appartement est plongé dans le noir. Papa dort sur le sofa, avec une vieille couverture rayée et un coussin qui lui sert d'oreiller, tandis que mon fils est couché au sol, sur un vieux matelas de camping en mousse de polyuréthane d'une propreté douteuse.

C'est clair que je ne pourrai pas rester ici longtemps. Il me faut un autre endroit pour la semaine, jusqu'au départ de ma belle-famille. Ensuite, j'ai l'intention de retourner chez moi, avec mon fils. Et Max ? Eh bien, qu'il se débrouille !

Je me rends dans la petite chambre de papa, qu'il a généreusement accepté de me céder pour la nuit. En fouillant dans mon cabas à la recherche de mon flacon de Tylenol, j'aperçois mon iPhone, que j'ai oublié de rallumer depuis hier.

J'hésite un instant, craignant d'entendre la voix de Max au bout du fil. Après tout, rien ne presse. Je vérifierai si j'ai des messages demain. J'avale deux comprimés d'un coup, sans eau. Un peu irritant pour la gorge, mais je n'ai pas le courage de sortir de la chambre.

Je regarde encore une fois mon cellulaire. Ah, et puis tant pis si je tombe sur un message de mon ex. Je n'aurai qu'à l'effacer.

Je vérifie le contenu de la boîte vocale. Les quatre premiers messages viennent de Max. Je les élimine sans prendre la peine de les écouter. Il me reste un dernier message à écouter, et il provient d'un numéro que je ne reconnais pas.

« Ma pitoune, je sais pas t'es où, mais j'ai hâte que tu me répondes en sacrament. Je t'ai envoyé plein de textos. »

Hein ? Paul-André Desrosiers, mon journaliste à potins préféré ? Non, ce n'est pas vrai ! Ne me dites pas qu'il veut écrire un article sur ma séparation ? Les nouvelles vont vite…

« Imagine-toé que l'animatrice du *talk-show* du dimanche soir vient d'annoncer qu'elle quitte l'émission. Y ont besoin de quelqu'un tout de suite. C'est ta chance ou jamais. »

26

« Mon cœur s'enfonce et je m'envole
dans cet avion qui m'emmène loin de toi. »
SIMPLE PLAN, *Summer Paradise*, 2011.

« Bonjour, mesdames et messieurs, ici le commandant Piché. Bienvenue à bord du vol 739, à direction de Fort-de-France, en Martinique. La durée du vol sera de quatre heures et cinquante-cinq minutes, et nous atterrirons à l'aéroport de Fort-de-France à 16 h 20. Je vous souhaite un excellent vol et aussi un très joyeux temps des fêtes un peu à l'avance. »

Je boucle ma ceinture et je vérifie une nouvelle fois que celle de mon fils est bien en place. Rassurée, je ferme les yeux et je pousse un soupir de satisfaction. Ces vacances sont teeeeellement bienvenues !

Je suis épuisée par tous les événements qui sont survenus depuis la fin de l'été. Ma vie a été un véritable feu roulant ces derniers mois. Il y a eu, bien sûr, ma séparation d'avec Maxou et ma nouvelle vie de maman presque monoparentale. Mais ce qui a pris toute mon énergie, c'est cet extraordinaire cadeau tombé du ciel : mon nouveau travail.

Depuis la fin de septembre, je suis l'animatrice d'un des *talk-shows* les plus regardés au Québec. Il m'arrive encore de me pincer pour vérifier si je rêve. Mais non, je ne rêve pas. C'est bel et bien réel.

Je me souviens de ce soir où j'ai pris le message que Paul-André avait laissé sur mon répondeur: « C'est ta chance ou jamais. » À partir de cet instant précis, je n'ai plus eu qu'une idée en tête: obtenir le poste.

J'étais prête à me battre corps et âme pour qu'on retienne mes services. J'ai donc balayé ma peine d'amour sous le tapis et je me suis préparée jour et nuit pour cette audition. C'était un jeudi, à 9 heures, sur le plateau de l'émission.

Quand je suis entrée dans le studio, au son de la musique connue par plus d'un million de téléspectateurs, mes jambes tremblaient et mon cœur battait la chamade. Mais aussitôt que je me suis assise sur le petit banc en cuir blanc, face aux recherchistes qui jouaient le rôle des invités, toute ma nervosité s'est envolée. J'étais parfaitement à ma place. Je le savais et je voulais que les patrons de l'émission le comprennent, eux aussi. Même si j'étais moins expérimentée et moins connue que d'autres candidats, j'étais celle dont ils avaient besoin.

Je désirais ce travail plus que tout au monde. Il me le fallait. C'était une question de survie.

Est-ce que c'est l'énergie du désespoir qui a fait en sorte que j'ai offert la meilleure prestation de ma vie? Peut-être... Je ne le saurai jamais. Quoi qu'il en soit, quatre jours plus tard, je participais à une conférence de presse pour annoncer mon arrivée à la barre d'une des émissions les plus populaires du Québec. Encore aujourd'hui, j'en ai le vertige.

J'ai dû renoncer à mon émission sur la chaîne spécialisée, mais tout le monde a compris que je devais me consacrer entièrement à mon nouveau *talk-show* hebdomadaire.

Parce que c'est une chose d'être choisie, et c'en est une autre de relever le défi avec brio. J'ai enfilé de très grandes chaussures quand j'ai commencé à animer cette émission, qui roule depuis plusieurs années. Je savais très bien que je m'exposais à la critique et à la comparaison. Mais j'ai misé sur moi et non sur une fille qui voulait ressembler à l'ancienne animatrice. Je n'étais pas elle et je ne le serais jamais.

Les téléspectateurs m'ont donné la chance de les conquérir avec mon propre style, bousculant légèrement leurs habitudes. Mais ils m'ont suivie et ils m'ont adoptée. Je pense que je suis l'animatrice la plus heureuse du monde.

***

L'avion vient tout juste de décoller et je regarde, par le hublot, le paysage gris et terne de cette mi-décembre sans neige au sol. L'idée de passer la prochaine semaine sous le soleil des Antilles en bonne compagnie me ravit.

— Charlotte, ça va ? Adrien n'a pas trop mal aux oreilles ?

— Ça va, Bachir, merci.

Assis derrière moi, Ugo et son chum sont, eux aussi, très contents de partir en vacances. Ils en avaient bien besoin, tous les deux. Sans mon insistance, je ne suis pas certaine qu'ils auraient décidé de les prendre avec mon fils et moi. Mais je ne leur ai pas laissé le choix.

Nous partons donc tous les quatre, évitant ainsi la folie du magasinage des fêtes. Retour prévu juste à temps pour le réveillon de Noël, que je passerai avec mes parents et Adrien, avant qu'il s'envole pour la France avec son père.

Finalement, les choses ne se sont pas trop mal déroulées avec Max. Il a bien tenté de me reconquérir, mais j'ai refusé toutes ses propositions, m'en tenant au courriel pour tout moyen de communication. Nous avons convenu qu'Adrien habiterait avec moi à temps plein, dans la maison que j'ai gardée. Max voit son fils un week-end sur deux et pendant les congés. C'est peu, mais pour l'instant, c'est suffisant.

Je n'ai revu mon ex-mari qu'à quelques reprises, m'organisant le plus souvent avec papa pour assurer le transport d'Adrien de chez moi au condo de Max, au centre-ville, où il habite seul… Enfin, je crois.

Au début, quand j'étais en sa présence, je me sentais comme si un coup de poignard venait de me frapper dans le dos. Puis, peu à peu, la douleur s'est faite moins vive, moins criante, et elle a trouvé un petit coin de mon cœur pour se réfugier, n'occupant plus tout l'espace.

J'ai aussi beaucoup réfléchi sur l'amour. J'ai cherché pourquoi j'étais tombée follement amoureuse d'un homme qui, au fond, n'était pas fait pour moi. J'ai trouvé quelques réponses, mais j'en suis surtout venue à la conclusion qu'elles sont irrationnelles et que je ne dois pas essayer de comprendre.

Ce que j'ai saisi, c'est qu'au-delà de la passion il y a les valeurs qu'on partage, les personnalités compatibles et une relation d'égal à égal. Tout ça, nous ne l'avions pas.

— Quelque chose à boire ? *Something to drink?*

La voix de l'agent de bord me tire de mes réflexions. Je jette un coup d'œil à l'homme vêtu d'une chemise blanche et d'une veste bleue sans manches. Il est pas mal, avec ses grands yeux verts, son sourire engageant et ses cheveux brun foncé.

— Un jus de pomme pour mon fils, s'il vous plaît, dis-je en souriant.

Depuis ma séparation d'avec Max, et à cause de mon horaire très chargé, ma libido est à zéro. Complètement éteinte. Même Bradley Cooper dans son dernier film ne m'a fait aucun effet.

En bouclant mes valises hier, je me suis dit que ça suffisait, la vie de nonne. Que je devais me remettre à regarder les hommes autour de moi. Pas pour une relation amoureuse, ça non ! Il en faudra, du temps, avant que mon cœur soit sur le marché. Mon corps, par contre…

C'est pourquoi j'ai glissé dans mon sac une boîte de condoms, avec la ferme intention de renouer avec le sexe. Et de m'offrir une partie de jambes en l'air avec un homme que je ne reverrai jamais plus par la suite.

— Et pour vous, madame, ce sera ?

« Une baise dans les toilettes de l'avion, ça te dirait ? » ai-je envie de lui proposer. Mais je me contente de lui demander un verre de vin blanc. Après tout, les vacances ne font que commencer.

***

— Tu veux un autre rhum, Charlotte ?

— Oui, s'il te plaît.

— Laisse, Ugo, j'y vais, dit Bachir en posant sa main sur le bras de son amoureux pour lui signifier de rester allongé.

Nous sommes sur la plage, à l'ombre, sous nos parasols, et je décompresse peu à peu. C'est notre deuxième journée de vacances et je suis enchantée de notre destination.

La mer est magnifique, la nourriture est délicieuse, et notre hôtel est hyper luxueux. On y offre même des activités pour les enfants. Je peux donc profiter de deux heures de repos total, puisque Adrien assiste à un spectacle de pirates, suivi d'une course à obstacles et d'une baignade à la piscine. Les Gentils Organisateurs l'ont trouvé un peu jeune quand je l'ai amené pour l'après-midi, mais j'ai tellement insisté qu'ils l'ont gardé.

Je dépose mon roman de *chick lit* – quelle belle façon de décrocher pendant les vacances, n'est-ce pas ? – et je vois Bachir qui s'éloigne vers le bar. Vêtu d'un t-shirt blanc qui lui colle au corps et d'un bermuda-maillot de bain turquoise et blanc, il offre un joli spectacle aux plaisanciers.

— T'es chanceux, Ugo.

— Je sais.

— Quand est-ce qu'il emménage chez toi officiellement?

— Dès qu'il a vendu son condo.

— Je suis vraiment contente. Et quand est-ce que vous faites les travaux?

— En juillet, quand on aura repris l'appartement du haut.

Depuis ma séparation, je sais que mon ami a été devant un terrible dilemme par rapport à sa locataire, l'amante de Max. Il s'est senti affreusement coupable d'avoir, malgré lui, provoqué cette situation.

— Si ç'avait pas été elle, ç'aurait été une autre, lui ai-je dit pour le rassurer.

Quand il m'a annoncé qu'il allait la mettre dehors à la fin de son bail parce qu'il avait l'intention de récupérer l'espace qu'elle occupait pour se faire une grande maison, je l'ai serré très fort dans mes bras, remplie de gratitude.

Je n'en pouvais plus de me pointer chez Ugo en craignant de tomber sur elle ou sur mon ex-mari. Parce que je sais que Max continue de la fréquenter... Il faut croire qu'elle n'était pas si banale, cette histoire.

En analysant la situation avec du recul, je crois bien que la relation entre Max et cette fille a commencé au début de l'été. Ou peut-être un peu avant.

J'ai aussi fait mon enquête pour savoir s'il avait eu d'autres relations extraconjugales avant celle-ci. Je n'ai rien trouvé. Ça ne signifie pas qu'il a été blanc comme neige avant de rencontrer Ingrid, mais ç'a eu pour effet d'apaiser une partie de ma souffrance. Celle qui me venait de ce sentiment d'être la parfaite imbécile que son mari trompe depuis des années et qui est la seule à l'ignorer. Une partie de ma fierté était sauve.

— Dis-moi donc, Charlotte, comment ça s'est passé, ton enregistrement de l'émission spéciale de fin d'année? Tu m'en as pas parlé.

— Ah, c'était vraiment bien. On avait des invités tellement disparates, j'avais peur que ça lève pas, mais la chimie a opéré.

— C'est parce que t'as su les mettre en confiance.

— Peut-être, mais comme je dis souvent: en télé, t'es rien sans ton équipe. Et ça, faut jamais que je l'oublie.

— N'empêche, c'est pas par hasard que tu t'es retrouvée là, Charlotte. C'est à force de travail et de persévérance.

— T'as raison, Ugo, le hasard, ça existe pas.

***

— Faut que j'aille chercher Adrien, les amis. On se voit un peu plus tard?

— On se rejoint pour l'apéro, d'accord? Nous, on va aller faire une sieste avant le souper.

Je fais un petit air entendu à Bachir, en songeant que j'aimerais bien être à leur place. Je noue mon paréo blanc autour de ma taille, j'attrape mon sac de plage et j'enfile mes gougounes mauves.

Je m'éloigne en inscrivant les mots *Peace and Love* dans le sable. J'adore ces sandales aux messages creusés dans les semelles. Elles me donnent l'impression de laisser un peu de bonheur derrière moi.

C'est Marianne qui m'a offert ces chaussures pour le moins originales, juste avant notre départ. Ma tendre amie qui m'a écoutée, encouragée et consolée ces derniers mois. Celle que je ne remercierai jamais assez de m'avoir aidée à réorganiser ma nouvelle vie de mère presque monoparentale – pas tant de changements ici, avouons-le – et d'animatrice à temps plein.

Marianne qui m'a ravie en m'annonçant que je serai conviée à une grande fête l'été prochain, pour célébrer son amour avec Karen. Ouiiiiiiii! Un mariage! Je suis totalement emballée à cette idée et j'ai déjà proposé à mes copines de leur donner un coup de main pour la préparation de l'événement. Je suis même prête à magasiner un traiteur végétarien si ça peut leur faire plaisir.

Seule ombre au tableau : le père de Marianne a refusé l'invitation de sa fille. Mais je ne perds pas espoir de le voir changer d'avis. Il reste plusieurs mois pour essayer de le convaincre, et quand Charlotte Lavigne a une idée en tête…

Inutile de compter sur Mme Lapointe pour m'aider. Elle qui visite encore sa fille et ses petites-filles en secret n'a toujours pas le courage d'affronter son mari. Elle aussi sera absente le jour J si je ne trouve pas une solution.

J'arrive à la piscine de l'hôtel et le Gentil Organisateur m'indique du doigt mon fils, qui joue dans un coin avec d'autres enfants. À voir son air un peu moins enthousiaste que d'habitude, je me doute qu'Adrien lui a donné du fil à retordre… Oups ! Je le salue et je m'empresse d'aller récupérer mon garçon.

— Adrien, tu viens, mon chou ? dis-je en le prenant par le bras.

— Noooooonnnn !

Et le voilà qui s'enfuit en direction d'un autre groupe d'enfants.

— On ne court pas autour de la piscine ! crie le G. O.

J'essaie de rattraper Adrien, mais je ne veux pas désobéir et je marche le plus vite possible. Tout à coup, je le vois se jeter dans les bras d'une fillette au maillot de bain jaune, un peu déstabilisée par cet élan de tendresse inattendu. Il reste collé contre elle deux secondes et s'intéresse ensuite au tracteur miniature d'un petit garçon juste à côté d'eux.

En m'approchant, je sens mon cœur bondir dans ma poitrine. Ces yeux noisette, ces cheveux d'un blond lumineux, cette petite frimousse à la Boucle d'or… Tout ça ne m'est pas inconnu. Je m'agenouille pour mieux regarder la fillette et être certaine qu'il s'agit bel et bien de celle à laquelle je pense.

Aussitôt que mes yeux rencontrent les siens, je sais que j'ai devant moi l'enfant que j'ai aimée comme si elle était ma propre fille.

— Charlotte ? Tu te souviens de moi ? lui demandé-je.

Pendant une fraction de seconde, je vois qu'elle active le disque dur dans sa tête. Puis une étincelle traverse son regard. Mini-Charlotte sourit à pleines dents et je sens mon cœur se gonfler d'amour.

La fille de P-O, qui doit avoir maintenant sept ans, me regarde avec tendresse et, à mon grand soulagement, sans aucune amertume. Je la serre dans mes bras en lui disant que je me suis beaucoup ennuyée d'elle.

Je réalise alors que si Mini-Charlotte se trouve ici, elle y est forcément avec l'un de ses parents. En l'occurrence, peut-être mon ancien amoureux. Celui qui, il y a encore quelques mois, m'aimait toujours follement, selon sa sœur. Celui pour lequel je ne peux nier éprouver une forte attirance.

Et si, comme je l'ai dit plus tôt à Ugo, il n'y avait pas de hasard dans la vie ? Et si ce voyage dans le Sud se concluait finalement par plus que des histoires de baise sans lendemain ?

C'est remplie d'un fol espoir que je pose ma question à Mini-Charlotte :

— T'es en vacances avec ton papa ou avec ta maman ?

— Avec les deux.

27

Cinq conseils pour reconquérir son ex:
1. Ne pas le harceler.
2. Ne pas argumenter avec lui pendant des heures.
3. Ne pas avoir l'air déprimé.
4. Attendre qu'il fasse les premiers pas.
5. Et, surtout, ne pas faire une folle de vous.
Cinq jours, novembre 2013.

— Il a repris avec la mère de sa fille! Mon chien est mort!

Je suis encore sous le choc des révélations de Mini-Charlotte et j'essaie d'analyser tout ça en compagnie de mes deux fidèles amis, devant une assiette de langoustes grillées et de riz à la créole. Mon fils dort dans ma chambre sous la supervision d'une nounou.

— Qui te dit qu'ils sont vraiment ensemble? demande Ugo.

— Ben là. Ils viennent en vacances avec leur fille, il me semble que c'est clair.

— Les as-tu vus ensemble?

— Euh, non... Quand la petite m'a dit ça, j'ai eu l'impression de recevoir un coup de poing. J'ai préféré partir avant de le voir... ou de les voir.

— Donc tu n'en sais rien, conclut Bachir.

— Peu importe, je peux pas faire ça à Mini-Charlotte.

— Faire quoi ? s'enquiert Bachir.

— M'interposer et briser son cœur une deuxième fois. Ses parents sont revenus ensemble, c'est ce que tous les enfants souhaitent, non ?

— T'as peut-être raison, admet Ugo du bout des lèvres.

— C'est sûr que j'ai raison. Les enfants passent en premier.

— C'est quand même possible qu'ils soient seulement des amis. On sait jamais.

— Ça m'étonnerait, dis-je, fataliste.

Je prends une bouchée de mon délicieux crustacé arrosé de sauce chien, en réfléchissant au gâchis qu'a été ma relation avec P-O.

— P-O et moi, on a jamais eu un bon *timing*. Comme si quelque chose nous empêchait toujours d'être ensemble. C'est notre karma.

— Karma que t'as toi-même provoqué en retournant avec Maxou.

— *Come on*, Ugo, tourne pas le fer dans la plaie ! C'est sûr que si j'avais su…

— N'empêche que c'est quelqu'un qui te convenait beaucoup mieux.

— Tu penses que je le sais pas ? Pis que je m'en mords pas les doigts ?

— C'est vraiment un homme pour toi ? Tant que ça ? s'informe Bachir.

— On aimait les mêmes choses, on cuisinait, on faisait de la télé ensemble. Et il est tellement bon avec les enfants. Avec lui, la vie était facile, ça coulait.

— Et pourquoi t'es retournée avec Max ?

— Parce que, avec Max, j'avais l'impression que je vibrais plus, que c'était plus passionné.

— Pourquoi ?

— Peut-être parce que c'était plus compliqué, justement, que c'était moins harmonieux qu'avec P-O. Donc, dans ma tête, c'était moins plate.

— Avec P-O, c'était plate ?

— Pas du tout ! On avait vraiment du plaisir, même si c'était un peu moins intense.

— Tu l'aimais, P-O ?

— Beaucoup, et je pense que j'ai jamais cessé de l'aimer.

Bachir pose sa main sur la mienne en signe de compassion et nous poursuivons notre repas en silence. Je bois une gorgée de chablis en me félicitant d'avoir choisi une destination où on peut déguster du bon vin. Je n'aurais pas supporté de devoir avaler de la piquette toute la semaine.

Une fois nos assiettes terminées, Bachir me demande des informations supplémentaires sur P-O, comme son nom de famille, ainsi que le nom complet de la mère de Mini-Charlotte.

— Gagnon et… Laliberté… Florence Laliberté.

Puis il quitte la table sans explication.

— Ben voyons, qu'est-ce qu'il va faire ?

— Je le sais pas plus que toi, répond Ugo, l'air amusé.

Pour ma part, le comportement de Bachir m'inquiète, et j'ai hâte de le voir revenir. Quelques minutes plus tard, il se rassoit à nos côtés, pendant que la serveuse verse le reste de la bouteille d'eau pétillante dans mon verre. J'attends qu'elle déguerpisse pour questionner Bachir, mais c'est lui qui prend les devants.

— Eh bien, Charlotte, tu vas être contente d'apprendre que P-O et Florence ont chacun leur chambre.

***

— OK, il vient d'arriver.

Le lendemain matin, nous sommes assis tous les quatre au bord de la mer et je suis prête pour la première phase de mon plan d'attaque. Un peu plus tôt, j'ai envoyé Bachir en éclaireur pour vérifier si P-O se trouvait dans les parages. Il revient tout juste et m'annonce la bonne nouvelle.

— Il est où exactement?

— Un peu plus loin, à droite. Quand tu verras deux parasols rayés multicolores, c'est là.

— Deux?

— Ouais, il est avec elle.

— Et Mini-Charlotte?

— Elle est là aussi.

— Bon, très bien... Et t'es certain que c'est lui, hein?

— Oui, oui, t'inquiète pas.

Du coup, j'hésite à me lever pour aller reconquérir mon ancien amoureux. Et si je me trompais, une fois de plus?

Pourtant, au réveil, tout était clair. P-O et moi, on est faits pour être ensemble, ai-je pensé, et ce n'est pas un hasard si nous nous retrouvons tous les deux ici, en même temps. Alors qu'est-ce qui me retient?

— Charlotte, tu vas pas *choker*, là? demande Ugo.

— Ouin, mais s'il veut rien savoir...

— On a parlé de tout ça hier. Au moins, tu seras fixée.

— Je suis plus certaine, maintenant.

— En tout cas, je t'ai déjà vue plus combative.

Je pèse le pour et le contre encore un instant, puis je me décide. Après tout, qu'est-ce que j'ai à perdre? Ma fierté? Mais on s'en fout! Totalement. Je me lève en me parlant à moi-même.

— OK, *let's go,* Charlotte, t'es capable.

— Bon, ça c'est la fille que je connais.

— De quoi j'ai l'air?

— T'es super belle. Je te dirais bien d'en enlever un peu, mais ça tomberait dans l'indécence.

Je panique soudainement:

— Quoi? Qu'est-ce que tu veux dire? Mon maillot est trop sexy?

— Non, non, il est correct.

— Je le vois dans tes yeux, Ugo Saint-Amand.

— Il est parfait, je te dis !

J'examine mon bikini corail en me demandant si je n'aurais pas dû choisir le bleu pâle, qui en cache un peu plus. Ou carrément mon tankini et ma culotte boxer.

— Je sais, je vais mettre mon paréo. Et mon t-shirt. Et mon chapeau de paille. Et mes lunettes fumées. Et je vais apporter ma serviette au cas où !

Avec des gestes saccadés, je me penche pour ramasser tout ce dont je viens de parler, en serrant chaque objet contre ma poitrine. Je me relève, les bras pleins, quand je sens deux mains se poser sur mes épaules.

— Détends-toi, Charlotte, dit Bachir en commençant à me masser tout doucement.

— Pis oublie tout ça, ajoute Ugo. T'en as pas besoin !

Je m'exécute, mais je garde mon paréo que j'ai tout de même l'intention de porter. Pendant quelques instants, je savoure les mains habiles de Bachir qui tentent de faire disparaître tout le stress que je ressens. Peine perdue, je suis incapable de me détendre. La tension tombera plus tard, c'est tout !

Adrien reste auprès de mes amis et je marche en direction de l'endroit indiqué par Bachir, tout en nouant mon voile blanc à ma taille. Moins d'une minute plus tard, j'aperçois l'indice convoité… Et une longue paire de jambes féminines.

Hier, quand j'ai appris que P-O ne dormait pas dans la même chambre que Florence, j'ai tout d'abord ressenti une grande joie.

— Il couche pas avec elle ! me suis-je écriée.

Puis, en réfléchissant, je me suis dit qu'au fond je l'ignorais. Peut-être sont-ils au début d'une nouvelle relation et ils veulent prendre leur temps ?

Une fois de plus, j'ai pensé que je devais laisser tranquille cette famille réunie. Puis Bachir m'a rappelé que P-O est un grand garçon, capable de faire ses choix lui-même.

— Tu vas quand même pas lui tordre un bras, a ajouté Ugo.

Peut-être pas, en effet. Mais j'ai la ferme intention de lui faire comprendre que la femme de sa vie, c'est moi. Personne d'autre.

J'arrive devant les parasols multicolores et je me compose un air surpris tout en posant nonchalamment mon regard sur P-O et Florence. Mon ancien amoureux lit une revue de cuisine, pendant que Florence surveille leur fille, qui s'amuse dans le sable.

— P-O ? dis-je innocemment.

Il lève les yeux vers moi et je ressens un pincement au cœur quand je constate que son regard est plutôt froid.

— Salut, répond-il sur un ton détaché.

Surtout, ne pas se laisser démonter. La partie n'est pas gagnée, j'en suis consciente. Mais ça vaut le coup. P-O est plus sexy que jamais avec son maillot de style boxer, son ventre ferme et ses lunettes Prada sur la tête. Je sais qu'il a toujours aimé cette marque italienne – ses origines y sont certainement pour quelque chose – et je suis heureuse de constater qu'il l'a adoptée. Elle lui va comme un gant !

— Drôle de hasard, non ?

— En effet. Tu connais Florence, je pense.

— Oui, on s'est croisées quelques fois. Salut, Florence.

— Salut, Charlotte, me lance-t-elle poliment.

À l'époque où je fréquentais P-O, il m'est arrivé de tomber sur Florence quand elle venait chercher ou conduire Mini-Charlotte. J'avoue que je l'avais trouvée un peu quelconque, mais maintenant que je l'observe en maillot de bain, je sais que j'ai de la compétition.

— Ça va, vous passez de belles vacances ?

— Ça va bien. Et toi ? répond la mère de Mini-Charlotte.

— Oui, merci. Allô, ma belle, dis-je à l'intention de la petite, qui, munie d'une pelle, remplit son seau rouge de sable.

— Allô.

Tu parles d'une conversation banale ! Et voilà P-O qui retourne à sa revue sans plus de façons. Ah non, ça ne se passera pas comme ça !

— Il marche bien, ton nouveau resto, P-O ?

— C'est pas un nouveau resto, répond-il sans même me regarder.

— Ben, tu sais ce que je veux dire. Ton resto reconstruit.

— Parce que ça t'intéresse, maintenant ?

— Mais bien sûr. Pourquoi tu dis ça ?

P-O reste muet, rivé à son article sur les différentes techniques de cuisson du foie de lotte. Et puis, tout à coup, je comprends.

« Back on my feet. Je reconstruis et j'ajoute un atelier de cuisine. » Le dernier texto qu'il m'a envoyé et auquel je n'ai jamais répondu, à la demande de sa sœur. Il faut que je lui explique ! Mais pas là. Plus tard, quand il sera seul. Ça veut dire quand ? S'il demeure fermé comme une huître, je n'aurai jamais l'occasion de le voir en tête à tête.

Pour l'instant, je juge qu'il est inutile de rester plantée ici comme un piquet. Même Mini-Charlotte ne se préoccupe pas de moi. J'ai l'air plus ridicule qu'autre chose.

— Bon, ben, je vous laisse. Bonne journée.

— Bonnes vacances, Charlotte.

J'ignore si Florence me souhaite réellement du bon temps ou si elle vient de me signifier qu'elle veut me voir disparaître. Si la seconde hypothèse est la bonne, elle rêve en couleurs. Ça prendra le temps que ça prendra, mais l'opération « grande séduction » de mon ancien amoureux aura bel et bien lieu.

***

J'ai décidé d'attendre le lendemain avant de récidiver. Je me suis quand même assurée de me balader devant P-O à plusieurs reprises, dans des tenues toutes plus suggestives les unes que les autres.

Bachir et Ugo ont observé la scène de loin avec des jumelles que j'ai achetées dans le but d'espionner mon ex. Ils m'ont raconté que, même s'il m'ignorait quand je passais devant lui, P-O s'empressait toutefois de me suivre des yeux aussitôt que je lui tournais le dos. Je considère que c'est un pas dans la bonne direction.

De plus, au cours de mes séances de surveillance, je n'ai jamais été témoin de la moindre manifestation amoureuse entre Florence et lui. Aucun bisou, aucune caresse, aucune intimité. Voilà un autre élément encourageant.

En ce milieu d'après-midi, j'assiste à une joute de volley-ball organisée à l'improviste sur la plage. P-O fait équipe avec quelques touristes, qu'Ugo et Bachir affronteront avec l'autre groupe. Je suis la seule spectatrice, et quelques-uns des participants me regardent d'une drôle de façon, mais je n'ai d'yeux que pour un seul joueur. Il s'apprête d'ailleurs à effectuer un service.

— Vas-y, P-O, t'es capable !

Mon ancien amoureux se tourne vers moi, l'air de se demander pourquoi je joue à la *cheerleader* pour une banale partie de volley de plage. Je l'encourage une nouvelle fois en levant le pouce, et il ne peut s'empêcher d'esquisser un doux sourire. Je vais t'avoir à l'usure, mon homme !

Je regarde le match comme si c'était le spectacle le plus enlevant que j'aie jamais vu de ma vie, applaudissant à tout rompre quand P-O, Ugo ou Bachir réussissent un bon coup. En fait, ce que je crois être un bon coup… Pas certaine de comprendre toutes les règles de ce jeu. Je ne sais même pas quelle équipe mène, mais je m'en fiche royalement. Je suis là dans un seul et unique but : briser cette glace entre P-O et moi. Et si je dois faire dans l'autodérision, eh bien je le ferai !

Ce qui me préoccupe à l'heure actuelle, c'est de trouver comment l'informer que je suis séparée. Parce que je ne suis pas convaincue qu'il soit au courant. Malgré l'insistance de Paul-André, j'ai refusé de parler publiquement de ma séparation. Pas tant que les papiers du divorce ne seront pas signés, ce qui ne devrait pas être très long. Quand ce sera officiel, je donnerai cette entrevue exclusive à mon ami journaliste. Et si je devançais la réalité ? Je pourrais l'annoncer ici même, à mes copains, juste comme ça, l'air de rien.

Le match se termine dans l'allégresse et je me hâte d'aller féliciter les joueurs. Comme par hasard – ou plutôt comme je le leur ai demandé –, Ugo et Bachir jasent avec P-O.

— Wow ! Vous étiez super bons, les gars !

Je me lève sur la pointe des pieds et je donne un petit bisou à Ugo, puis à Bachir et, sans qu'il ait le temps de réagir ou de s'enfuir, je pose mes lèvres sur la joue de P-O, tout en mettant la main sur son épaule nue.

— J'ignorais que tu savais jouer au volley-ball !

Ma main s'attarde un peu trop longtemps sur son épaule. J'observe son visage à la recherche d'une émotion, mais soit il cache bien son jeu, soit je ne lui fais plus d'effet du tout. Misons sur la première hypothèse.

— C'est juste pour le *fun*, me répond-il.

— Les gars, dis-je en retirant ma main, il me reste une heure avant d'aller chercher Adrien. Vous venez prendre un verre avec moi ? J'ai quelque chose à célébrer.

— Quoi donc ? me demande Ugo, légèrement surpris.

— Depuis à midi, je suis officiellement divorcée. Mon ex a signé les papiers. Ça se fête, non ?

— Et comment ! lance Bachir, croyant que je dis vrai.

— Qui t'en a informée ? demande Ugo, plus pragmatique.

— Mon avocat m'a envoyé un courriel. Je suis super contente.

Je me tourne vers P-O, un grand sourire aux lèvres. Je sais, je ne fais pas dans la subtilité, mais l'heure n'est plus à la nuance. Je veux que mon message soit clair, net et précis.

— Je savais pas que t'étais séparée. Ça fait longtemps ?

— Début septembre.

Le visage de P-O demeure impénétrable, mais le simple fait qu'il ait posé une question démontre qu'il n'est pas aussi indifférent qu'il en a l'air. Je poursuis dans la même veine.

— Et c'est ma décision.

Je soutiens le regard de mon ancien amoureux et je constate que je viens de l'ébranler. Je profite du moment pour répéter mon invitation.

— Bon, on y va ?

— Je ferais bien une petite saucette avant, lance Ugo.

— Moi aussi, ajoute son chum.

Ça, ce n'était pas prévu, les mecs, ai-je envie de leur dire. On s'en fout, de votre sueur !

— Moi, annonce P-O, je dois aller rejoindre ma fille et Flo.

Flo ? Est-ce qu'on appellerait son amoureuse comme ça ? Ça fait plutôt copain-copain, non ? Est-ce un nouvel indice ? Il est peut-être temps de vérifier.

— Comme ça, vous êtes de bons amis, Florence et toi ?

P-O me lance un regard moqueur et je comprends qu'il a saisi où je voulais en venir.

— On a pensé que ça pouvait être *cool* que Charlotte fasse un voyage avec ses deux parents.

— J'imagine, mais… est-ce que… Enfin, tu sais…

J'hésite à poser LA question et P-O semble prendre un malin plaisir à me voir m'empêtrer dans mon discours. Ah, et puis tant pis ! Assume-toi, Charlotte.

— Vous êtes ensemble ou non ?

Je fixe intensément mon ancien amoureux, un air de défi dans les yeux. Essaie de ne pas répondre, maintenant !

— On est juste des amis.

Je sens une immense joie m'envahir. Tous les signes sont là. Toutes les planètes sont alignées pour que, P-O et moi, on parte d'ici main dans la main. Reste à le convaincre que je ne le laisserai pas tomber cette fois-ci. C'est ce qui le retient, j'en suis persuadée. Et pour ça, je dois passer du temps avec lui.

— Si on soupait tous ensemble, hein ? Ce serait chouette pour les enfants.

— Euh, je sais pas trop.

— Allez ! Les vacances, c'est plus drôle en gang. Je commence à m'ennuyer avec mon petit couple, là, dis-je en désignant Ugo et Bachir d'un signe de tête.

C'est quoi, cette connerie qui vient de sortir de ma bouche ? Qu'est-ce que je peux être stupide, parfois, quand je suis nerveuse.

— C'est fin pour tes amis, ça !

— Ouin, c'est gentil pour nous, renchérit Bachir, faussement outré.

— Bon, bon, vous savez ce que je veux dire. C'est tannant d'être toujours la troisième roue du carrosse.

P-O me regarde maintenant d'un air amusé.

— On dit « la cinquième roue du carrosse », précise-t-il.

— Tu crois ?

— Ben oui. Un carrosse, ç'a combien de roues ?

— Je sais pas trop… Mais celui de Cendrillon, il en a deux, non ?

— Non !

— T'es sûr ?

Oui, il en est certain, tout comme moi, d'ailleurs. Je sais fort bien que le carrosse-citrouille de la belle princesse comporte quatre roues. Mais s'il faut que je parle de Cendrillon pour avoir un semblant de conversation avec P-O, eh bien je le ferai !

— Charlotte en a un à la maison, je sais de quoi je parle.

— Très bien, alors. Je m'incline devant tant de connaissances.

Sur ces paroles, je fais une mini-révérence devant P-O, en sachant très bien que mon geste laisse légèrement entrevoir ma poitrine nue sous ma camisole. Je l'ai dit, c'est la grande séduction. En me redressant, je constate que j'ai réussi mon coup. Les yeux de P-O brillent de désir.

— Bon, donc on se rejoint au resto à 18 heures.

J'utilise volontairement une affirmation et non une question, afin de le voir céder. Une tactique qui peut s'avérer très efficace et que j'utilise souvent au boulot. Espérons que ça fonctionnera ici aussi.

— Je sais pas encore, répond-il. Je t'appelle à ta chambre plus tard, OK ?

Mon enthousiasme disparaît d'un coup et c'est avec beaucoup de déception que je vois P-O ramasser sa serviette de plage, enfiler ses sandales noires Adidas et s'éloigner vers l'hôtel.

***

Mon téléphone n'a jamais sonné hier soir. Et la nouvelle tentative de séduction que j'ai essayée aujourd'hui a lamentablement échoué.

Un peu plus tôt, cet après-midi, je suis allée voir P-O sur la plage. J'ai choisi un moment où il se trouvait seul avec sa fille. Une bouteille de lotion solaire à la main, j'ai prétendu que j'avais besoin de ses mains pour me mettre de la crème dans le dos.

Je lui ai donné la bouteille et je me suis agenouillée en lui tournant le dos. D'un geste sensuel, j'ai relevé mes cheveux et j'ai attendu. Quelques secondes ont passé sans qu'il fasse un geste. Puis je l'ai entendu dire à sa fille qu'il avait besoin de ses services. C'est donc Mini-Charlotte qui a posé ses mains sur mon corps. Non seulement j'ai eu de la peine, mais je me suis aussi sentie profondément insultée.

— Coudonc, je suis quand même pas pour acheter une banderole « Je t'aime, P-O » puis la mettre sur un avion ?

— Franchement, Charlotte ! Tu trouves pas que t'en as déjà assez fait ? me lance Ugo, assis sur la chaise longue, à mes côtés.

Devant nous, Bachir montre à Adrien comment construire des châteaux de sable. Adorable ! Cet homme a vraiment le tour avec les enfants. Tout ça a un effet positif sur Ugo, qui s'habitue de plus en plus à la présence d'Adrien, pour mon plus grand bonheur.

— Arrête de te ridiculiser, poursuit mon ami. Déjà, ton histoire de crème solaire, tantôt, c'était pas fort.

— Tu comprends rien !

— Explique-moi, d'abord !

— Je sens qu'il me désire encore et je veux juste qu'il me touche. Je suis certaine que, si on établit un contact physique, le reste va suivre.

— Charlotte, tu penses pas que tu te fais des idées ?

— T'en sais rien ! C'était très fort physiquement entre nous.

Mon ami pousse un soupir de découragement, que j'ignore.

— Peut-être que je pourrais faire semblant de me noyer devant lui. Là, il aurait pas le choix de me prendre dans ses bras.

— Bon, là, ça suffit ! Tu joues pas dans une comédie romantique d'Hollywood !

— Ben oui, mais je fais quoi ? Le problème, c'est que je suis même pas capable de lui parler, de lui expliquer ce qui s'est passé, de lui dire que je l'aime encore et que je veux passer le reste de mes jours avec lui.

Parce que c'est ce que je souhaite réellement. Je l'ai réalisé au cours des derniers jours. P-O, c'est l'homme de ma vie.

— Je sais pas, Charlotte. Mais plus de folies, OK? C'est assez.

— T'es pas très imaginatif, je trouve.

— Et toi, tu l'es trop.

Le silence s'installe jusqu'à ce que mon ami reprenne la conversation.

— S'il ne veut pas t'écouter, peut-être qu'il accepterait de te lire.

Je me relève, soudainement animée par une nouvelle énergie, et je m'empresse d'embrasser mon fidèle ami.

— Est-ce que je t'ai déjà dit à quel point t'es génial, toi?

28

P pour Passionnément amoureuse de toi
I pour Intégrité cette fois-ci
E pour Excuse. Mille excuses
R pour Retour dans ta vie
R pour Rester dans ta vie
E pour Éternité avec toi

O pour Orgie de bouffe avec toi
L pour au Lit avec toi
I pour Inimaginable, ma vie sans toi
V pour Vaincue, je ne m'avoue pas
I pour Insatiable de toi, je suis
E pour Ensemble, simplement
R pour Respirer chaque moment avec toi

La lettre que j'ai l'intention de glisser sous la porte de la chambre de P-O ne peut pas être plus transparente. C'est ma promesse d'engagement. Je m'assume : elle est quétaine, trop romantique, trop intense, mais c'est la mienne. Celle d'une Charlotte Lavigne qui espère de tout cœur qu'elle n'a pas compris trop tard à quel point elle aime P-O.

J'inspire profondément et je mets la petite feuille dans une enveloppe, en prenant bien soin de la parfumer. Tant qu'à faire dans la romance… J'y ajoute un autre petit mot et… un billet d'avion.

J'ai décidé de jouer la totale en achetant deux billets de retour pour le 25 décembre, jour de Noël. P-O, tout comme moi, doit quitter la Martinique le 24 au matin. Je lui offre de rester une journée de plus, seul avec moi, et je lui donne rendez-vous à midi, au petit resto de l'hôtel. S'il y est, c'est qu'il accepte ma proposition ; s'il n'y est pas, je saurai que je n'ai plus aucun espoir.

J'ai hésité avant de décider de confier Adrien à mes deux amis pour le réveillon du 24, mais Bachir a eu la brillante idée de faire comme si ce n'était pas Noël. Ils vont coucher mon garçon tôt, pour qu'Ugo et lui puissent déguster le souper en tête à tête qu'ils ont prévu. Et c'est le lendemain que je célébrerai Noël avec Adrien et mes parents, qui ont accepté de retarder la fête d'une journée. Tout s'arrange à merveille ! Pourvu que tout aille aussi bien dans ma reconquête.

***

Je regarde une nouvelle fois l'heure sur mon téléphone intelligent. 12 h 05. P-O n'est pas là. Bon, on ne s'énervera pas pour cinq minutes de retard.

Ce matin, j'ai longuement serré mon fils dans mes bras, qui ne comprenait pas pourquoi sa maman ne prenait pas l'avion avec lui. J'ai failli changer d'idée à la dernière minute, mais, comme toujours, Ugo a trouvé les mots pour me rassurer.

« Adrien a besoin d'une maman heureuse. Et c'est juste vingt-quatre heures. »

Je les ai donc laissés partir et j'ai passé le reste de la matinée à tenter de coiffer mes cheveux frisés par l'humidité, à essayer toutes mes robes, pour finalement choisir un short en jeans et une camisole saumon, et à repeindre mes ongles d'orteils en pestant chaque fois que je dépassais.

Je sirote mon mojito lentement, comme je me le suis promis. Je veux avoir toute ma tête pour rencontrer P-O. J'examine le menu. Tartare de thon à la mangue, boudin antillais, burger au mahi-mahi, salade César à la langouste… De beaux choix, mais j'ai l'estomac complètement noué… Je suis nerveuse comme je ne l'ai pas été depuis longtemps.

J'ai l'étrange impression de vivre un moment crucial. Celui qui déterminera si je finirai mes jours vieille fille. Des clichés tels « *It's now or never* » ou « Ça passe ou ça casse » ne cessent de me venir à l'esprit.

Si P-O ne se présente pas, je ne sais pas si je trouverai le courage de tout recommencer avec un autre. De me donner corps et âme à un homme qui pourrait me blesser. Avec P-O, je sais que ça n'arrivera pas.

Nouveau coup d'œil à mon iPhone. 12 h 07. Calme-toi, Charlotte, et respire par le nez.

Les minutes s'écoulent lentement et je m'efforce de ne pas regarder l'heure à tout bout de champ. Un peu plus tôt, j'ai envoyé un texto à Ugo pour lui demander s'il avait croisé P-O à l'aéroport. Il m'a répondu que l'endroit était bondé et qu'il n'avait vu ni P-O, ni Florence, ni Mini-Charlotte. Je ne suis donc pas plus avancée et je ne peux plus faire appel à mon meilleur ami, puisqu'il est dans les airs, quelque part au-dessus des États-Unis. Je dois donc prendre mon mal en patience.

Je lis *Le Nouvel Observateur*, qu'un client a laissé sur la table voisine. Je dirais plutôt que j'essaie de le lire, car mon esprit est incapable d'enregistrer la moindre information.

Plus le temps passe et plus je perds espoir de voir apparaître P-O. Je n'ai pas réussi à le convaincre de ma bonne foi. À lui faire oublier la Charlotte qui l'a lâchement quitté et qui n'a jamais répondu à son dernier message texte. Il ne m'a pas crue.

Mon appareil indique maintenant 12 h 57. Une heure de retard. Il ne viendra pas. Il est, lui aussi, en direction de Montréal. Je sens les larmes me monter aux yeux, mais je refuse de pleurer en public.

Je quitte le petit resto pour me rendre à la boutique de l'hôtel, où j'achète une bouteille de rhum brun, un sac de chips à l'aneth et des chocolats fourrés à la cerise. Je monte à ma chambre noyer ma peine à grands coups de boisson à 40 % d'alcool et de friandises caloriques. Et le tout, mélangé, me lève le cœur.

***

Je me réveille quelques heures plus tard, l'oreiller trempé par mes larmes, l'esprit encore embrumé par l'alcool et une grande tristesse au fond de mon âme. Pourquoi P-O n'a-t-il pas cru à ma promesse d'engagement ? J'essaie, une fois de plus, de comprendre pourquoi je suis si malchanceuse en amour.

Une immense lassitude m'envahit et, si je m'écoutais, je demeurerais couchée dans ce lit toute la soirée à continuer de me poser des tonnes de questions qui ne trouveront pas de réponse. Mais je suis une survivante et nous sommes la veille de Noël. Je ne la passerai pas seule à me morfondre, croyez-moi !

Si l'amour n'est pas au rendez-vous pour moi, le sexe le sera, lui ! Animée d'une nouvelle énergie, je saute dans la douche, je me brosse vigoureusement les dents et je me coiffe d'un chignon négligé. J'enfile ensuite ma robe la plus sexy et je chausse mes escarpins les plus vertigineux. Je termine le travail en rehaussant mes yeux d'une bonne couche de mascara dramatique intense 3D et en colorant mes lèvres d'un beau rouge vif.

Finalement, je glisse quelques condoms au fond de mon sac à main. Voilà ! Je suis prête à m'étourdir dans les bras d'un homme, pour tenter d'oublier celui qui n'a pas voulu de moi.

Plus décidée que jamais à ne pas me laisser abattre, j'ouvre la porte de ma chambre. Un court instant, mon cœur cesse de battre. P-O se tient devant moi, le poing levé comme s'il s'apprêtait à cogner.

Un mélange d'euphorie et de colère m'envahit. Je suis à la fois terriblement heureuse de le voir et fâchée contre lui pour m'avoir fait vivre l'enfer ces dernières heures. J'ai envie de l'embrasser et de le frapper en même temps.

— Salut.

Sa voix sensuelle, dans laquelle je ne note plus aucune trace de méfiance, me chavire encore plus.

— Toi, toi, toi… J'étais sûre que tu viendrais pas!

— J'avais besoin de réfléchir. Tu sais, c'est toute une décision.

Je ne sais plus trop quoi penser. Est-ce qu'il est ici pour négocier ou est-ce que son idée est faite? Est-ce qu'il me veut ou pas? Je n'en peux plus, j'ai besoin de le savoir. Là, tout de suite.

— Oui, mais maintenant que t'es là, c'est parce que…

— Je peux entrer? dit-il en me coupant la parole.

— Euh, oui, oui.

Je le laisse passer en l'observant et je referme la porte. Il est vêtu d'un jeans noir et de la même chemise blanche qu'il portait quand je l'ai revu sur le plateau de mon émission sur la chaîne spécialisée. Sexy comme je l'ai toujours aimé.

Il s'assoit sur le lit. J'hésite, puis je m'installe à ses côtés.

— Alors? T'as pas trouvé ma lettre trop quétaine?

Il éclate d'un grand rire franc et je me sens transportée au paradis.

— Oui. Très quétaine.

— Je m'assume.

— Je vois ça.

— Écoute, P-O, je peux pas faire plus pour te rassurer. Si t'es pas capable de me faire confiance…

— Chut.

Il pose un index sur mes lèvres et je sens tout mon corps se tendre. Son doigt s'égare sur ma joue et glisse le long de mon cou. Ses grands yeux brun noisette me fixent intensément. Je ne bouge plus, je ne respire plus, j'attends.

Sa main caresse maintenant mon épaule et descend le long de ma taille. Délicatement, il prend ma main dans la sienne et la porte à son cœur.

— Charlotte Lavigne, tu m'as fait passer à travers des émotions inimaginables.

— Je sais.

— J'ai essayé de t'oublier, j'ai voulu te détester, j'ai souhaité que tu disparaisses de la Terre.

— Je m'excuse tellement.

— Et aujourd'hui, tu reviens me chavirer le cœur. Encore une fois.

Sa main se fait plus pressante sur la mienne, il serre mes doigts un peu plus fort, tout en continuant de me parler.

— Je suis peut-être complètement fou, mais j'ai envie que tu bouscules ma vie. Avec ta folie, avec ta passion, avec tout l'amour que tu m'as démontré cette semaine. Parce que, sans toi, ma vie n'a plus de sens.

Je sens une larme couler sur ma joue. Une larme de bonheur pour la plus belle déclaration d'amour qu'on m'ait jamais faite. Et je me promets d'en être digne jusqu'à la fin de mes jours.

Épilogue

Quatre mille six cent trois bouteilles de rouge
et mille cent quarante-sept tiramisus plus tard...

— Maman, je trouve plus les alliances !

Avec sa maladresse coutumière, Juliette se rue vers moi, complètement paniquée. Je prends une grande respiration comme je le fais toujours quand ma fille m'exaspère. Elle me fait tellement penser à moi. J'essaie de me calmer, mais là j'avoue que je n'y arrive pas. Elle n'a pas perdu mes alliances ? Pas le jour de mon mariage !

— Juliette, réfléchis deux secondes. Elles étaient où, la dernière fois que tu les as vues ?

— Je sais plus ! Je sais plus ! Je sais plus !

Ma fille se met à hyperventiler, le regard qui passe de gauche à droite à la vitesse de l'éclair.

— Regarde-moi dans les yeux, Juliette Gagnon. Et respire.

Juliette ferme plutôt les paupières et inspire bruyamment, puis expire rapidement par la bouche. Ce n'est pas tout à fait comme ça que je lui ai enseigné à reprendre ses esprits... Mais bon, c'est mieux que rien. Elle ouvre ensuite les yeux pour aussitôt déguerpir à grandes enjambées.

— Mononcle Ugo! Faut que tu m'aides à trouver les bagues de papa et maman!

Mon fidèle ami qui vient d'apparaître dans le salon me fait un clin d'œil complice. Encore une fois, je sais que je peux compter sur lui pour apaiser les angoisses de ma fille adorée.

— On va les retrouver, ma Juliette. Moi, je gagerais qu'elles sont dans ton bordel de chambre.

— Ah! Ça doit être ça!

Je les observe s'éloigner vers l'escalier et, une fois de plus, je remercie la vie de m'avoir autant gâtée ces dernières années. Ma belle grande fille déjà devenue adulte. Euhhh... en théorie, du moins. J'ai parfois l'impression que Juliette restera une éternelle adolescente.

Je soupire de découragement et je retourne au texte que je lisais tranquillement avant l'interruption de celle que toute la famille surnomme la « Tornade blonde ». Je tiens dans mes mains mes vœux de mariage. Ceux que je vais prononcer dans quelques heures.

Il en a fallu, des années, avant que P-O et moi trouvions du temps pour unir nos destinées de façon formelle. Nous en avons parlé à plusieurs reprises depuis nos retrouvailles en Martinique, mais notre vie trépidante ne nous en avait jamais donné l'occasion. Enfin, jusqu'à aujourd'hui.

— Ouin, mais je suis pas trop vieille pour me marier? J'ai quand même soixante-deux ans, ai-je dit à mon amoureux quand il a relancé le projet il y a quelques mois.

— Et moi, je te trouve soixante-deux fois plus belle, a-t-il rétorqué.

Et c'est comme ça que, P-O et moi, nous nous apprêtons à célébrer notre amour avec nos proches.

Enfin, presque tous nos proches. Ceux qui me manqueront le plus aujourd'hui, c'est mon amie Marianne, partie vivre à Vancouver, et maman et papa. J'ai perdu mes parents l'année dernière, à quelques mois d'intervalle. Mado et Reggie sont morts d'un cancer. Tout un choc dont je commence à peine à me remettre. Heureusement, il nous reste Angela, ma belle-maman, qui cuisine toujours aussi merveilleusement les tiramisus, malgré son âge que je sais avancé. Coquette comme elle est, impossible de lui soutirer cette information.

Et puis il y a nos enfants, à commencer par mon fils, Adrien. Mon grand garçon est arrivé hier de Paris, où il vit maintenant avec son père, tout en étudiant à la Sorbonne. Adrien, qui me ravit à chacune de ses visites mais qui m'échappe aussi un peu. Adrien, qui est de plus en plus français, de plus en plus Lhermitte. Mais qui n'a heureusement que les bons côtés de Max.

Nous pourrons aussi compter sur la présence de Mini-Charlotte, qui en fait n'est plus mini du tout. Avec son mètre quatre-vingts et sa taille de guêpe, la fille de P-O aurait très bien pu devenir mannequin. Mais elle a préféré se consacrer à l'enseignement et fonder sa propre famille. Notre seule tristesse, c'est de ne pas la voir plus souvent, puisqu'elle habite le Saguenay.

— Maman ! Je les ai retrouvées !

La voix enjouée de Juliette me parvient depuis l'étage. Deux secondes plus tard, elle dévale les escaliers, suivie de mon ami aux tempes légèrement grisonnantes.

Ugo et moi, nous ne nous sommes pas lâchés d'une semelle au cours de toutes ces années. En réalité, je devrais plutôt dire Ugo, Bachir et moi. Puisque, à ma grande joie, leur relation a traversé le temps et les épreuves.

— Elles étaient où ?

— Euhhh... en dessous de mon sac de *gummies*.

— Entre ses draps et sa douillette. À côté du bracelet brésilien qu'elle cherchait depuis trois jours, précise Ugo.

— Vraiment? Ah ben, ça m'étonne! dis-je ironiquement.

Ugo éclate de rire et je l'imite aussitôt, tandis que Juliette fait mine d'être offusquée. Mais je sais bien qu'elle adore qu'on la taquine. Et qu'elle y est habituée.

— En tout cas, une chance que t'es là, mononcle Ugo.

Et la voilà qui se réfugie dans les bras de son deuxième papa, qui lui caresse doucement les cheveux. Cette image me sécurise. Oui, heureusement que mon ami est là pour ma fille.

Mon cœur se serre à la pensée de ce que je vais annoncer demain à toute ma famille, quand nous serons réunis pour le brunch d'après-mariage. Une nouvelle qui risque particulièrement de bouleverser ma Juliette.

Après une carrière fructueuse à la télévision, tout d'abord comme recherchiste, animatrice, puis comme directrice de la programmation, j'ai décidé de quitter ce milieu. Depuis quelques semaines, je suis donc à la retraite. Pas exactement au sens où tout le monde l'entend, toutefois.

P-O et moi, nous allons réaliser le rêve que nous caressons depuis des années : vivre au Costa Rica. Pas juste pour flâner sur les plages, mais aussi pour y travailler. Nous serons responsables des cuisines d'un luxueux centre de yoga, qui accueille des adeptes de partout dans le monde. Une occasion en or qui me permettra de combiner mon amour de la bouffe et mon nouvel intérêt pour le yoga. Une discipline à laquelle je m'adonne depuis quelques années et qui m'a finalement apporté un peu de quiétude. Enfin... par moments, devrais-je préciser.

Je suis aux anges, mais aussi terriblement angoissée à l'idée de laisser ma fille seule au Québec.

— Elle ne sera pas seule. Je vais veiller sur elle, a promis Ugo.

Et puis ce n'est pas comme si j'allais disparaître de sa vie pour toujours. Non. Je viendrai la visiter régulièrement, m'assurer que tout va bien et lui préparer des repas. Parce que Juliette est une catastrophe en cuisine. Elle n'a pas hérité des talents de son père, ni de la passion de sa mère. Si ce n'était que d'elle, elle s'empiffrerait de bonbons à longueur de journée. Misère…

Ce qui m'inquiète aussi chez ma fille, ce sont ses relations amoureuses. Elle fait les mêmes erreurs que moi, en se donnant beaucoup trop. Je ne compte plus les fois où je l'ai prise dans mes bras pour la consoler d'une peine d'amour. Pauvre pitchounette, pas facile la vingtaine.

Ce qui m'encourage toutefois, c'est de constater qu'elle a trouvé sa voie sur le plan professionnel. Depuis qu'elle est toute petite, Juliette croque sur le vif des visages, des paysages et des événements. Elle a un véritable don pour la photographie et elle termine des études pour en faire son métier. Je suis convaincue qu'elle aura beaucoup de succès !

— Il est où, papa ? me demande Juliette.

— Chez *nonna*. Il nous rejoint à l'auberge.

Pour P-O aussi, l'idée de se séparer de sa fille est une véritable torture. Mais puisqu'il est toujours propriétaire de son resto au centre-ville, il sera appelé à revenir à Montréal de temps à autre. Je le soupçonne d'ailleurs d'avoir refusé de vendre son commerce uniquement dans le but d'avoir un prétexte pour venir voir sa princesse à Montréal. Papa gâteau, va !

— Ah non ! Pas déjà 11 heures ? s'exclame ma fille en regardant sa montre. Je suis en retard pour mon rendez-vous chez la coiffeuse.

Juliette décolle comme une fusée, enfile ses gougounes mauves au passage, attrape son sac orange qui traîne dans l'entrée et se précipite à l'extérieur en claquant la porte. Ouf ! Qu'est-ce qu'elle peut m'étourdir, parfois !

Je me tourne vers Ugo, un mélange de tristesse et d'inquiétude dans le regard.

— Tu penses que ça va aller quand je serai plus là ?

Mon ami me prend tendrement dans ses bras comme il le fait depuis des décennies. Rassurant Ugo qui me manquera aussi beaucoup.

— Mais oui, chérie. Arrête de t'en faire. Ce sera pas facile, mais, tu sais, on va tous survivre à ton départ, Charlotte.

Psst ! En 2014, surveillez les aventures
de Juliette dans
La Vie sucrée de Juliette Gagnon

Remerciements

À Yves, pour avoir accepté de me partager avec Maxou, P-O, Antoine, Arnaud, Alexis et tous les autres ces dernières années. Un chum compréhensif, vous dites ?

À Laurence, pour tout le bonheur qu'elle m'apporte depuis vingt-trois ans.

À mes amies de filles, et particulièrement à toutes celles qui partagent avec moi leur passion de la cuisine et leurs recettes. À Loulou, France, Jocelyne, Chantal et Isabelle. Grâce à vous, je cuisine, entre autres, la meilleure morue au miso et une mousse aux framboises et à la lime impeccable.

À tous les chefs québécois qui inspirent à Charlotte ses menus. Vos livres de recettes sont une source inépuisable d'idées et de gourmandises.

À ma chère éditrice, Nadine Lauzon. Merci pour ta précieuse collaboration et ton amitié. Merci d'être là pour briser la solitude de la romancière, autant dans les moments de découragement que dans les moments d'euphorie.

À toute l'équipe du Groupe Librex. Merci pour votre immense implication dans le projet Charlotte qui, grâce à votre travail, voyage jusqu'en Europe.

À mon agente, Nathalie Goodwin, pour son aide dans les projets de développement de mes romans. Charlotte à la télé un jour? On ne sait jamais...

À tous les libraires du Québec, qui ont cru en ma série et qui l'ont mise de l'avant. Merci de permettre à Charlotte de se faire voir sur vos tablettes. Votre apport est précieux pour nous, auteurs québécois.

Encore une fois, mais ce ne sera jamais assez, je tiens à remercier toutes mes lectrices et tous mes lecteurs... Oui, oui, j'en ai quelques-uns et je les adore. Ce sont vos messages d'amour envers mon personnage qui m'ont finalement décidée à écrire un tome 4. Sans votre enthousiasme, votre passion et votre inestimable soutien, je n'y serais pas arrivée.

Suivez les Éditions Libre Expression
sur le Web :
www.edlibreexpression.com

Cet ouvrage a été composé en Minion 12/14
et achevé d'imprimer en septembre 2013 sur les presses
de Marquis imprimeur, Québec, Canada.

Imprimé sur du papier 100 % postconsommation, traité sans chlore,
accrédité Éco-Logo et fait à partir de biogaz.